LES OISEAUX [illegible] S

Née à Londres en 1907, la romancière anglaise Daphné du Maurier grandit dans une famille amie des arts et des lettres. Son grand-père, George, était écrivain; son père, Gerald, acteur. Elle devait leur consacrer par la suite deux livres, (Gerald, *1934;* les Du Maurier, *1937*). *Au cours de sa carrière commencée en 1931, elle a écrit une dizaine de romans, mais c'est* L'Auberge de la Jamaïque *(1936) et surtout* Rebecca *(1938) qui feront sa réputation dans le monde entier. Elle publie de nombreuses nouvelles où se mêlent subtilement psychologie et fantastique,* (Les Oiseaux, Point de rupture). *Elle est aussi l'auteur de pièces de théâtre et d'un essai.* Le Monde infernal de Brauwel Brontë.

Dans la nuit, le vent d'est se lève et cingle la falaise. Entre deux rafales, des coups de bec crépitent sur les vitres. Nuée d'oiselets qui cherchent refuge contre le froid? Non, vague d'assaut qui tente d'abattre l'ennemi. Les oiseaux ont déclaré la guerre aux hommes. Ainsi commence la nouvelle dont le « maître du suspense », Alfred Hitchcock, a traduit en images le fantastique et l'épouvante.
L'horreur se feutre, le fantastique se fait plus subtil, à peine étranger au réel, dans les autres récits.
Le mari de Midge est-il victime d'une hallucination ou du *pommier?* Pourquoi la mort rôde-t-elle autour du cimetière rien que pour les aviateurs? Quel enfer a voulu fuir Mary Farren? Et quel enfer va trouver la marquise qui n'était pas amoureuse du petit photographe? Aucune souffrance n'égale pourtant la seconde d'éternité revécue par la douce Mme Ellis...

ŒUVRES DE DAPHNÉ DU MAURIER

Aux Éditions Albin Michel :

REBECCA
L'AUBERGE DE LA JAMAÏQUE
LE GÉNÉRAL DU ROI
LES DU MAURIER
LA CHAÎNE D'AMOUR
JEUNESSE PERDUE
LES PARASITES
MA COUSINE RACHEL
LES OISEAUX, *suivi de* LE POMMIER, ENCORE UN BAISER, LE VIEUX, MOBILE INCONNU, LE PETIT PHOTOGRAPHE, UNE SECONDE D'ÉTERNITÉ
MARY-ANNE
LE BOUC ÉMISSAIRE
GÉRALD
LA FORTUNE DE SIR JULIUS
LE POINT DE RUPTURE
LE MONDE INFERNAL DE BRANWELL BRONTÊ
CHATEAU DOR
LES SOUFFLEURS DE VERRE

Dans Le Livre de Poche :

LE GÉNÉRAL DU ROI
L'AUBERGE DE LA JAMAÏQUE
MA COUSINE RACHEL
REBECCA
LE BOUC ÉMISSAIRE
LA CHAÎNE D'AMOUR

DAPHNÉ DU MAURIER

Les Oiseaux

et autres nouvelles

TRADUIT DE L'ANGLAIS
PAR DENISE VAN MOPPÈS
ET FLORENCE GLASS

ALBIN MICHEL

LES OISEAUX

Traduction de Denise van Moppès

Le 3 décembre, le vent changea pendant la nuit et ce fut l'hiver. Jusque-là, l'automne avait été mol et doux. Les feuilles s'attardaient sur les arbres, rousses et dorées, et les haies restaient vertes. La terre labourée était grasse.

Nat Hocken, ancien combattant et blessé de guerre, recevait une pension du gouvernement, et ne donnait pas tout son temps à la ferme. Il y passait trois jours par semaine et on lui réservait les besognes les moins dures : tailler les haies, couper le chaume, réparer les bâtiments.

Bien que marié et père de famille, c'était plutôt un solitaire; il aimait à travailler de son côté. Il était heureux lorsqu'on lui donnait un parapet à construire ou une grille à réparer, à l'autre bout de la presqu'île, où la mer entourait les terres du fermier. Il faisait halte à midi pour manger le pâté que sa femme lui avait préparé et, assis au bord de la falaise, observait les oiseaux. L'automne était la bonne saison pour cela, plus propice que le printemps. Au printemps, les oiseaux volaient vers l'intérieur, suivaient leur route, tendus vers leur but; ils savaient où ils allaient, le rythme et le rite de leur vie ne souffraient pas de retard. En automne, ceux qui n'avaient pas émigré outre-mer et passaient l'hiver au pays étaient saisis par la même fièvre que leurs frères mais, le départ leur étant refusé, ils suivaient leurs règles à eux. Ils arrivaient en troupes sur la péninsule, anxieux, agités, remuant pour dépenser un trop-plein d'activité, parfois tournoyant, volant en cercle dans le ciel, parfois s'abattant sur la bonne terre labourée pour s'y nourrir mais, semblait-il, sans faim, sans véritable désir; puis leur inquiétude les attirait de nouveau vers les cieux.

Noirs et blancs, corneilles et mouettes, réunis par une étrange association, cherchaient on ne sait quelle libération, jamais satisfaits, jamais apaisés. Des vols d'étourneaux filaient dans un bruissement de soie vers de nouveaux pâturages, poussés par le même besoin de mouvement, et les petits oiseaux, les pinsons, les alouettes, se dispersaient d'arbre en arbre et de haie en haie avec un air effaré.

Nat les observait, et il observait aussi les oiseaux marins. Dans la baie, ceux-ci attendaient la marée. Ils avaient plus de patience. Les pies de mer, les rouges-queues, les courlis, guettaient au bord de l'eau. Quand la marée venait lentement lécher la grève, puis se retirait, découvrant une bande de varech et de galets, les oiseaux marins accouraient sur les plages. Le besoin de voler les prenait eux aussi. Criant, sifflant, s'appelant, ils rasaient la mer tranquille et s'éloignaient de la rive. Dépêchons-nous, plus vite, hâtons-nous de partir! Mais pour où et pourquoi? La furieuse inquiétude de l'automne, l'inapaisable nostalgie les possédait, les rassemblant, les chassant à grands cris dans le ciel. Il leur fallait dépenser toute cette activité qui était en eux, avant l'arrivée de l'hiver.

Peut-être, songeait Nat en mâchant son pâté au bord de la falaise, peut-être les oiseaux recevaient-ils un message à l'automne, une espèce d'avertissement. L'hiver arrive. Beaucoup d'entre eux vont périr. Il advient que des gens, redoutant une mort prématurée, s'étourdissent dans le travail ou la folie; ainsi font les oiseaux.

Cet automne-là, les oiseaux avaient paru s'affoler encore davantage; leur agitation était d'autant plus frappante que le temps était serein. Tandis que le tracteur traçait son sillon au flanc des collines, la machine tout entière et le fermier qui la conduisait disparaissaient par moments dans un grand nuage d'oiseaux criards et tourbillonnants. Il y en avait beaucoup plus que d'habitude. De cela, Nat était sûr. Ils suivaient toujours la charrue en cette saison, mais pas en grandes troupes comme celles-ci ni avec de telles clameurs.

Nat le dit au fermier en finissant sa journée de travail, passée à tailler les haies.

« Oui, répondit le fermier, il y a plus d'oiseaux que d'habitude; moi aussi, je l'ai remarqué. Et hardis, avec ça! Ils se moquent pas mal du tracteur. Une ou deux mouettes sont venues voler si près de ma tête, cet après-midi, que j'ai cru qu'elles allaient m'arracher ma casquette! A peine si je pouvais voir ce que je faisais quand elles étaient au-dessus de moi! En plus, j'avais le soleil dans les yeux. J'ai idée que le temps va changer. L'hiver sera dur. C'est ça qui agite les oiseaux. »

Nat rentra à travers champs. En descendant le sentier qui menait à sa maisonnette, il vit des oiseaux voler au-dessus des collines d'ouest dans le dernier éclat du soleil. Pas de vent, une mer grise, calme et pleine. Les campanules encore fleuries parmi les haies et l'air tiède. Pourtant le fermier avait vu juste et ce fut cette nuit-là que le vent changea. La chambre de Nat donnait à l'est. Il se réveilla un peu après deux heures du matin et entendit le vent dans la cheminée. Non pas la rage et les rafales d'une tempête du sud-ouest chargée de pluie, mais un vent d'est sec et froid. Il sonnait creux dans la cheminée, et une ardoise détachée se mit à cogner sur le toit. Nat tendit l'oreille et entendit la mer gronder dans la baie. La petite chambre elle-même s'était refroidie; un courant d'air passait sous la porte et soufflait sur le lit; Nat serra plus étroitement la couverture autour de lui, se rapprocha du dos de sa femme endormie et demeura éveillé, guettant, conscient d'une appréhension sans cause.

Puis il entendit des coups légers à la fenêtre. Il n'y avait point de plantes grimpantes au mur de la maisonnette qui auraient pu se détacher et venir gratter la vitre. Il écouta, et le tapotement continua jusqu'au moment où, agacé par le bruit, Nat se leva et alla ouvrir la fenêtre. A ce moment, quelque chose frôla sa main en bruissant contre ses phalanges et lui égratignant la peau. Puis il perçut un frémissement d'ailes qui s'évanouit au-dessus du toit, derrière la maison.

C'était un oiseau; de quelle espèce, il n'aurait su le dire; le vent l'avait sans doute obligé à chercher abri sur le bord de la fenêtre.

Nat referma la fenêtre et se recoucha mais, sentant le dessus de sa main mouillé, posa ses lèvres sur l'égratignure. L'oiseau l'avait écorché jusqu'au sang. Nat supposa qu'effrayé et surpris, l'oiseau en quête d'un abri lui avait donné un coup de bec dans l'obscurité. Il s'installa de nouveau commodément pour dormir.

Au bout d'un moment, les coups recommencèrent à frapper la fenêtre, plus forts, cette fois, plus insistants, et sa femme, réveillée par le bruit, se retourna dans son lit et lui dit :

« Va voir, Nat, la fenêtre bat.

— J'ai été voir, répondit-il. Il y a un oiseau dehors qui cherche à entrer. Tu entends ce vent? Il souffle de l'est et les oiseaux cherchent abri.

— Chasse-les, dit-elle. Je ne peux pas dormir avec ce bruit. »

Il retourna à la fenêtre mais, cette fois, lorsqu'il l'ouvrit, il trouva sur la barre d'appui, non pas un oiseau, mais une demi-douzaine; ils volèrent droit à son visage, l'attaquant.

Il cria en agitant les bras et les dispersa; comme le premier oiseau, ils s'envolèrent et disparurent par-dessus le toit. Il laissa vivement retomber la vitre de la fenêtre à guillotine et la ferma.

« Tu as entendu ça? dit-il. Ils m'ont attaqué. Ils voulaient me crever les yeux. »

Il restait près de la fenêtre, regardant la nuit et ne distinguant rien. Sa femme, lourde de sommeil, lui murmura quelque chose au fond du lit.

« Je n'imagine pas les choses, dit-il irrité par son incrédulité. Je te dis qu'il y avait des oiseaux sur le bord de la fenêtre et qu'ils voulaient entrer ici. »

Tout à coup, un cri d'effroi sortit de la chambre où dormaient les enfants, de l'autre côté du couloir.

« C'est Jill, dit la femme, émue par le cri et s'asseyant dans son lit. Va voir ce qu'elle a. »

Nat alluma la bougie, mais, lorsqu'il ouvrit la porte de la chambre pour traverser le couloir, le courant d'air souffla la flamme.

Il y eut un second cri de terreur, poussé cette fois par les deux enfants, et, comme il entrait en tâtonnant dans leur chambre, il sentit des battements d'ailes autour de lui dans l'obscurité. La fenêtre était grande ouverte. Les oiseaux entraient par là, se cognaient d'abord au plafond, puis aux murs, puis viraient à mi-vol, se dirigeant vers les lits des enfants.

« Ce n'est rien, je suis là », cria Nat.

Les enfants se jetèrent sur lui en hurlant, tandis que, dans l'obscurité, les oiseaux plongeaient et montaient, l'attaquant de nouveau.

« Qu'est-ce qu'il y a, Nat, qu'est-ce qui se passe? » lui cria sa femme de leur chambre à coucher.

Il poussa vivement les enfants vers le couloir en refermant la porte derrière eux, et se trouva seul dans leur chambre avec les oiseaux.

Il prit une couverture au lit le plus proche et, s'en servant comme d'un fléau, l'agita dans l'air tout autour de lui. Il sentit le choc des corps, entendit le bruissement des ailes, mais les oiseaux n'étaient pas encore vaincus, car ils revenaient à l'assaut, frôlant ses mains, sa tête, leurs petits becs cruels aigus comme des pointes de fourchette. La couverture devint une arme défensive; il en enveloppa sa tête et, dans une obscurité accrue, frappa les oiseaux de ses mains nues. Il n'osait pas gagner la porte et l'ouvrir, de crainte que les oiseaux ne le suivissent.

Combien de temps les combattit-il dans l'obscurité, il n'aurait pu le dire, mais, à la fin, les battements d'ailes diminuèrent autour de lui, puis se retirèrent et, à travers l'épaisseur de la couverture, il perçut de la lumière. Il attendit, écouta; l'on n'entendait pas d'autre bruit que les pleurs énervés d'un des enfants dans l'autre chambre à coucher. Le frémissement, la vibration des ailes avait cessé.

Il dégagea sa tête de la couverture et regarda autour de lui. La lumière froide et grise du matin éclairait la chambre. L'aube et la fenêtre ouverte avaient rappelé au-dehors les oiseaux vivants; les morts gisaient sur le plancher. Nat, horrifié, regarda les menus cadavres. Il n'y avait là que de tout petits oiseaux, une cinquantaine, peut-être, jonchant le sol. Il y avait des rouges-gorges, des pinsons, des passereaux, des mésanges, des alouettes, oiseaux qui généralement restent entre eux, dans leurs domaines, et voici qu'ils s'étaient rassemblés pour le combat et s'étaient brisés contre les murs de la chambre ou bien avaient été détruits par Nat. Certains avaient perdu des plumes dans la bataille, d'autres avaient du sang — le sang de Nat — sur le bec.

Ecœuré, Nat s'approcha de la fenêtre et regarda les champs derrière son bout de jardin.

Il faisait un froid mordant, et le sol avait l'aspect dur et sombre du gel. Non pas la gelée blanche qui luit au soleil du matin, mais la gelée noire qu'apporte le vent d'est. La mer montante, furieuse à présent, fouettée d'écume et soulevée par les vagues, se brisait violemment dans la baie.

Il n'y avait plus trace d'oiseaux. Pas un passereau pépiant sur la haie, à la barrière du jardin, pas une fauvette matinale, pas un merle picorant l'herbe à la recherche de vers. L'on n'entendait point d'autre bruit que le vent d'est et la mer.

Nat ferma la fenêtre et la porte de la petite chambre et, traversant le couloir, regagna la sienne. Sa femme était assise dans son lit, l'aînée des enfants endormie à côté d'elle, l'autre dans ses bras, le front bandé. Les rideaux étaient joints devant la fenêtre, les bougies allumées. Son visage paraissait décomposé, congestionné, dans la lumière jaune. Elle secoua la tête pour lui recommander le silence.

« Il dort enfin, chuchota-t-elle, il vient seulement de s'endormir. Quelque chose a dû le couper, il avait du sang au coin des yeux. Jill dit que ce sont les oiseaux. Elle dit qu'elle s'est réveillée et qu'il y avait des oiseaux dans la chambre. »

Elle regarda Nat, cherchant une confirmation sur son visage. Elle paraissait épouvantée et il ne voulait pas lui laisser voir que lui aussi était troublé, presque bouleversé, par les événements de ces dernières heures.

« Il y a des oiseaux, en effet, dit-il, des oiseaux morts, une cinquantaine. Des rouges-gorges, des roitelets, tous les petits oiseaux du pays. On dirait que le vent les a rendus fous. »

Il s'assit sur le lit à côté de sa femme et lui prit la main.

« C'est le temps, dit-il, ça doit être ce grand froid. Peut-être bien que ce ne sont pas des oiseaux d'ici, après tout. Ils viennent peut-être de l'intérieur, et auront été chassés jusqu'ici.

— Mais, Nat, fit sa femme à voix basse, ce n'est que cette nuit que le vent a tourné. Il n'y a pas eu de neige pour les chasser. Et ils ne peuvent pas encore avoir faim. Il y a à manger pour eux là-bas, dans les champs.

— C'est le temps, répéta Nat. Je te dis que c'est le temps. »

Lui aussi avait les traits tirés. Ils se regardèrent un moment sans rien dire.

« Je vais descendre faire une tasse de thé », dit-il.

La vue de la cuisine le rassura : les tasses et les soucoupes bien empilées sur le buffet, les chaises autour de la table, le tricot de sa femme dans le fauteuil d'osier, les jouets des enfants sur un bahut d'angle.

Il s'agenouilla, écarta les vieilles cendres et ralluma le feu. Le bois flambant rendait au décor son aspect le plus normal, la bouilloire fumante et la théière brune disaient le confort et la sécurité. Il but son thé, en monta une tasse à sa femme, puis fit sa toilette dans la buanderie, chaussa ses bottes et ouvrit la porte de derrière.

Le ciel était dur et plombé, et les collines qui, la veille, brillaient au soleil, paraissaient sombres et nues. Le vent d'est, pareil à un rasoir, déshabillait les arbres, et les feuilles sèches tremblaient et s'envolaient sous la bourrasque. Nat gratta la terre du bout de sa chaussure. Elle était profondément gelée. Il n'avait jamais vu de changement aussi rapide, aussi soudain. Le sombre hiver s'était abattu en une nuit.

Les enfants étaient réveillés à présent. Jill bavardait en haut, et le petit Johnny recommençait à pleurer. Nat entendit la voix de sa femme qui lui parlait doucement pour le consoler. Bientôt, ils descendirent. Il avait préparé le petit déjeuner et la journée commençait comme à l'accoutumée.

« Tu as renvoyé les oiseaux? demanda Jill, qui avait retrouvé son calme devant le feu de la cuisine, la lumière du jour, le petit déjeuner.

— Oui, ils sont tous partis, dit Nat. C'est le vent qui les a amenés. Ils étaient perdus et ils avaient peur, ils cherchaient un abri.

— Ils voulaient nous faire du mal, dit Jill. Ils voulaient arracher les yeux de Johnny.

— C'est la peur qui leur faisait faire ça, dit Nat. Ils ne savaient plus où ils étaient, dans la chambre obscure.

— J'espère qu'ils ne reviendront pas, dit Jill. Peut-être que si on mettait du pain de l'autre côté de la fenêtre, ils le mangeraient puis s'envoleraient. »

Elle finit son petit déjeuner, puis alla décrocher son manteau et son capuchon, ses livres de classe dans son cartable. Nat ne dit rien, mais sa femme le regarda de l'autre bout de la table. Un message silencieux passa entre eux.

« Je vais t'accompagner jusqu'à l'autobus, dit-il. Je ne vais pas à la ferme aujourd'hui. »

Et, tandis que l'enfant se lavait les mains dans la buanderie, il dit à sa femme :

« Tiens bien toutes les fenêtres fermées et les portes aussi. On ne sait jamais. Je vais passer à la ferme, pour voir s'ils n'ont rien entendu cette nuit. »

Puis il suivit sa petite fille dans le sentier. Elle semblait avoir oublié l'aventure de la nuit. Elle dansait devant lui, courant après les feuilles, son visage fouetté par le froid tout rose sous le capuchon pointu.

« Il va neiger, dis, papa? demanda-t-elle. Il fait si froid. »

Il regarda le ciel noir, sentit le vent lui battre les épaules.

« Non, dit-il, il ne neigera pas. C'est un hiver noir, pas blanc. »

Il ne cessait pas de regarder les haies, guettant les oiseaux, parcourait des yeux les champs, le petit bois au-dessus de la ferme habité par les corneilles et les corbeaux. Il n'en vit point.

D'autres enfants attendaient à la halte de l'autobus, emmitouflés, encapuchonnés comme Jill, le visage blême et pincé par le froid.

Jill courut à eux en agitant les bras.

« Mon papa dit qu'il ne neigera pas, dit-elle, c'est un hiver noir. »

Elle ne parla pas des oiseaux. Elle se mit à lutter avec une autre petite fille. L'autobus arriva au haut de la colline. Nat l'y fit monter, puis se dirigea vers la ferme. Ce n'était pas son jour de travail, mais il voulait s'assurer que tout allait bien. Jim, le vacher, traversait la cour.

« Le patron est là? demanda Nat.

— Il est au marché, dit Jim. C'est mardi, à ce que je crois. »

Jim s'éloigna vers un hangar. Il n'avait pas de temps à perdre avec Nat. On disait Nat au-dessus d'eux; il lisait des livres, et des choses comme ça.

Nat avait oublié que c'était mardi. Cela prouve à quel point les événements de la nuit l'avaient secoué. Il alla à l'entrée de derrière et entendit Mrs. Trigg chanter dans la cuisine, sur le fond musical fourni par la radio.

« Vous êtes là, Mrs. Trigg? » appela Nat.

Elle vint à la porte, avec son embonpoint et sa rayonnante bonne humeur.

« Bonjour, Mr. Hocken, dit-elle. Croyez-vous, quel froid! C'est-il la Russie qui nous envoie ça? Je n'ai jamais vu un changement pareil. Et ça va continuer, à ce que dit la radio. Il paraît que ça viendrait de l'Arctique.

— On n'a pas écouté la radio ce matin, dit Nat. Faut dire qu'on a eu une mauvaise nuit.

— Les mômes sont malades?

— Non... »

Il ne savait pas trop comment s'exprimer. A présent, à la lumière du jour, la bataille des oiseaux paraîtrait absurde.

Il essaya de raconter à Mrs. Trigg ce qui s'était passé, mais il voyait à ses yeux qu'elle pensait qu'il avait eu tout simplement un cauchemar.

« Vous êtes sûr que c'étaient de vrais oiseaux? dit-elle en souriant, avec des plumes et tout? Pas ces drôles d'animaux que les hommes voient le samedi soir en sortant du cabaret?

— Mrs. Trigg, dit-il, il y a cinquante oiseaux morts, rouges-gorges, roitelets, et d'autres du même genre, étendus sur le plancher dans la chambre des enfants. Ils m'ont attaqué; ils en voulaient aux yeux de Johnny. »

Mrs. Trigg le regarda, ne sachant que penser.

« Voyez-vous ça! fit-elle. Pour moi, c'est ce froid qui les aura poussés. Une fois dans la chambre, ils n'ont pas su où ils étaient. Des oiseaux étrangers, peut-être, de l'Arctique, qui sait?

— Non, dit Nat, c'étaient des oiseaux comme on en voit par ici tous les jours.

— Drôle d'histoire, dit Mrs. Trigg, c'est vraiment à n'y rien comprendre. Vous devriez l'écrire au journal et demander ce qu'ils en pensent. Ils auront peut-être une explication. Là-dessus, faut que je retourne à mon travail. »

Elle sourit, lui fit un signe de tête et rentra dans sa cuisine.

Nat, agacé, se dirigea vers la barrière. Sans les cadavres jonchant le plancher de la chambre et qu'il lui fallait à présent rassembler et enterrer quelque part, lui aussi aurait cru cette histoire exagérée.

Jim était à la barrière.

« Vous n'avez pas été ennuyés par les oiseaux? demanda Nat.

— Les oiseaux? Quels oiseaux?

— On en a eu plein chez nous, cette nuit. Des douzaines sont entrés dans la chambre des enfants. Et furieux, avec ça!

— Tiens! »

Il fallait toujours un certain temps pour faire pénétrer quelque chose dans la cervelle de Jim.

« J'ai jamais entendu parler d'oiseaux furieux, dit-il enfin. Des fois, ils sont hardis. J'en ai vu qui passaient la fenêtre pour prendre des miettes de pain; apprivoisés, comme qui dirait.

— Les oiseaux de cette nuit n'étaient pas apprivoisés.

— Non? Le froid, peut-être bien. La faim. Vous devriez essayer de mettre des miettes dehors. »

Jim ne s'intéressait pas plus à l'événement que Mrs. Trigg. « C'est comme les raids aériens de la guerre, pensa Nat. Personne, dans cette province, ne savait ce que les gens de Plymouth avaient vu et souffert. Il faut subir soi-même une chose pour qu'elle vous touche. » Il reprit le sentier et revint chez lui. Il trouva sa femme dans la cuisine avec le petit Johnny.

« Tu as vu quelqu'un? demanda-t-elle.

— Mrs. Trigg et Jim, répondit-il. Ils n'ont pas l'air de me croire. En tout cas, il n'y a rien eu chez eux.

— Tu devrais enlever les oiseaux, dit-elle. Je n'ose pas aller dans la chambre faire les lits tant qu'ils sont là. Ça me fait peur.

— Il n'y a plus de quoi avoir peur, dit Nat. Ils sont morts, tu sais. »

Il monta un sac et y jeta un par un les cadavres raides. Oui, il y en avait bien cinquante en tout. Rien que les menus oiseaux des haies, pas un aussi gros seulement qu'une grive. Ce devait être la peur qui les avait fait agir ainsi. Des mésanges, des roitelets. C'était incroyable, la force de ces petits becs dans la nuit, griffant son visage et ses mains. Il emporta le sac au jardin et se trouva en butte à une nouvelle difficulté. Le sol était trop dur pour la bêche. Il était gelé à fond; pourtant, il n'avait pas neigé, il n'y avait rien eu d'autre que l'arrivée du vent d'est. C'était étrange, anormal. Les prophètes de la météorologie avaient sans doute raison. Le changement devait tenir à des perturbations arctiques.

Il avait l'impression que le vent le coupait jusqu'aux os, tandis qu'il hésitait, là, immobile, son sac à la main. Il apercevait les vagues coiffées d'écume qui se brisaient dans la baie. Il décida d'emporter les oiseaux sur la plage et de les y enterrer.

Quand il arriva au pied du promontoire, c'est à peine s'il put se tenir debout, tant le vent d'est était puissant. Respirer était douloureux et ses mains nues bleuissaient. Il n'avait jamais fait aussi froid au long de tous les rigoureux hivers dont il lui souvenait. La marée était basse. Il traversa les galets pour gagner le sable fin et là, dos au vent, creusa un trou avec son talon. Il pensait y jeter les oiseaux, mais, lorsqu'il ouvrit le sac, la violence du vent les emporta, les enleva, comme s'ils reprenaient leur vol, et ils s'éparpillèrent à quelque distance sur la plage, ébouriffés, étalés, ces cinquante cadavres d'oiseaux gelés. Il y avait quelque chose de vilain dans ce spectacle. Nat n'aimait pas cela. Les oiseaux lui échappaient, balayés par le vent.

« La marée les emportera », se dit-il.

Il regarda retomber les vagues vertes à crêtes blanches.

Elles s'élevaient abruptes, s'enroulaient et se brisaient, et comme la marée était basse, le grondement était lointain et sourd.

C'est alors qu'il vit les mouettes, au loin, chevauchant la mer.

Ce qu'il avait pris tout d'abord pour les coiffes d'écume des vagues était des mouettes. Des centaines, des milliers, des dizaines de milliers... Elles montaient et descendaient avec l'onde, tête au vent, comme une flotte puissante à l'ancre attendant la marée. A l'est, à l'ouest, partout, des mouettes. Elles s'étendaient aussi loin que son œil pouvait voir, alignées en formation serrée. Si la mer avait été calme, elles auraient couvert la baie comme un nuage blanc, tête contre tête, les corps serrés les uns à côté des autres. Seul le vent d'est, soulevant les vagues, les cachait en partie de la rive.

Nat se retourna et, quittant la plage, escalada le chemin escarpé de la falaise. Il fallait prévenir quelqu'un. Il fallait mettre quelqu'un au courant. Le vent d'est, le froid, provoquaient quelque chose qu'il ne comprenait pas. Il se demanda s'il ne devait pas aller à la cabine téléphonique, près de la halte de l'autobus, et avertir la police. Mais que pourrait faire la police? Que pourrait faire qui que ce fût? Des dizaines de milliers de mouettes dans la baie, sur la mer, poussées par la tempête, poussées par la faim. A la police, on le croirait fou ou saoul, ou bien l'on accueillerait sa communication avec le plus grand calme : « Nous vous remercions. Oui, la chose nous a déjà été signalée. Le temps rigoureux ramène un grand nombre d'oiseaux sur les rivages. » Nat regarda autour de lui. Pas trace d'autres oiseaux. Comme il approchait de sa maison, sa femme sortit sur le seuil à sa rencontre. Elle le héla, très excitée.

« Nat, dit-elle, on en a parlé à la T. S. F. Ils viennent de donner un communiqué spécial. Je l'ai pris pas écrit.

— De quoi est-ce qu'on a parlé à la T. S. F.? demanda-t-il.

— Des oiseaux, dit-elle. Ce n'est pas seulement ici, il y en a partout. A Londres, dans tout le pays. Il est arrivé quelque chose aux oiseaux. »

Ils entrèrent dans la cuisine. Il lut le bout de papier posé sur la table.

« Communiqué du ministère de l'Intérieur, onze heures. — Des rapports arrivent d'heure en heure de tous les points du pays, signalant qu'un vaste nombre d'oiseaux volent au-dessus des villes, des villages et des campagnes, provoquant des obstructions, causant des dégâts et attaquant même les individus. L'on suppose que le courant atmosphérique venu de l'Arctique et couvrant à présent les Iles Britanniques pousse les oiseaux à émigrer vers le sud par masses immenses et qu'une faim intense peut amener ces oiseaux à s'attaquer aux humains. Les habitants sont avisés d'avoir à vérifier la fermeture de leurs portes, fenêtres et cheminées, et de prendre toutes les précautions qui s'imposent pour la sécurité de leurs enfants. Un nouveau communiqué sera publié au cours de la journée. »

Une espèce d'excitation s'empara de Nat; il regarda sa femme d'un air triomphant.

« Tu vois! dit-il. Espérons qu'ils l'auront entendu à la ferme. Mrs. Trigg verra que ça n'était pas des histoires. C'est vrai. Dans tout le pays. Depuis ce matin, je me dis qu'il doit se passer quelque chose. Et tout à l'heure, sur la plage, j'ai regardé la mer, et il y a des mouettes, par milliers, par dizaines de milliers, on ne mettrait pas une épingle entre leurs têtes, tellement elles sont serrées. Elles sont toutes là, sur les vagues, à attendre.

— Qu'est-ce qu'elles attendent, Nat? » demanda-t-elle.

Il la regarda, puis baissa les yeux sur la feuille de papier.

« Je ne sais pas, dit-il lentement. On dit là que les oiseaux ont faim. »

Il s'approcha du tiroir où il rangeait son marteau et ses outils.

« Qu'est-ce que tu vas faire, Nat?

— Voir aux fenêtres et aux cheminées, comme ils ont dit.

— Tu crois qu'ils entreraient avec les fenêtres fermées? Ces moineaux, ces rouges-gorges? Mais comment pourraient-ils? »

Il ne répondit pas. Il ne pensait pas aux rouges-gorges et aux moineaux. Il pensait aux mouettes...

Il monta et travailla tout le reste de la matinée à clouer des planches aux fenêtres des chambres et au pied des cheminées. C'était une chance que ce fût son jour libre et qu'il n'eût pas de travail à la ferme. Cela lui rappelait le passé, le début de la guerre. Il n'était pas encore marié alors, et il avait installé tous les volets du black-out dans la maison de sa mère, à Plymouth. Il avait aménagé l'abri également. Mais l'abri n'avait servi à rien, le moment venu. Il se demanda s'ils prenaient les mêmes précautions que lui, à la ferme. Il en doutait. Trop insouciants, Harry Trigg et sa dame. Ils étaient capables de rire de tout cela et d'aller danser ou jouer aux cartes.

« Le déjeuner est prêt, cria-t-elle de la cuisine.

— Bon. Je descends. »

Il était satisfait de sa besogne. Les volets s'ajustaient bien sur les vitres et à la base des cheminées.

Le déjeuner terminé, tandis que sa femme faisait la vaisselle, Nat écouta les nouvelles d'une heure. Le même communiqué fut répété, celui qu'elle avait noté le matin, mais le bulletin de nouvelles donnait des informations supplémentaires.

« Les troupes d'oiseaux ont causé des dégâts dans toutes les provinces, lut l'annonceur, elles étaient si denses dans le ciel de Londres, à dix heures du matin, que la capitale semblait recouverte par un énorme nuage noir.

« Les oiseaux se sont perchés sur les toits, le bord des fenêtres et les cheminées. Les espèces auxquelles ils appartiennent comprennent des merles, des mésanges, des passereaux et, comme l'on pouvait s'y attendre dans une métropole, un nombre considérable de pigeons et de moineaux, de même que ces habituées des quais de la Tamise, les mouettes à tête noire. Le spectacle était si inusité que la circulation a été interrompue dans de nombreuses artères, le travail abandonné dans les magasins et les bureaux, tandis que les trottoirs et les chaussées se remplissaient de curieux sortis pour voir les oiseaux. »

On relatait divers incidents, invoquait de nouveau l'explication du froid et de la faim, et répétait les avertissements donnés aux habitants. La voix de l'annonceur était unie et suave. Nat avait l'impression que cet homme, pour sa part, traitait l'affaire comme une vaste plaisanterie. Il devait y en avoir d'autres semblables à lui, des centaines qui ne se doutaient pas de ce que c'est que de se battre la nuit contre une troupe d'oiseaux. Ce soir, on donnerait des réceptions à Londres, comme après les élections. Des gens debout, buvant, riant, s'excitant : « Allons voir les oiseaux! »

Nat ferma la radio. Il se leva et se mit à travailler aux fenêtres de la cuisine. Sa femme le regardait faire, le petit Johnny sur ses talons.

« Quoi, des planches ici aussi? dit-elle. Mais je vais être obligée d'allumer à trois heures. Je ne vois pas pourquoi tu mets des planches ici.

— Mieux vaut prévenir que guérir, répondit Nat. Je prends mes précautions.

— Ce qu'ils devraient faire, dit-elle, c'est d'appeler la troupe et de tirer sur les oiseaux. Ça leur ferait peur.

— Ils pourraient toujours essayer! dit Nat. Comment veux-tu qu'ils s'y prennent?

— On envoie bien la troupe sur les docks quand les dockers se mettent en grève, répondit-elle. Les soldats viennent décharger les bateaux.

— Oui, dit Nat, mais la population de Londres est de plus de huit millions. Tu vois tous ces bâtiments, tous ces immeubles, toutes ces maisons? Tu penses qu'ils auraient assez de soldats pour tirer sur tous les toits?

— Je ne sais pas. Mais il faudrait faire quelque chose. Ils devraient faire quelque chose. »

Nat se dit que, sans aucun doute, « ils » étaient en train en ce moment même d'étudier le problème, mais que, quelles que fussent les mesures qu' « ils » prendraient, ce qu'on ferait à Londres et dans les grandes villes ne servirait pas les gens de ce pays, à cinq cents kilomètres de là. Chacun devait prendre ses précautions.

« Qu'est-ce qu'on a comme provisions? demanda-t-il.

— Allons bon, Nat! Et quoi encore?

— Réponds-moi. Qu'est-ce qu'il y a dans le garde-manger?

— C'est demain le jour que je vais aux provisions, tu le sais bien. Je ne prends pas de la nourriture d'avance, elle perd son goût. Le boucher passe après-demain. Mais je pourrai rapporter quelque chose de chez lui demain. »

Nat ne voulait pas l'effrayer, mais il considérait comme possible qu'elle n'allât pas au bourg le lendemain. Il alla lui-même inspecter le garde-manger et le placard où elle rangeait les conserves. Cela suffirait pour un jour ou deux. Il n'y avait pas beaucoup de pain.

« Et le boulanger?

— Il vient aussi demain. »

Il vit qu'il y avait de la farine. Elle en aurait assez pour cuire un pain, si le boulanger ne venait pas.

« On était plus tranquille dans le temps, dit-il, quand les femmes faisaient le pain deux fois la semaine et qu'on avait toujours des harengs dans la saumure. Comme ça, on avait assez à manger pour tenir un siège s'il le fallait.

— J'ai essayé de donner du poisson en conserve aux enfants, mais ils n'aiment pas ça », dit-elle.

Nat continua à clouer ses planches devant les fenêtres de la cuisine. Les bougies. Ils n'étaient pas riches non plus en bougies. Elle avait probablement l'intention d'en acheter le lendemain. Bah! l'on n'y pouvait rien. Il leur faudrait se coucher de bonne heure ce soir. Si, du moins...

Il se leva, ouvrit la porte de derrière et sortit dans le jardin pour regarder la mer. Il n'y avait pas eu de soleil de la journée et, maintenant, à trois heures à peine, une sorte d'obscurité tombait déjà, sous un ciel morne, lourd et incolore comme du sel. Il entendait la mer furieuse battre les rochers. Il descendit le sentier, à mi-chemin de la plage. Puis il s'arrêta. La marée avait monté. Le rocher, découvert au milieu de la matinée, était invisible à présent, mais ce n'est pas la mer qui retenait son regard. Les mouettes s'étaient élevées. Elles volaient en cercle, par centaines, par milliers, levant leurs ailes contre le vent. C'étaient les mouettes qui assombrissaient le ciel. Et elles se taisaient. L'on n'entendait pas un cri. Elles volaient seulement, tournaient, s'élevaient, descendaient, essayant leurs forces contre le vent.

Nat se retourna. Il revint en courant à la maison.

« Je vais chercher Jill, dit-il. Je l'attendrai à l'arrêt de l'autobus.

— Qu'est-ce qui se passe? demanda sa femme. Tu es tout pâle.

— Garde Johnny dans la maison, dit-il. Tiens la porte fermée. Allume et ferme les rideaux.

— Il est à peine trois heures, dit-elle.

— Tant pis. Fais ce que je te dis. »

Il regarda dans le hangar à outils, derrière la maison. Rien là de bien utile. Une bêche serait trop lourde; une fourche ne servirait à rien. Il prit la houe. C'était le seul instrument utilisable et, en outre, assez léger.

Il suivit le sentier jusqu'à la halte des autobus, jetant de temps à autre un regard en arrière pardessus son épaule.

Les mouettes volaient plus haut à présent, en cercles plus larges; elles s'étalaient en vastes formations à travers le ciel.

Il pressa le pas; il savait que l'autobus n'arriverait pas en haut de la côte avant quatre heures, mais il devait se hâter. Il ne croisa personne en route. Il en fut aise. Pas de temps à perdre en politesses et en conversations.

Au haut de la côte, il s'arrêta. Il était très en avance. Il y avait encore une demi-heure à attendre. Le vent d'est soufflait des terres hautes et fouettait les champs. Il tapa du pied et souffla dans ses doigts. Il voyait au loin les collines, nettes et blanches sur la grisaille du ciel. Quelque chose de noir s'élevait derrière, qui ressembla d'abord à une fumée, puis s'élargit, s'épaissit, et la fumée devint nuée, et la nuée se divisa en quatre nuages qui se dispersèrent vers le nord, l'est, le sud et l'ouest; mais ce n'étaient pas des nuages, c'étaient des oiseaux. Il les regarda traverser l'espace, et, quand ils passèrent à une centaine de mètres au-dessus de sa tête, il comprit à la rapidité de leur vol qu'ils se dirigeaient vers l'intérieur et n'avaient rien à faire avec les gens de la presqu'île. C'étaient des corneilles, des corbeaux, des pies et des geais, tous oiseaux qui trouvent généralement leur proie parmi les espèces plus menues; pourtant, cet après-midi, ils semblaient engagés dans d'autres missions.

« Ceux-là c'est pour les villes, se dit Nat, ils savent où ils vont. Nous ne les intéressons pas. Nous, c'est les mouettes qui en ont après nous. Les autres vont dans les villes. »

Il entra dans la cabine du téléphone et décrocha le récepteur. Il suffirait d'appeler le central, celui-ci transmettrait le message.

« Je parle de la grand-route, dit-il, près de la halte des autobus. Je veùx prévenir que de grandes formations d'oiseaux volent vers l'intérieur. Les mouettes se rassemblent dans la baie.

— Entendu, répondit la voix laconique et lasse.

— Vous n'oublierez pas de transmettre le message à qui de droit?

— Oui, oui... »

La voix impatiente, à présent exténuée; puis le bourdonnement annonçant que la communication était terminée.

« Encore une qui s'en fout, se dit Nat. Peut-être qu'elle reçoit des communications depuis ce matin. Elle a envie d'aller au cinéma. Elle serrera la main de son amoureux et lui montrera le ciel en disant : Regarde-moi tous ces oiseaux!... Elle s'en fout. »

L'autobus arriva lourdement au haut de la côte. Jill en descendit, ainsi que trois ou quatre autres enfants. L'autobus repartit vers le bourg.

« Pour quoi c'est faire, papa, ta houe? »

Les enfants l'entourèrent en riant.

« Je l'ai prise, comme ça, dit-il. Allons, viens, rentrons. Il fait froid, que personne ne traîne. Hé, vous, là-bas, je vous regarderai à travers le champ pour voir si vous savez courir fort. »

Il parlait aux camarades de Jill, qui appartenaient à diverses familles mais qui tous habitaient la petite cité-jardin construite par la municipalité. Un raccourci les ramènerait rapidement chez eux.

« On veut jouer un peu au bord de la route, dit l'un d'eux.

— Non, vous allez rentrer tout de suite chez vous, ou je le dirai à votre maman. »

Ils se parlèrent tout bas en ouvrant des yeux ronds, puis s'élancèrent à travers champs. Jill regarda son père, la lèvre boudeuse.

« On joue toujours au bord de la route, dit-elle.

— Pas ce soir, dit-il. Allons, viens, ne traîne pas. »

Il voyait les mouettes remonter vers la terre, et voler à présent au-dessus des champs. Toujours le silence. Pas de cri.

« Regarde, papa, regarde là-bas, toutes ces mouettes.

— Oui, dépêche-toi.

— Où elles volent? Où elles vont, dis?

— Vers l'intérieur, je pense. Là où il fait plus chaud. »

Il la prit par la main et la traîna dans le sentier.

« Pas si vite, papa. Je peux pas te suivre. »

Les mouettes imitaient les corneilles et les corbeaux. Elles s'étendaient en formations régulières à travers le ciel. Les oiseaux se dirigeaient par milliers vers les quatre points cardinaux.

« Papa, qu'est-ce qu'il y a? Qu'est-ce qu'elles font, les mouettes? »

Leur vol était moins direct que celui des corbeaux. Elles continuaient à dessiner des cercles dans le ciel. Elles volaient moins haut qu'eux, aussi. L'on eût dit qu'elles attendaient quelque signal, que quelque décision n'avait pas encore été prise. L'ordre n'était pas précis.

« Tu veux que je te porte, Jill? Là, grimpe sur mon dos. »

Il pensait aller plus vite ainsi, mais il se trompait. Jill était lourde. Elle glissait. Elle pleurait aussi. Le sentiment de hâte et de peur qui habitait Nat s'était communiqué à l'enfant.

« Je veux que les mouettes s'en aillent. Je ne les aime pas. Elles se rapprochent. »

Il reposa Jill par terre et se mit à courir en la traînant derrière lui. Au carrefour de la ferme, il vit le fermier qui sortait sa voiture du garage. Nat le héla.

« Pouvez-vous nous déposer? demanda-t-il.

— Qu'est-ce que vous dites? »

Mr. Trigg se tourna sur son siège pour les regarder. Puis un sourire s'étira sur son visage rubicond et gai.

« Il paraît qu'on va s'amuser, dit-il. Vous avez vu les mouettes? Jim et moi, on va essayer d'en tirer. Tout le monde devient toqué, avec ces oiseaux, on ne parle plus que de ça. Il paraît que vous avez été embêtés cette nuit. Vous voulez un fusil? »

Nat secoua la tête.

La petite voiture était pleine. Il y avait juste

une place pour Jill, à condition qu'elle se casât au fond, sur les bidons d'essence.

« Je n'ai pas besoin de fusil, dit Nat, mais ça me ferait plaisir que vous rameniez Jill à la maison. Ces oiseaux lui font peur. »

Il parlait brièvement. Il ne voulait pas dire tout cela devant Jill.

« D'accord, dit le fermier. Je la ramène chez vous. Mais vous, restez donc, vous ferez le concours de tir avec nous. On va faire voler les plumes. »

Jill monta dans la voiture qui tourna et fila sur le chemin. Nat la suivit. Trigg était fou. A quoi bon un fusil contre un ciel couvert d'oiseaux?

Maintenant que Nat n'avait plus à s'occuper de Jill, il pouvait regarder autour de lui. Les oiseaux tournoyaient toujours au-dessus des champs. La plupart appartenaient à l'espèce des mouettes de hareng, mais il y en avait aussi à tête noire. En général, elles ne se mêlaient pas. Aujourd'hui, elles étaient unies. Un lien les avait rapprochées. C'étaient les mouettes à tête noire qui s'attaquaient aux oiseaux moins forts qu'elles, et même, avait-il entendu dire, aux agneaux nouveau-nés. Il n'en avait jamais rien vu lui-même. Toutefois, il lui en souvint à ce moment, en regardant le ciel. Les mouettes se dirigeaient vers la ferme. Elles volaient bas, et les oiseaux à tête noire étaient en avant, les mouettes à tête noire conduisaient. La ferme semblait être leur objectif. Elles allaient droit sur la ferme.

Nat pressa le pas vers sa maison. Il vit la voiture du fermier tourner et revenir vers lui. Elle s'arrêta brusquement.

« La mioche est rentrée, dit le fermier. Votre femme la guettait. Eh bien, qu'est-ce que vous en pensez? On dit au bourg que c'est les Russes qui font ça. Les Russes auraient empoisonné les oiseaux.

— Comment auraient-ils pu faire ça? demanda Nat.

— Ne me le demandez pas. Vous savez, les histoires qu'on raconte... Alors, vous venez à mon concours de tir?

— Non, je rentre. Ma femme serait inquiète.

— La mienne dit que si on pouvait manger des mouettes, ç'aurait son utilité, dit Trigg, on aurait de la mouette rôtie, de la mouette grillée, et on en ferait des conserves par-dessus le marché. Attendez que je leur décharge un peu de petit plomb. Ça leur fera peur.

— Vous avez barricadé vos fenêtres? demanda Nat.

— Non. Un tas d'idioties. Ils aiment vous faire peur, à la radio. J'ai eu autre chose à faire aujourd'hui qu'à m'amuser à barricader mes fenêtres.

— Je le ferais maintenant, si j'étais vous.

— Bah! Vous êtes cinglé. Voulez-vous venir coucher chez nous?

— Non, merci quand même.

— Comme vous voudrez. Allez, au revoir. A demain. Je vous donnerai de la mouette au petit déjeuner. »

Le fermier rit et dirigea sa voiture vers l'entrée de la ferme.

Nat se hâta. Il passa devant le petit bois, devant la vieille grange, puis franchit la barrière du dernier champ.

Comme il sautait la barrière, il entendit un bruissement d'ailes. Une mouette à tête noire plongeait sur lui du haut du ciel, perdit sa direction, tourna en vol et remonta pour plonger de nouveau. En un instant, elle fut rejointe par d'autres, six, sept, une douzaine, têtes noires et mouettes de hareng mêlées. Nat laissa tomber sa houe. La houe était inutile. Couvrant sa tête de ses bras, il courut vers la maison. Elles continuaient à l'attaquer, sans autre bruit que le battement de leurs ailes, leurs redoutables ailes. Il sentait le sang sur ses mains, ses poignets, sa nuque. Chaque coup d'un bec crochu déchirait sa chair. Si seulement il parvenait à les écarter de ses yeux. Rien d'autre n'importait. Il fallait les écarter de ses yeux. Elles n'avaient pas encore appris à s'accrocher à une épaule, à arracher les vêtements, à se précipiter en masse sur une tête, sur un corps. Mais, à chaque plongée, à chaque attaque, elles s'enhardissaient. Et elles ne se ménageaient point. Quand elles plongeaient bas et manquaient leur proie, elles s'abîmaient, brisées, sur le sol. Nat, en courant, trébuchait sur des corps d'oiseaux.

Il atteignit sa porte, la martela de ses poings saignants. Les planches, devant les fenêtres, ne laissaient pas passer la lumière. Tout était noir.

« Ouvre-moi, cria-t-il. C'est moi, Nat. Ouvre. »

Il criait pour se faire entendre par-dessus le frémissement d'ailes des mouettes.

Puis il vit le fou [1] au-dessus de lui dans le ciel, prêt à foncer. Les mouettes firent le cercle, s'écartèrent, montèrent ensemble contre le vent. Seul, restait le fou. Un unique fou au-dessus de lui dans le ciel. Ses ailes se replièrent soudain contre son corps. Il tomba comme une pierre. Nat hurla, et la porte s'ouvrit. Il franchit le seuil en chancelant, et sa femme se précipita de tout son poids contre la porte.

Ils entendirent le choc sourd du fou tombant sur la terre.

Sa femme pansa ses blessures. Elles n'étaient pas profondes. Le dos de ses mains et ses poignets surtout avaient souffert. S'il n'avait pas porté une casquette, elles auraient atteint sa tête. Quant au fou... le fou lui aurait fendu le crâne.

Les enfants pleurèrent, naturellement. Ils avaient vu le sang sur les mains de leur père.

« C'est fini, maintenant, leur dit-il. Je ne suis pas blessé. Des écorchures, c'est tout. Joue avec

1. Genre d'oiseaux palmipèdes, voisin des pélicans.

Johnny, Jill. Maman va laver mes égratignures. »

Il referma à demi la porte de la buanderie, pour qu'ils ne pussent rien voir. Sa femme était couleur de cendre. Elle fit couler de l'eau sur l'évier.

« Je les avais vus là-haut, dit-elle tout bas. Ils ont commencé à se rassembler juste au moment où Jill est rentrée avec Mr. Trigg. J'ai vite fermé la porte et elle s'est coincée. C'est pour ça que je n'ai pas pu l'ouvrir du premier coup quand tu es arrivé.

— Dieu merci, ils m'avaient attendu, dit-il. Jill serait tout de suite tombée. Il aurait suffi d'un oiseau. »

Tout bas, afin de ne pas alarmer les enfants, ils continuèrent à parler, tandis qu'elle pansait ses mains et sa nuque.

« Ils volent vers l'intérieur, dit-il. Ils sont des milliers. Corbeaux, corneilles, des gros oiseaux. Je les ai vus à la halte de l'autobus. Ils se dirigent vers les villes.

— Mais que peuvent-ils faire, Nat?

— Ils attaqueront. Ils s'en prendront à n'importe qui dans les rues. Puis ils essaieront d'entrer dans les maisons, par les fenêtres, les cheminées.

— Les autorités devraient faire quelque chose. Pourquoi n'appelle-t-on pas la troupe, des mitrailleuses, est-ce que je sais?

— Il n'y a pas le temps. Personne n'est préparé. On va voir ce qu'ils disent aux nouvelles de six heures. »

Nat rentra dans la cuisine avec sa femme. Johnny jouait tranquillement par terre, mais Jill paraissait inquiète.

« J'entends les oiseaux, dit-elle. Ecoute, papa. »

Nat écouta. Des sons étouffés venaient des fenêtres et des portes : frôlement d'ailes contre les vantaux, glissant, grattant, cherchant une entrée, bruit d'une multitude de petits corps vivants pressés, serrés, sur les bords des fenêtres. De temps à autre, on entendait un choc sourd : la chute d'un oiseau. « Il s'en tuera comme ça un certain nombre, pensa-t-il, mais pas assez. Jamais assez. »

« Oui, j'entends, fit-il tout haut. Mais j'ai mis des planches aux fenêtres, Jill. Les oiseaux ne pourront pas entrer. »

Il alla examiner les fenêtres. Son travail avait été bien fait. Chaque ouverture était obstruée. Il voulut redoubler encore de précautions. Il prit des cales, des bouts de métal et de bois, et les fixa sur les côtés des planches pour les renforcer. Ses coups de marteau masquaient un peu le bruit des oiseaux, le frottement, le tapotement et, plus menaçant encore — il ne voulait pas que sa femme et ses enfants l'entendissent —, le tintement du verre brisé.

« Ouvre la radio, dit-il. Ecoutons un peu la radio. »

Cela aussi étoufferait les bruits au-dehors. Il monta renforcer les fenêtres des chambres à coucher. Il entendit les oiseaux sur le toit, un grattement de pattes, une espèce de glissement.

Il décida de dormir dans la cuisine avec sa famille, d'y garder le feu allumé et d'y étendre leurs matelas par terre. Il redoutait les cheminées des chambres. Les planches qu'il avait fixées à la base pouvaient céder. Dans la cuisine, ils seraient à l'abri, grâce au feu. Il lui faudrait présenter cela comme une farce, dire aux enfants qu'on jouait à camper. En mettant tout au pire et si les oiseaux forçaient l'entrée des cheminées dans les chambres à coucher, ils mettraient des heures, des jours peut-être, avant de réussir à enfoncer les portes. Les oiseaux se trouveraient emprisonnés dans les chambres. Ils ne pourraient pas y faire de mal. Pressés les uns contre les autres, ils étoufferaient et mourraient.

Il commença à descendre les matelas. A cette vue, les yeux de sa femme s'ouvrirent tout grands d'épouvante. Elle pensait que les oiseaux avaient déjà envahi l'étage.

« Allons, dit-il gaiement. Cette nuit, on va tous dormir dans la cuisine. Il fait meilleur devant le feu. Et puis, comme ça, on ne sera pas embêtés par ces idiots d'oiseaux qui tapent aux vitres. »

Il se fit aider par les enfants pour déplacer les meubles, puis sa femme et lui poussèrent le buffet devant les fenêtres. Il tenait juste, et c'était une précaution de plus. L'on pouvait à présent étaler les matelas l'un à côté de l'autre contre le mur occupé jusque-là par le buffet.

« Nous sommes à peu près en sûreté comme ça, pensa-t-il, tout est clos comme un abri contre avions. On pourra tenir. Il n'y a que la nourriture qui m'inquiète. La nourriture et le feu. On en a pour deux, trois jours, pas davantage. D'ici là... »

Il était inutile de prévoir au-delà. D'ailleurs, la radio diffuserait des directives. L'on dirait aux gens ce qu'ils devraient faire. Il s'avisa à ce moment, au milieu de ses préoccupations, que la radio était en train de diffuser de la musique de danse. Ç'aurait dû être l'Heure des Enfants. Il regarda le cadran. Oui, c'était bien la chaîne nationale. Des disques de danse. Il comprenait pourquoi. Le programme régulier avait dû être abandonné. Cela arrivait dans des circonstances exceptionnelles : les élections, par exemple. Il essaya de se rappeler si cela s'était produit pendant la guerre, au cours des grands raids sur Londres.

« On est mieux ici, dans notre cuisine, fenêtres et portes barricadées, qu'eux dans les villes, pensa-t-il. Heureusement qu'on n'est pas dans une ville. »

A six heures, le concert de disques fut interrompu. L'horloge parlante donna l'heure. Tant pis si cela devait effrayer les enfants, il fallait entendre les nouvelles. Après les quatre tops, il y eut un silence. Puis l'annonceur prit la parole. Sa voix était solennelle, grave. Il avait un tout autre ton qu'à midi.

« Ici, Londres, dit-il. L'état de siège a été proclamé à quatre heures de l'après-midi. Des mesures sont prises pour protéger la vie et les biens de la population, mais il importe que chacun se rende compte que les effets ne pourront s'en faire sentir immédiatement, étant donné le caractère imprévu et sans précédent des événements auxquels nous devons faire face. Chaque habitant doit prendre lui-même les précautions qui s'imposent dans sa propre demeure; dans les immeubles de rapport, les locataires s'uniront pour empêcher par tous les moyens une irruption du fléau. Il faut absolument que personne ne sorte de chez soi cette nuit et qu'il ne reste personne dans les rues, sur les routes ou autres lieux découverts. Les oiseaux, en nombre considérable, attaquent tous les passants et ont déjà lancé leur assaut sur les bâtiments, mais ceux-ci devront être rendus impénétrables. La population est priée de conserver son calme, de ne pas se livrer à la panique. Par suite du caractère exceptionnel des événements, il n'y aura pas d'autres émissions radiophoniques, de quelque station que ce soit, avant demain matin sept heures. »

L'on joua l'hymne national. Puis plus rien. Nat ferma la radio. Il regarda sa femme. Elle lui rendit son regard.

« Qu'est-ce que ça veut dire? demanda Jill. Qu'est-ce qu'il y avait dans les nouvelles?

— Il n'y aura plus d'autre programme ce soir, dit Nat. Il y a une interruption à la B.B.C.

— C'est à cause des oiseaux? demanda Jill. C'est les oiseaux qui ont fait une panne?

— Non, dit Nat, mais tout le monde est très occupé et puis, naturellement, il faut chasser ces oiseaux qui dérangent tout partout dans les villes. Eh bien, on se passera de T.S.F. pour un soir.

— Dommage qu'on n'ait pas de phono, dit Jill. Ça serait mieux que rien. »

Elle était tournée vers le buffet qui s'adossait aux fenêtres. Ils avaient beau faire semblant de ne pas s'en apercevoir, ils avaient tous conscience des frottements, des grattements, des perpétuels battements d'ailes.

« Si on dînait plus tôt, proposa Nat, et si on demandait à maman de nous faire quelque chose de bon. Des toasts au fromage, hein? Tout le monde aime ça, je crois. »

Il cligna de l'œil vers sa femme. Il voulait chasser l'expression d'effroi du regard de Jill.

Il aida à préparer le dîner, sifflotant, fredonnant, faisant le plus de bruit possible en mettant le couvert, et il lui sembla que les frottements et les tapotements étaient moins forts qu'au début. Il monta un instant dans les chambres pour écouter, mais il n'entendit plus la bousculade sur le toit.

« Ils raisonnent quand même, se dit-il, ils se rendent compte que ça ne sera pas commode d'entrer ici. Ils vont essayer ailleurs. Ils ne perdront pas leur temps avec nous. »

Le dîner passa sans incidents, puis, pendant qu'ils débarrassaient la table, ils entendirent un nouveau bruit, un ronflement familier que tous connaissaient et comprenaient.

Sa femme le regarda et son visage s'éclaira.

« Des avions, dit-elle, ils envoient des avions contre les oiseaux. Il y a longtemps qu'ils auraient dû le faire. On les aura comme ça. Tiens, on dirait le canon. Tu n'entends pas le canon? »

On aurait dit que cela venait de la mer. Nat n'était pas bien sûr. De gros canons de marine pouvaient peut-être agir sur les mouettes en mer, mais les mouettes étaient dans l'intérieur à présent. Les canons ne pouvaient bombarder la côte, à cause de la population.

« Ça fait du bien d'entendre les avions, hein? » dit sa femme.

Et Jill, gagnée par son enthousiasme, se mit à gambader avec Johnny en chantant : « Les avions tueront les oiseaux... Les avions les auront! »

A ce moment, il entendit une espèce d'éclatement à une distance de trois kilomètres environ, suivi d'un second, puis d'un troisième. Le ronflement diminua, s'éloigna vers la mer.

« Qu'est-ce que c'était? demanda sa femme. Ils ont jeté des bombes sur les oiseaux?

— Je ne sais pas, répondit Nat. Je ne crois pas. »

Il ne voulait pas lui dire que l'explosion qu'ils avaient entendue était la chute d'un avion. Les autorités avaient tenté d'envoyer des appareils de reconnaissance, mais elles auraient dû savoir que la tentative était un suicide, pensa-t-il. Que pouvaient des avions contre des oiseaux qui se jetaient à corps perdu sur les hélices et le fuselage, sinon être précipités à terre avec les assaillants? L'on devait répéter cette expérience dans tout le pays. A quel prix! Quelqu'un de haut placé avait perdu la tête.

« Où ils sont allés, les avions, papa? demanda Jill.

— Ils sont rentrés à leur base, dit-il. Allons, viens, c'est l'heure d'aller faire dodo. »

Cela occupait sa femme de déshabiller les enfants devant le feu, de border les lits improvisés, de vaquer à ces menues besognes, tandis qu'il faisait une nouvelle ronde dans la maison pour s'assurer que les barricades tenaient bien partout. L'on n'entendait plus le ronflement d'avions et les canons de marine avaient cessé le feu. « Des vies et des efforts dépensés en pure perte, se dit Nat. On ne pourrait pas en détruire suffisamment, de toute façon. Ça coûte trop cher. Il y a bien les gaz. Peut-être qu'on essaiera de les arroser de gaz, de gaz moutarde. On nous avertira d'abord, évidemment. En tout cas, les meilleurs cerveaux du pays ne chômeront pas ce soir. »

Cette pensée le rassurait. Il se représenta des

savants, naturalistes, techniciens, réunis en conseil; en ce moment même, ils étudiaient le problème. Ce n'était pas l'affaire du gouvernement ni des chefs d'état-major; ceux-ci se contenteraient d'exécuter les ordres des savants.

« Il leur faudra de l'audace, songea-t-il. Là où la situation est le plus grave, ils seront obligés de risquer encore des vies humaines s'ils utilisent les gaz. Tout le bétail aussi, et le sol, tout ça va être contaminé. Pourvu encore qu'il n'y ait pas de panique. C'est ça le pire. Les gens qui s'affolent, qui perdent la tête. La B.B.C. a eu raison de nous prévenir. »

En haut, dans les chambres à coucher, tout était silencieux. Plus de grattements et de tapotements aux fenêtres. Une trêve dans la bataille. L'ennemi regroupait ses forces, comme disaient les communiqués du temps de guerre. Pourtant, le vent n'était pas tombé. Il l'entendait hurler dans les cheminées, et la mer se briser sur la plage. Puis il pensa à la marée. La marée allait descendre. Peut-être la trêve était-elle causée par la marée. Les oiseaux devaient obéir à quelque loi qui relevait du vent d'est et de la marée.

Il regarda sa montre. Bientôt huit heures. La marée avait dû être pleine, une heure auparavant. Cela expliquait la trêve : les oiseaux montaient à l'assaut avec la marée. Peut-être n'en était-il pas ainsi dans l'intérieur des terres, mais cela semblait jouer sur cette côte. Il calcula le temps limite. Ils avaient six heures de répit avant une nouvelle attaque. Quand la marée remonterait, vers une heure vingt du matin, les oiseaux reviendraient.

Il y avait deux choses qu'il pouvait faire. La première était de dormir avec sa femme et ses enfants et de prendre tout le repos qu'ils pourraient avant une heure du matin. La seconde, de sortir, d'aller voir comment ils allaient à la ferme et, si leur téléphone fonctionnait encore, de demander des nouvelles au central.

Il appela tout bas sa femme qui venait de coucher les enfants. Elle le rejoignit dans l'escalier et il lui parla à l'oreille.

« Tu n'iras pas, dit-elle aussitôt, tu ne vas pas y aller et me laisser seule avec les enfants. Je ne pourrai pas le supporter. »

L'émotion élevait sa voix. Il la fit taire, la calma.

« Bon, dit-il, bon. J'attendrai le matin. Et puis on aura les nouvelles de sept heures. Mais dans la matinée, quand la marée redescendra, j'essaierai d'aller à la ferme, et peut-être qu'ils pourront nous donner du pain, des pommes de terre et aussi du lait. »

Son esprit recommençait à travailler et faire des plans contre l'adversité. On n'avait sûrement pas pu traire les vaches ce soir; elles devaient attendre à la barrière, dans la cour, tandis que les gens restaient calfeutrés comme eux derrière des planches. A condition, toutefois, qu'ils eussent eu le temps de prendre leurs précautions. Nat revit le fermier Trigg souriant dans sa voiture. Il n'avait pas dû avoir son concours de tir.

Les enfants dormaient. Sa femme était assise tout habillée sur son matelas. Elle le regarda d'un œil craintif.

« Qu'est-ce que tu vas faire? » chuchota-t-elle.

Il lui fit signe de se taire. Doucement, furtivement, il ouvrit la porte de derrière et regarda au-dehors.

Il faisait absolument noir. Le vent soufflait plus fort que jamais de la mer, en rafales continuelles et glacées. Il frappa du pied la pierre extérieure du seuil. Elle était chargée d'oiseaux. Il y avait partout des oiseaux morts, sous les fenêtres, contre les murs. C'étaient les suicidés, les plongeurs, les volatiles au cou brisé. Partout où se portait son regard, il voyait des oiseaux morts. Pas de trace de vivants. Les vivants s'étaient envolés sur la mer à la marée descendante. Les mouettes devaient chevaucher les vagues, comme elles l'avaient fait au matin.

Au loin, sur la colline, à l'endroit où, deux jours auparavant, se trouvait le tracteur, quelque chose brûlait : l'un des avions abattus. Le feu, excité par le vent, avait enflammé une meule.

Il regarda les cadavres des oiseaux et il lui vint à l'idée que, s'il les entassait les uns sur les autres sur le rebord des fenêtres, ils constitueraient une protection de plus contre la prochaine attaque.

Ce ne serait peut-être pas grand-chose, mais cela serait toujours ça de plus. Il faudrait que les oiseaux vivants attaquassent d'abord les cadavres des pattes et du bec, et les fissent tomber pour pouvoir se percher sur le rebord des fenêtres et s'attaquer aux vitres. Il se mit au travail dans l'obscurité. C'était étrange, les toucher lui faisait horreur. Les corps étaient encore chauds et ensanglantés. Le sang collait à leurs plumes. Il avait le cœur soulevé, mais il continua sa besogne. Il remarqua non sans angoisse que toutes les vitres étaient cassées. Seules les planches avaient tenu et empêché les oiseaux d'entrer. Il boucha les vitres brisées avec les corps sanglants des oiseaux.

Quand il eut terminé, il rentra dans la maisonnette. Il barricada la porte de la cuisine. Il retira ses bandages gluants du sang des oiseaux et non pas de ses propres écorchures, et mit des pansements propres.

Sa femme lui fit du cacao, qu'il but avidement. Il était très fatigué.

« Allons, dit-il en souriant, ne t'en fais pas. On s'en tirera. »

Il se coucha sur son matelas et ferma les yeux. Il s'endormit tout de suite. Il eut des rêves agités, parcourus par le fil d'une chose oubliée : quelque besogne négligée et qu'il aurait dû accomplir; quelque précaution à laquelle il avait bien pensé, mais sans la prendre, et qu'il ne parvenait pas, dans son rêve, à définir. Cela semblait se rattacher à l'avion en flammes et à la meule sur la colline. Il continua à dormir cependant, et ce fut sa femme qui le réveilla en lui secouant l'épaule.

« Ils recommencent, sanglota-t-elle. Ça fait une heure qu'ils ont recommencé. Je ne peux plus écouter ça toute seule. Et puis, ça sent drôle, ça sent le brûlé. »

Il lui en souvint alors : il avait oublié de s'occuper du feu. Celui-ci était presque éteint. Il se leva vivement et alluma la lampe. Le martèlement avait recommencé aux fenêtres et aux portes, mais ce n'était pas cela qui l'occupait pour l'instant, c'était l'odeur de plumes brûlées qui remplissait la pièce. Il comprit immédiatement. Les oiseaux descendaient par la cheminée dans l'âtre de la cuisine.

Il prit du bois et du papier qu'il disposa sur les braises, puis saisit le bidon de pétrole.

« Ecarte-toi, cria-t-il à sa femme, il faut le risquer. »

Il jeta le pétrole sur le feu. La flamme s'éleva en ronflant dans le tuyau, et des corps brûlés et noircis d'oiseaux tombèrent dans l'âtre.

Les enfants se réveillèrent en criant.

« Qu'est-ce qu'il y a? dit Jill. Qu'est-ce qui se passe? »

Nat n'avait pas le temps de répondre. Il retirait les cadavres de la cheminée et les jetait par terre. Les flammes continuaient à ronfler, mais il fallait accepter le risque de mettre le feu à la cheminée.

Le bas du tuyau constituait une difficulté, bouché qu'il était par les corps inanimés d'oiseaux qui avaient pris feu. A peine s'il écoutait les attaques contre les fenêtres et les portes : qu'ils battent des ailes, qu'ils brisent leurs becs, qu'ils perdent la vie en donnant l'assaut à la maison. Ils n'y entreraient point. Grâce à Dieu, il avait une vieille maison à petites fenêtres, à murs épais. Pas comme les maisons neuves de la municipalité. Dieu protège ceux qui habitaient dans la prairie les maisons neuves de la cité-jardin!

« Ne pleurez pas, cria-t-il aux enfants. Il n'y a pas de quoi avoir peur. Ne pleurez pas. »

Il continuait à rejeter les cadavres embrasés qui tombaient dans le feu.

« Ça leur apprendra, se dit-il, le courant d'air et les flammes ensemble. Nous sommes en sûreté, tant que la cheminée ne prendra pas feu. Je suis à tuer. Tout ça est ma faute. J'aurais dû refaire le feu avant de me coucher. Je savais qu'il y avait quelque chose. »

Au milieu des grattements contre les planches des fenêtres, s'éleva soudain le tintement familier de l'horloge. Trois heures du matin. Encore un peu plus de quatre heures à passer. Il ne savait pas exactement l'heure de la marée. Elle ne devait pas redescendre avant sept heures et demie, huit heures moins vingt, au jugé.

« Allume le réchaud, dit-il à sa femme. Fais-nous du thé, et du cacao pour les gosses. On ne peut pas rester comme ça à se tourner les pouces. »

C'était la bonne méthode. L'occuper, et les enfants aussi. Remuer, manger, boire; mieux valait rester actif.

Il attendit près de l'âtre. Les flammes mouraient. Mais il ne tombait plus de corps noircis dans la cheminée. Il tâta du tisonnier aussi haut qu'il put atteindre et ne trouva rien. La cheminée était libre. Il essuya la sueur de son front.

« Allons, Jill, dit-il, apporte-moi encore du bois. On va faire un beau feu tout de suite. »

Mais elle ne voulait pas venir près de lui. Elle regardait les tas d'oiseaux calcinés.

« Ne t'occupe pas de ça, dit-il, on les mettra dans le couloir aussitôt que mon feu sera pris. »

Le danger du feu de cheminée était passé. Cela ne se reproduirait plus si on entretenait le feu jour et nuit.

« Il faudra que j'aille chercher du combustible à la ferme, pensa-t-il. Ce que j'ai ne durera jamais assez. Mais je m'arrangerai. J'irai chercher tout ce qu'il nous faut pendant la marée basse, et je serai de retour quand elle commencera à remonter. Il faut savoir s'adapter, c'est tout. »

Ils burent du thé et du cacao et mangèrent des tranches de pain tartinées de Bovril. Nat remarqua qu'il ne restait plus qu'un demi-pain.

Ça ne fait rien, ils s'en tireraient.

« Taisez-vous, dit le petit Johnny en tendant sa cuiller vers les fenêtres, taisez-vous, sales oiseaux.

— Bravo, dit Nat en riant, nous ne voulons pas de ces vilains oiseaux, n'est-ce pas? On les a assez vus. »

Ils se mirent à acclamer le choc sourd des chutes de suicidés.

« Encore un, papa, s'écria Jill, bien fait pour lui.

— Bien fait pour lui, le brigand », dit Nat.

C'était la bonne méthode, le bon moral. S'ils pouvaient le conserver, tenir ainsi jusqu'à sept heures, jusqu'au premier communiqué, ce ne serait pas trop mal.

« Passe-moi une cigarette, dit-il à sa femme. Ça changera un peu cette odeur de plumes brûlées.

— Il n'y en a plus que deux dans le paquet, dit-elle. Je voulais t'en acheter ce matin à la Coopé.

— Je vais en fumer une, dit-il, et garder l'autre pour un jour de pluie. »

Ce n'était pas la peine d'essayer de faire dormir les enfants. Il n'y aurait pas de sommeil tant que ces tapotements et ces grattements continueraient aux fenêtres. Il resta assis sur son lit, un bras autour de la taille de sa femme, l'autre autour des épaules de Jill, Johnny sur les genoux de sa mère, dans le désordre des couvertures.

« Faut dire ce qui est, fit-il, ces gredins ont de la suite dans les idées. On pourrait croire qu'ils se fatigueraient, mais non. Moi, je les admire. »

Cette attitude n'était pas facile à soutenir. Le

martèlement continuait et un nouveau raclement frappa l'oreille de Nat, comme d'un bec plus fort venu à la rescousse. Il essaya de se rappeler les noms des oiseaux, s'efforça de deviner quelle espèce se chargerait de cette tâche particulière. Ce n'était pas le tapotement du pivert; ce dernier aurait été plus léger et plus rapide. Celui qu'il entendait en ce moment était grave et, s'il persistait, le bois se fendrait comme avait fait le verre. Puis il pensa aux éperviers. Se pouvait-il que les éperviers eussent succédé aux mouettes? Y avait-il des buses à présent sur le bord des fenêtres, se servant à la fois de la serre et du bec? Eperviers, buses, émouchets, faucons... Il avait oublié les oiseaux de proie. Il avait oublié la puissance d'étau des oiseaux de proie. Trois heures encore à passer, à attendre, au bruit du bois éclatant sous les serres.

Nat regarda autour de lui, en quête d'un meuble à démolir pour fortifier la porte. Les fenêtres étaient bien protégées par le buffet. Il était moins sûr de la porte. Il monta l'escalier, mais, en arrivant au palier, s'arrêta, l'oreille tendue. Il entendait un piétinement léger sur le plancher de la chambre des enfants : les oiseaux étaient entrés... Il colla son oreille à la porte. L'on ne pouvait s'y tromper. Il percevait le frémissement des ailes et le bruit des petites pattes explorant le plancher. L'autre chambre n'était pas encore envahie. Il y entra et se mit à en sortir les meubles qu'il empila sur le palier, au cas où la porte de la chambre des enfants céderait. C'était une simple précaution. Peut-être serait-elle superflue. Il n'eût servi à rien d'appuyer les meubles contre la porte, car celle-ci ouvrait à l'intérieur. La seule chose à faire était d'élever la barricade de façon à fermer l'issue de l'escalier.

« Descends, Nat. Qu'est-ce que tu fais? cria la femme.

— Tout de suite, cria-t-il. Je finis seulement d'arranger quelque chose ici. »

Il ne voulait pas qu'elle montât; il ne voulait pas qu'elle entendît ces petites pattes dans la chambre des enfants; ces ailes battant la porte.

A cinq heures et demie, il demanda le petit déjeuner, bacon et pain grillé, rien que pour faire reculer l'affolement qui montait dans les yeux de sa femme et distraire les enfants énervés. Elle ne savait pas que les oiseaux étaient en haut. La chambre des enfants, par bonheur, n'était pas au-dessus de la cuisine. Si c'eût été le cas, elle n'aurait pas manqué d'entendre leur piétinement sur les lattes du plancher, et le choc stupide, insensé, des oiseaux suicidés, les intrépides, les têtes brûlées qui volaient dans la chambre et se fracassaient le crâne contre les murs. Il les connaissait de longue date, ces mouettes de hareng. Elles n'avaient pas de jugeote. Les têtes noires étaient différentes, elles savaient ce qu'elles faisaient. Les buses et les éperviers aussi...

Il ne pouvait détacher les yeux de la pendule,

de ces aiguilles qui tournaient si lentement sur le cadran. Si ses déductions n'étaient pas justes, si l'attaque ne cessait pas à la descente de la marée, ils seraient vaincus, il le savait. Ils ne pourraient pas tenir tout le jour sans air, sans sommeil, sans feu, sans... Ses pensées se précipitaient. Il leur manquait beaucoup de choses pour soutenir un siège. Ils n'étaient pas suffisamment équipés. Ils n'étaient pas prêts. Peut-être, après tout, qu'on était plus en sûreté dans les villes. S'il parvenait à téléphoner à la ferme de ses cousins qui habitaient à quelques heures de chemin de fer dans l'intérieur, il pourrait peut-être louer une auto. Cela serait plus rapide. Louer une auto entre deux marées...

La voix de sa femme l'appelant par son nom, chassa brusquement son envie désespérée de dormir.

« Qu'est-ce que c'est? Quoi encore? s'écria-t-il.

— La radio, dit-elle. J'ai cherché. Il est presque sept heures.

— Ne touche pas au bouton, dit-il, se laissant aller pour la première fois à un mouvement d'impatience, l'aiguille est sur la chaîne nationale. C'est là-dessus qu'ils diffusent les communiqués. »

Ils attendirent. L'horloge de la cuisine sonna sept heures. Pas un son. Pas de carillon, pas de musique. Ils attendirent jusqu'au quart et cherchèrent un autre poste. Même résultat. Aucun bulletin de nouvelles n'était transmis.

« Nous avons mal entendu, dit-il. Ils ne donneront rien avant huit heures. »

Ils laissèrent la radio ouverte. Nat songea aux accus et se demanda où ils en étaient. Sa femme les faisait recharger lorsqu'elle allait en ville. Si les accus étaient déchargés, ils n'entendraient pas les instructions.

« Il commence à faire jour, dit tout bas sa femme. On ne peut pas le voir, mais je le sens. Et les oiseaux ne frappent plus si fort. »

Elle disait vrai. Les coups et les grattements diminuaient d'instant en instant, de même que les bruissements de la bousculade pour gagner un perchoir sur le seuil, sur les fenêtres. La marée descendait. A huit heures, on n'entendait plus rien. Plus rien que le vent. Les enfants, engourdis enfin par le silence, s'endormirent. A huit heures et demie, Nat ferma la radio.

« Qu'est-ce que tu fais? On va manquer les nouvelles, dit sa femme.

— Il n'y aura pas de nouvelles, dit Nat. Nous ne devons compter que sur nous-mêmes. »

Il alla à la porte et, lentement, défit les barricades. Il ouvrit les verrous et, tout en poussant du pied les cadavres d'oiseaux entassés sur le seuil, respira l'air frais. Il avait six heures devant lui pour travailler, et il savait qu'il lui fallait réserver ses forces pour le plus utile et ne pas les gaspiller. Nourriture, bougies, combustible, voilà les articles indispensables. S'il arrivait à en rassembler suffisamment, ils pourraient supporter une nouvelle nuit.

Il sortit dans le jardin et aperçut les oiseaux vivants. Les mouettes étaient retournées chevaucher les vagues comme la veille; elles puisaient des forces dans les aliments de la mer et la turbulence de la marée, avant de retourner à l'assaut. Il n'en était pas de même des oiseaux terrestres. Ils attendaient, guettaient. Nat les voyait sur les haies, par terre, perchés en foule dans les arbres, plus loin, parmi les champs, en rangées innombrables, silencieux, immobiles.

Il alla jusqu'au bout de son petit jardin. Les oiseaux ne bougèrent pas. Ils continuaient à l'épier.

« Il faut que j'aille chercher des provisions, se dit Nat. Il faut que j'aille à la ferme chercher de quoi manger. »

Il rentra dans la maison. Il vérifia les fenêtres et les portes. Il monta l'escalier et ouvrit la porte de la chambre des enfants. Elle était vide, à l'exception des oiseaux morts jonchant le sol. Les vivants étaient dehors, dans le jardin, dans les champs. Il redescendit.

« Je vais à la ferme », dit-il.

Sa femme s'accrocha à lui. Elle avait vu les oiseaux vivants par la porte ouverte.

« Emmène-nous avec toi, supplia-t-elle, nous ne pouvons pas rester tout seuls ici. J'aimerais mieux mourir que de rester seule ici. »

Il réfléchit un instant puis acquiesça.

« Bon, venez, dit-il, prends des paniers et la voiture de Johnny. On pourra la remplir. »

Ils s'emmitouflèrent contre les morsures du vent, mirent des gants et des cache-nez. La femme assit Johnny dans sa voiture. Nat prit Jill par la main.

« Les oiseaux, gémit celle-ci, il y en a partout, plein les champs.

— Ils ne nous feront rien, dit-il. Pas en plein jour. »

La petite famille se mit en route à travers champs. Les oiseaux ne bougèrent pas. Ils attendaient, la tête tournée au vent.

En arrivant au carrefour de la ferme, Nat s'arrêta et dit à sa femme de l'attendre avec les enfants à l'abri de la haie.

« Mais je veux voir Mrs. Trigg, protesta-t-elle. Il y a des tas de choses qu'on pourrait leur emprunter s'ils ont été au marché hier; pas seulement du pain, et...

— Attendez ici, répéta Nat. Je reviens tout de suite. »

Les vaches étaient sorties et s'agitaient deça, delà dans la cour; il aperçut une brèche faite dans la barrière par les moutons qui se promenaient dans le jardin devant la ferme. Aucune fumée ne s'élevait des cheminées. Il était rempli d'appréhension. Il ne voulait pas que sa femme et ses enfants allassent jusqu'à la ferme.

« Ne discute pas, dit sèchement Nat, faites ce que je vous dis. »

Elle poussa la voiture contre la haie pour s'abriter du vent avec ses enfants.

Il descendit seul à la ferme. Il se fraya un chemin au milieu du troupeau de vaches qui tournoyaient, inquiètes, les pis gonflés. Il vit l'auto à la grille; on ne l'avait pas rentrée au garage. Les fenêtres de la ferme étaient en miettes. De nombreuses mouettes mortes gisaient dans la cour et tout autour de la maison. Les oiseaux vivants étaient perchés dans le bouquet d'arbres derrière la ferme et sur les toits des bâtiments. Ils ne bougeaient pas. Ils l'observaient.

Le cadavre de Jim était étendu dans la cour... ou ce qu'il en restait. Quand les oiseaux avaient eu terminé, les vaches l'avaient piétiné. Son fusil était à côté de lui. La porte de la maison était fermée et verrouillée, mais, comme les vitres étaient brisées, il était facile d'ouvrir les fenêtres et de les escalader. Le cadavre de Trigg était à côté du téléphone. Il devait être en train d'appeler le central quand les oiseaux l'avaient assailli. Le récepteur pendait au bout du fil, l'instrument arraché du mur. Aucune trace de Mrs. Trigg. Elle devait être en haut. Etait-il bien utile de monter? Ecœuré, Nat savait ce qu'il trouverait.

« Dieu merci, se dit-il, il n'y avait pas d'enfants. »

Il s'obligea à monter l'escalier, mais, à mi-chemin, se retourna et redescendit. Il apercevait les jambes de la fermière, dépassant la porte ouverte de sa chambre. Derrière elle, gisaient des cadavres de mouettes à têtes noires et un parapluie cassé.

« Ce n'est pas la peine, songea Nat. Il n'y a rien à faire. Je n'ai que cinq heures, pas même. Les Trigg me comprendraient. Il faut que je prenne ce que je trouverai. »

Il revint à sa femme et à ses enfants.

« Je m'en vais remplir l'auto, dit-il. J'y mettrai du charbon, et du pétrole pour le réchaud. Nous le ramènerons à la maison et reviendrons chercher d'autres provisions.

— Et les Trigg? demanda sa femme.

— Ils doivent être allés chez des amis, dit-il.

— Veux-tu que je vienne t'aider?

— Non, on n'a pas la place de bouger. Les vaches et les moutons se promènent partout. Attends-moi, je ramène l'auto. Vous pourrez vous installer dedans. »

Il sortit non sans peine l'auto de la cour et la rangea le long du chemin. De là, sa femme et ses enfants ne verraient pas le corps de Jim.

« Restez ici, dit-il, ne t'occupe pas de la voiture d'enfant. On reviendra la chercher plus tard. Je vais charger l'auto. »

Elle ne quittait pas des yeux son visage. Il se dit qu'elle avait compris, sinon, elle aurait proposé de l'aider à chercher le pain et l'épicerie.

Ils firent trois voyages entre leur maisonnette et la ferme, avant qu'il ne se déclarât satisfait de ce qu'ils avaient ramené. Il était étonné, quand il y pensait, de la quantité d'objets indispensables. Le plus important, presque, était le bois pour les fenêtres. Il se mit à la recherche de planches. Il voulait remplacer toutes celles qui garnissaient les fenêtres de sa maison. Bougies, pétrole, clous, boîtes de conserves; la liste était sans fin. Il se mit, en outre, à traire trois des vaches. Le reste — pauvres bêtes — continuerait à meugler.

Au dernier voyage, il conduisit l'auto à la halte de l'autobus, descendit et entra dans la cabine du téléphone. Il attendit quelques minutes en poussant le bouton. En vain. Il n'y avait pas de communication. Il grimpa sur un talus et inspecta la campagne, mais il n'y vit aucun signe de vie, rien d'autre dans les champs que les oiseaux aux aguets. Certains dormaient — il distinguait leurs becs enfouis dans leurs plumes.

« On croirait qu'ils picoreraient, se dit-il, plutôt que de rester à ne rien faire. »

Puis il se rappela. Ils étaient gorgés de nourriture. Ils avaient mangé tout leur saoul, pendant la nuit. C'est pour cela qu'ils ne bougeaient pas ce matin...

Aucune fumée ne montait des cheminées des maisons de la cité-jardin. Il pensa aux enfants qui couraient à travers champs la veille au soir.

« J'aurais dû le prévoir, songea-t-il. J'aurais dû les ramener chez nous. »

Il leva le visage vers le ciel et le vit gris et sans éclat. Les arbres nus du paysage étaient sombres, courbés sous le vent d'est. Le froid ne semblait pas gêner les oiseaux qui attendaient dans les champs.

« Voilà l'instant où on pourrait les avoir, se dit Nat, ils sont une cible immobile en ce moment. Ils doivent faire cela dans tout le pays. Pourquoi des avions ne viennent-ils pas les arroser de gaz moutarde? Qu'est-ce que font nos dirigeants? Ils doivent bien savoir, ils doivent voir par eux-mêmes. »

Il retourna à l'auto et monta sur le siège.

« Passe vite devant la seconde barrière, lui dit tout bas sa femme. Le facteur est là par terre. Je ne veux pas que Jill le voie. »

Il accéléra. La petite Morris rebondissait sur le chemin. Les enfants riaient aux éclats.

« Boum, en l'air! Boum, en l'air! » criait le petit Johnny.

Il était une heure moins le quart lorsqu'ils rentrèrent chez eux. Plus qu'une heure de répit.

« Fais chauffer quelque chose pour les enfants et toi, cette soupe, par exemple, dit Nat. Moi, je n'ai pas le temps de manger pour l'instant. Il faut que je décharge tout ça. »

Il rentra les provisions dans la maison. On les trierait plus tard. Cela les occuperait, pendant les longues heures à venir. Il fallait d'abord vérifier les fenêtres et les portes.

Il fit méthodiquement la ronde de la maison, examinant chaque fenêtre, chaque porte. Il grimpa aussi sur le toit et fixa des planches sur toutes les cheminées, sauf celle de la cuisine. Le froid était si intense qu'il avait peine à le supporter, mais la besogne devait être faite. De temps en temps, il levait la tête, guettant les avions au ciel. Il n'y avait pas d'avions. Tout en travaillant, il maudissait l'incurie du gouvernement.

« Toujours la même chose, grommelait-il, ils nous laissent toujours dans le pétrin. Des incapables, du haut en bas de l'échelle. Pas de plans, pas d'organisation. Et ils se moquent pas mal de nous autres ici. Voilà ce que c'est. Les gens de l'intérieur ont priorité. Ils utilisent les gaz par là, sûrement, et tous les avions. Nous, on n'a qu'à attendre, advienne que pourra. »

Il s'arrêta, ayant achevé d'obstruer la cheminée de sa chambre, et regarda la mer. Quelque chose bougeait là-bas. Quelque chose de gris et de blanc parmi les vagues.

« Notre bonne vieille marine, dit-il, celle-là ne nous laisse jamais tomber. Les voilà qui entrent dans la baie. »

Il attendit, aiguisant son regard, malgré les larmes que le vent lui mettait aux yeux. Il s'était trompé. Ce n'étaient pas des bateaux. La marine n'était pas là. Les mouettes s'élevaient de la mer.

Les troupes massées dans les champs, plumes ébouriffées, prenaient leur essor en bon ordre et, aile contre aile, s'élevaient vers le ciel.

La marée recommençait à monter.

Nat descendit de l'échelle et entra dans la cuisine. Sa famille déjeunait. Il était un peu plus de deux heures. Il verrouilla la porte, la barricada, et alluma la lampe.

« C'est le soir? » dit le petit Johnny.

Sa femme de nouveau ouvrit la radio, mais aucun son n'en sortait.

« J'ai essayé tout le cadran, dit-elle, les postes étrangers aussi. Je peux rien prendre.

— Peut-être qu'ils sont aussi en difficulté, dit-il, peut-être que c'est la même chose dans toute l'Europe. »

Elle lui servit une assiettée de la soupe des Trigg, lui coupa une grande tranche de pain des Trigg, et la tartina de leur lard.

Ils mangèrent en silence. Un bout de lard glissa sur le menton de Johnny et tomba sur la table.

« Tu te tiens mal, Johnny! dit Jill. Pourquoi tu ne t'essuies pas la bouche? »

Le tapotement commença aux fenêtres, à la porte. Le bruissement, la bousculade pour les perchoirs. Les premières chutes de mouettes suicidées sur le seuil.

« L'Amérique ne va pas faire quelque chose? dit sa femme. Ce sont nos alliés, tout de même! Tu ne crois pas que l'Amérique va faire quelque chose? »

Nat ne répondit pas. Les planches étaient solides contre les fenêtres et sur les cheminées. La maison était pleine de provisions, de combustible, de tout ce dont ils pourraient avoir besoin pendant les quelques jours à venir. Le déjeuner terminé, il rangerait tout, soigneusement, à portée de la main. Sa femme pourrait l'aider, ainsi que les enfants. Ils se fatigueraient à la besogne jusqu'à neuf heures moins le quart, heure où la marée redescendrait. Alors, il les borderait sur leurs matelas et il faudrait qu'ils dorment bien et paisiblement jusqu'à trois heures du matin.

Il avait un nouveau projet pour les fenêtres : il fixerait du fil de fer barbelé devant les planches. Il en avait apporté un gros rouleau de la ferme. L'ennui, c'est qu'il serait obligé de faire ça la nuit, pendant la trêve de neuf heures du soir à trois heures du matin. Dommage qu'il n'y eût pas songé plus tôt. Enfin, si sa femme et les gosses dormaient, c'était le principal.

Les plus petits oiseaux étaient à présent devant les fenêtres. Il reconnut le léger tapotement de leurs becs et le frôlement de leurs ailes. Les éperviers dédaignaient les fenêtres. Ils concentraient leur assaut sur la porte. Nat écouta le bruit du bois qui se fendait, et se demanda combien de millions d'années d'expérience étaient accumulées dans ces petites cervelles, derrière ces becs pointus, ces yeux perçants, les dotant aujourd'hui d'un tel instinct pour détruire l'humanité avec toute l'adroite précision des machines.

« Je vais fumer cette dernière cigarette, dit-il à sa femme. J'ai été idiot; c'est la seule chose que j'aie oublié de ramener de la ferme. »

Il alluma la cigarette, ouvrit la radio silencieuse. Il jeta le paquet vide dans le feu et le regarda brûler.

LE POMMIER

Traduction de Denise van Moppès

IL Y AVAIT trois ans qu'elle était morte, lorsqu'il remarqua le pommier pour la première fois. Certes, il savait qu'il était là, au milieu des autres, sur la pelouse qui, devant la maison, montait vers les champs. Mais, jamais auparavant, il n'avait accordé d'attention particulière à cet arbre que rien ne distinguait de ses compagnons, si ce n'est qu'il était le troisième de la rangée en partant de la gauche, très légèrement à l'écart des autres, et plus incliné vers la terrasse.

C'était un beau matin clair du début du printemps, et il était en train de se raser à la fenêtre ouverte. Comme il se penchait pour respirer l'air du jardin, le visage barbouillé de savon, le rasoir à la main, son regard tomba sur le pommier. Peut-être cela tenait-il à un effet de lumière, à la façon dont le soleil, en se levant sur les bois, touchait l'arbre à ce moment précis, mais la ressemblance était frappante.

Il posa son rasoir sur le bord de la fenêtre et regarda. L'arbre était décharné et d'une minceur pitoyable, sans rien de la robustesse noueuse de ses frères. Ses branches peu nombreuses, partant très haut sur le tronc, ainsi que des bras aux épaules étroites, s'étendaient avec un air de martyr résigné, comme transies par l'air frais du matin. L'armature de fil de fer entourant la base de l'arbre à la moitié du tronc, faisait l'effet d'une jupe de tweed gris sur des jambes maigres; tandis que la plus haute branche, dressée au-dessus des autres mais légèrement retombante, figurait une tête penchée par la fatigue.

Combien de fois avait-il vu Midge debout dans cette attitude accablée! Que ce fût dans le jardin, la maison, ou même lorsqu'elle faisait des courses en ville, elle adoptait cette position voûtée, qui semblait dire que la vie la traitait durement, qu'elle avait été choisie entre toutes pour porter quelque impossible fardeau, mais qu'elle subirait tout jusqu'au bout sans se plaindre. « Midge, tu as l'air exténué; pour l'amour du Ciel, assieds-toi et prends un peu de repos! » Mais ces mots étaient accueillis par l'inévitable haussement d'épaules, l'inévitable soupir : « Il faut bien que quelqu'un fasse ce qu'il y a à faire », et, se redressant, elle se lançait dans la morne série des tâches inutiles auxquelles elle se condamnait, jour après jour, au long des années interminables et monotones.

Il continua à regarder le pommier. Cette attitude courbée de victime, cette cime penchée, ces branches lasses, ces quelques feuilles flétries que le vent et les pluies de l'hiver n'avaient point emportées, et qui frissonnaient à présent dans la brise printanière comme des cheveux décoiffés, tout reprochait silencieusement au propriétaire du jardin : « C'est ta faute, c'est parce que tu me négliges, que je suis ainsi. »

Il quitta la fenêtre et finit de se raser. Ce n'était pas le moment de se laisser entraîner par des visions quand il commençait enfin à s'installer dans sa liberté. Il prit son bain, s'habilla, et descendit prendre son petit déjeuner. Les œufs au bacon l'attendaient sur le chauffe-plats, et il porta l'assiette sur la table où un seul couvert était mis à son intention. Le *Times* tout neuf et nettement plié l'invitait à la lecture. Du vivant de Midge, il lui tendait d'abord le journal, par suite d'une longue habitude, et, lorsqu'elle le lui rendait, après le petit déjeuner, pour qu'il l'emportât dans son bureau, les pages étaient toujours en désordre et repliées de travers, ce qui lui gâtait un peu le plaisir de sa lecture. Les nouvelles, elles aussi, avaient perdu leur bouquet, après qu'elle lui avait lu tout haut les pires, habitude matinale à laquelle elle ne manquait pas, y ajoutant toujours quelque commentaire malveillant de son cru. La naissance d'une fille chez des amis à eux, provoquait en elle un petit claquement de langue, un petit mouvement de la tête : « Les pauvres, encore une fille », ou, si c'était un fils : « Ça ne doit pas être drôle d'avoir un garçon à élever de nos jours. » Il pensait qu'un obscur regret, dû au fait qu'ils n'avaient pas d'enfants, lui faisait ainsi déplorer une naissance nouvelle, mais cette attitude s'était progressivement étendue à tout ce qui était joyeux ou brillant, comme s'il y avait, dans le bonheur, une tare fondamentale.

« On dit ici qu'il est parti plus de gens en vacances cette année que jamais. Espérons qu'ils se sont amusés, c'est tout ce qu'on peut dire. » Mais sa voix ne contenait aucun espoir, rien que du dénigrement. Puis, ayant terminé son petit déjeuner, elle repoussait sa chaise, soupirait et disait : « Bah! tant pis... », laissant la phrase inachevée; mais le soupir, le haussement d'épaules, la ligne du dos, long, maigre et voûté, qu'elle penchait en débarrassant la table — afin d'épargner un peu de travail à la femme de ménage —, participaient au constant reproche dirigé contre lui et qui, depuis de longues années, gâchait leur vie.

Silencieux et courtois, il lui ouvrait la porte qui conduisait vers l'office et elle passait devant lui, péniblement courbée par le poids du plateau surchargé qu'elle n'avait nul besoin de porter. Un moment plus tard, il entendait par la porte entrouverte le bruissement de l'eau du robinet de l'évier. Il revenait à sa place, à sa chaise, au *Times* taché de confiture d'oranges appuyé au grille-pain, et, une fois de plus, la même question martelait sa pensée avec une insistance monotone : « Qu'est-ce que j'ai fait? »

Ce n'était pas qu'elle fût querelleuse. Les épouses querelleuses sont, comme les belles-mères, des plaisanteries de chansonniers. Il ne se rappelait pas avoir vu Midge en colère ou emportée. Mais le courant souterrain de reproches mêlé à une souffrance noblement supportée empoisonnait l'atmosphère de son foyer et lui donnait le sentiment d'être toujours en faute.

Pleuvait-il? Cherchant refuge dans son bureau, le radiateur électrique allumé, sa première pipe de la matinée remplissant la petite pièce de fumée, il s'installait devant sa table sous prétexte de lettres à écrire mais, en réalité, pour se cacher, pour goûter la sécurité douillette de quatre murs où il était chez lui. La porte s'ouvrait et Midge s'arrêtait sur le seuil en enfilant son imperméable, un feutre à large bord enfoncé sur son front, et fronçait le nez avec dégoût.

« Pouah! Quelle tabagie! »

Il ne disait rien mais se déplaçait légèrement dans son fauteuil en dissimulant de son bras le roman qu'il avait cueilli par pur désœuvrement dans la bibliothèque.

« Tu ne vas pas en ville? lui demandait-elle.

— Je ne pensais pas y aller.

— Ah? Bah... tant pis. »

Elle se retournait pour s'éloigner.

« Pourquoi? Tu avais besoin de quelque chose?

— Oh! seulement de poisson pour le déjeuner. Ils ne livrent pas le mercredi. Mais je peux y aller, si tu es occupé. Seulement, je croyais... »

Elle sortait de la pièce sans terminer sa phrase.

« Ça ne me dérange pas du tout, Midge, criait-il. Je vais sortir la voiture et j'irai dans un moment. Ce n'est pas la peine de te faire mouiller. »

Pensant qu'elle n'avait pas entendu, il sortait dans le vestibule. Elle était debout près de la porte d'entrée ouverte par laquelle une pluie fine pénétrait jusqu'à elle. Elle portait au bras un grand panier plat et était en train d'enfiler des gants de jardinier.

« Je me ferai mouiller de toute façon, dit-elle, alors, un peu plus, un peu moins... Regarde-moi ces fleurs, elles ont toutes besoin de tuteurs. J'irai acheter le poisson quand j'aurai fini de les redresser. »

Inutile de discuter. Elle était décidée. Il refermait la porte d'entrée derrière elle et revenait s'asseoir dans son bureau. La pièce ne lui paraissait plus tout à fait aussi douillette, et, un peu plus tard, tournant la tête vers la fenêtre, il la voyait passer en hâte, son imperméable à moitié déboutonné, de petits filets d'eau sur le bord de son chapeau, et le panier de jardin à son bras rempli de marguerites fanées. Tourmenté par sa conscience, il se penchait et éteignait une résistance du radiateur électrique.

Venait le printemps, l'été. Flânant nu-tête au jardin, les mains dans les poches, sans autre envie que de sentir le soleil sur son dos et de contempler au loin les bois, les champs et la lente rivière sinueuse, il entendait, dans les chambres du premier étage, le ronflement aigu du Hoover ralentir soudain et mourir en suffoquant. Midge l'avait vu sur la terrasse et l'appelait.

« Tu as quelque chose à faire? » demandait-elle.

Il n'avait rien à faire. C'était l'odeur du printemps, du jeune été, qui l'attirait dans le jardin; c'était le sentiment délicieux que, retiré à présent des affaires, ayant cessé de travailler dans la City, il disposait du temps désormais comme d'un bien sans valeur qu'il pouvait gaspiller à sa guise.

« Non, disait-il, pas par une journée pareille. Pourquoi?

— Bah! tant pis.... répondait-elle. Seulement, la gouttière sous la fenêtre de la cuisine est de nouveau engorgée. Complètement bouchée. Naturellement : personne ne s'en occupe jamais. Je l'arrangerai moi-même cet après-midi. »

Son visage disparaissait de la fenêtre. Un ronflement croissant s'élevait de nouveau, le Hoover s'était remis au travail. Quelle folie qu'une interruption de ce genre pût tenir l'éclat du jour! Non point la demande, ni la besogne en elle-même — déboucher une gouttière était, dans son genre, un amusement d'écolier, le plaisir de jouer avec de la boue — mais ce visage pâle regardant la terrasse ensoleillée, cette main lasse levée pour repousser une mèche de cheveux, et l'inévitable soupir avant de quitter la fenêtre, le muet : « Je voudrais bien avoir le temps, moi aussi, de rester au soleil à ne rien faire. Bah! tant pis... »

Il s'était aventuré un jour à demander si tous ces grands nettoyages étaient bien nécessaires, et pourquoi il fallait continuellement faire le ménage à fond. Pourquoi les chaises devaient-elles être empilées les unes sur les autres, les tapis roulés, les bibelots rassemblés sur une feuille de papier journal? Et pourquoi, entre autres, le parquet du couloir d'en haut que personne ne foulait jamais était-il laborieusement encaustiqué à la main? A tour de rôle, Midge et la femme de ménage se traînaient sur les genoux, d'un bout à l'autre de l'étage, comme des esclaves antiques.

Midge l'avait regardé sans comprendre.

« Tu serais le premier à te plaindre, avait-elle dit, si l'on te faisait vivre dans un écurie. Tu aimes tes aises. »

Ainsi vivaient-ils dans des mondes différents, et leurs pensées ne se rencontraient jamais. En avait-il toujours été ainsi? Il ne se rappelait pas. Ils avaient été mariés près de vingt-cinq ans et n'étaient plus que deux personnes qui, par la force de l'habitude, continuaient à vivre sous le même toit.

Quand il était dans les affaires, c'était différent. Il ne le remarquait pas autant. Il rentrait à la maison pour manger, dormir, et repartait par le train du matin. Mais, une fois retiré. il s'était aperçu de sa présence avec beaucoup plus de force et, chaque jour, le sentiment de la rancune, de la désapprobation qu'elle nourrissait à son égard, augmentait.

Il avait fini, au cours de l'année précédant sa mort, par se trouver si bien enlisé qu'il avait dû recourir à toutes sortes de menues tromperies afin de se débarrasser d'elle, prétendant qu'il devait aller à Londres pour se faire couper les cheveux, consulter son dentiste, déjeuner avec un associé; en réalité, il passait la journée à son club, près de la fenêtre, anonyme et en paix.

Le mal qui la lui avait enlevée ne l'avait heureusement pas fait longtemps souffrir. Une grippe suivie de pneumonie l'avait emportée en moins d'une semaine. A peine s'il savait comment cela s'était passé, sauf qu'elle était exténuée comme à son ordinaire, avait pris froid, et avait refusé de rester au lit. Un soir, rentrant assez tard de Londres où il avait passé l'après-midi au cinéma, détendu et au chaud, parmi des gens sympathiques et qui s'amusaient bien — c'était un jour glacial de décembre —, il l'avait trouvée dans la cave, courbée sur la chaudière, en train de tisonner les morceaux de charbon.

Elle avait levé vers lui un visage blême de fatigue, aux traits tirés.

« Mais, Midge, qu'est-ce que tu fais là? avait-il dit.

— C'est la chaudière, avait-elle répondu, elle

est détraquée depuis ce matin, elle ne veut pas rester allumée. Il faudra faire venir quelqu'un pour la réparer demain. Je ne peux vraiment pas faire ces choses-là moi-même. »

Il y avait une traînée de charbon sur sa joue. Elle avait laissé le lourd tisonnier tomber sur le sol et s'était mise à tousser en grimaçant de douleur.

« Tu devrais être au lit, avait-il dit. Je n'ai jamais rien vu d'aussi absurde. Tu n'avais qu'à laisser cette chaudière tranquille!

— Je pensais que tu rentrerais de bonne heure, avait-elle répondu, et que tu saurais peut-être comment la remettre en marche. Il a fait horriblement froid toute la journée, je me demande ce que tu as trouvé à faire à Londres. »

Elle avait remonté l'escalier de la cave, lentement, le dos courbé; une fois en haut, elle s'était arrêtée, frissonnante, les yeux à demi fermés.

« Si ça ne t'ennuie pas trop, avait-elle dit, je te servirai ton dîner tout de suite pour en avoir fini. Moi, je n'ai envie de rien.

— Ne t'occupe pas de mon dîner, avait-il répondu, je me débrouillerai tout seul. Va te coucher. Je t'apporterai une boisson chaude.

— Je te dis que je ne veux rien, avait-elle répété. Je remplirai ma bouillotte moi-même. Je ne te demande qu'une chose : n'oublie pas d'éteindre partout avant de monter. »

Elle avait traversé le vestibule, les épaules tombantes.

« Un verre de lait chaud? » avait-il proposé encore en commençant à ôter son pardessus; ce faisant, il avait laissé tomber de sa poche le billet de cinéma à dix shillings six, au coin déchiré. Elle l'avait vu et n'avait rien dit. Elle s'était remise à tousser puis s'était traînée dans l'escalier.

Le lendemain matin, elle avait trente-neuf de fièvre. Le docteur était venu et avait dit qu'elle avait une pneumonie. Elle lui avait demandé de lui réserver une chambre particulière à l'hôpital, car une infirmière à la maison aurait donné trop de travail. Cela se passait le mardi matin. Elle était partie pour l'hôpital. Il était allé la voir tous les jours; le vendredi soir, on lui avait dit qu'elle ne passerait probablement pas la nuit. Il était resté debout dans la chambre, après avoir entendu ces nouvelles, et l'avait regardée, couchée dans ce lit impersonnel d'hôpital, et son cœur se serrait de pitié car on lui avait mis trop d'oreillers, elle était beaucoup trop soulevée et cela devait la fatiguer. Il lui avait apporté des fleurs, mais il semblait bien inutile de les donner à l'infirmière pour qu'elle les mît dans un vase car Midge était trop malade pour les regarder. Il les avait posées discrètement sur une table près du paravent, tandis que l'infirmière se penchait sur la malade.

« A-t-elle besoin de quelque chose? avait-il demandé. Je veux dire, je pourrais facilement... » Il avait laissé la phrase inachevée, pensant que l'infirmière comprendrait son intention, sa proposition de partir en voiture n'importe où, chercher ce qu'il faudrait.

L'infirmière avait secoué la tête. « On vous téléphonera, s'il survient un changement », avait-elle dit.

Quel changement pouvait survenir? s'était-il demandé en quittant l'hôpital. Le visage blanc et pincé sur les oreillers ne changerait plus maintenant, il n'appartenait à personne.

Midge était morte, le samedi au petit jour.

Il n'était pas pieux et ne croyait pas profondément à l'immortalité mais, les obsèques terminées, Midge enterrée, cela l'avait ému de penser à son pauvre corps solitaire étendu dans ce cercueil flambant neuf à poignées de cuivre : cela paraissait vraiment trop cruel. La mort devrait ressembler aux adieux qu'on fait dans une gare avant un grand départ, mais sans l'excitation du voyage. Il y avait quelque chose d'indécent dans cette hâte à enfouir sous la terre une chose qui, avec un peu plus de chance, serait encore une personne vivant et respirant. Dans sa détresse, il lui avait semblé entendre Midge dire avec un soupir : « Bah! tant pis... » tandis qu'on descendait le cercueil dans la tombe ouverte.

Il avait souhaité avec ferveur qu'il existât quand même un avenir en quelque invisible paradis où la pauvre Midge, ignorant ce qu'on faisait de sa dépouille mortelle, pût se promener parmi de vertes prairies. Mais avec qui? s'était-il demandé. Ses parents étaient morts aux Indes, il y avait longtemps, elle n'aurait pas grand-chose à leur dire s'ils l'accueillaient aux portes du ciel. Il se l'était soudain représentée, faisant la queue, assez loin de l'entrée, comme il l'avait souvent vue. portant ce grand sac à provisions en paille tressée qu'elle emmenait partout, avec, sur le visage, un air de patient martyr. Au moment de passer le portillon pour entrer au paradis, elle le regardait d'un air de reproche.

Les images du cercueil et de la file d'attente étaient demeurées en lui près d'une semaine, s'effaçant peu à peu. Puis il l'avait oubliée. La liberté était à lui, et la maison vide et ensoleillée, l'hiver vif et brillant. Son temps n'appartenait qu'à lui. Il ne pensait jamais à Midge, jusqu'au matin où il remarqua le pommier.

Un peu plus tard ce jour-là, comme il se promenait dans son jardin, la curiosité l'attira vers l'arbre. Ça n'avait été qu'une imagination stupide, après tout. L'arbre n'avait rien d'extraordinaire. C'était un pommier comme tous les pommiers. Il se rappela qu'il avait toujours été moins vigoureux que ses compagnons, qu'il était, en fait, à moitié mort; l'on avait parlé un moment de l'abattre, puis il n'en avait plus été question. Eh bien, il avait trouvé un emploi pour son dimanche. Abattre un arbre était un excellent exercice et le bois de pommier sentait bon. Cela serait un plaisir de le faire brûler dans la cheminée.

Malheureusement, le mauvais temps s'installa le lendemain de ce jour-là et dura plus d'une semaine, l'empêchant d'accomplir la tâche projetée. Il n'avait aucune envie de travailler dehors par ce temps et d'attraper un rhume. Il continuait à regarder le pommier par la fenêtre de sa chambre. Cet arbre courbé, décharné, étiré sous la pluie commençait à l'agacer. Il ne faisait pas froid, et la pluie qui tombait sur le jardin était douce. Aucun des autres arbres n'avait cet air de désolation. Il y avait un jeune pommier — planté quelques années auparavant seulement, il s'en souvenait très bien — qui poussait à la droite du vieux, droit et ferme, ses jeunes branches légères levées vers le ciel avaient un air de plaisir sous l'averse. Il le regarda par la fenêtre et sourit. Pourquoi diable se rappela-t-il tout à coup un incident du temps de guerre, il y avait des années de cela, et une jeune fille qui était venue aider quelques mois aux travaux de la ferme voisine? Il n'avait pas pensé à elle depuis bien longtemps. D'ailleurs, il ne s'était rien passé de très grave. Le samedi et le dimanche, il allait donner un coup de main au fermier — c'était sa participation à la guerre. en quelque sorte —, et elle était toujours là, gaie, jolie, souriante; elle avait des cheveux courts, bouclés, garçonniers, et une peau très jeune.

Il pensait d'avance avec plaisir à ces rencontres de fin de semaine; elles étaient un antidote aux incessants communiqués que Midge prenait à la radio, et à ses propos ininterrompus sur la guerre. Il aimait regarder cette enfant — elle avait à peine dix-neuf ans — en culotte de cheval et chemise de couleurs vives; l'on eût dit, lorsqu'elle souriait, qu'elle embrassait le monde.

Il n'avait jamais su comment cela s'était passé, et c'était bien peu de chose, mais il était dans le hangar, un après-midi, à réparer le tracteur, penché sur le moteur, elle près de lui contre son épaule, riant tous deux; il s'était retourné pour prendre un bout de chiffon afin d'essuyer une bielle, et, tout d'un coup, ils s'étaient trouvés, elle dans ses bras, lui l'embrassant. Ç'avait été un geste spontané, libre, heureux, et la fille était tendre et joyeuse avec sa jeune bouche fraîche. Ils étaient ensuite revenus au tracteur et avaient repris leur besogne, mais unis à présent par une espèce d'intimité qui les remplissait tous deux de gaieté et de bien-être. Quand la fille avait dû quitter le hangar pour aller donner à manger aux cochons, il l'avait accompagnée, une main sur son épaule, geste à demi caressant qui vraiment ne signifiait rien. En arrivant dans la cour, il avait vu Midge qui les regardait.

« Il faut que j'aille à une réunion de la Croix-

Rouge, avait-elle dit. Je n'arrive pas à mettre l'auto en marche. Je t'ai appelé. Tu ne m'as pas entendue. »

Elle avait un visage figé. Elle regardait la jeune fille. Il s'était senti soudain très coupable. La jeune fille avait dit gaiement bonsoir à Midge et s'était éloignée vers la porcherie.

Il avait suivi Midge jusqu'à la voiture et était parvenu à la faire démarrer à l'aide de la manivelle. Midge l'avait remercié d'une voix sans timbre. Il n'osait pas regarder ses yeux. C'était donc cela l'adultère, cela le péché, la seconde page des journaux du dimanche : « Il trompait sa femme. Elle surprend les coupables dans une grange. » Il était rentré chez lui, les mains tremblantes, et avait dû avaler un verre d'alcool. Rien n'avait jamais été dit. Midge n'en avait jamais parlé. Un obscur instinct l'avait retenu loin de la ferme, la semaine suivante, puis il avait appris que, la mère de la jeune fille étant tombée malade, celle-ci avait été rappelée chez elle.

Il ne l'avait jamais revue. Pourquoi se la rappelait-il soudain ce jour-là en regardant la pluie tomber sur les pommiers? Il fallait absolument abattre le vieil arbre mort, quand ce ne serait que pour donner plus de soleil au petit pommier robuste; il était désavantagé, placé ainsi près de l'autre.

Le vendredi après-midi, il alla au potager trouver Willis, qui venait trois fois par semaine s'occuper du jardin, afin de lui payer ses gages. Il voulait également regarder dans le hangar à outils afin de s'assurer que la hache et la scie étaient en bon état. Willis gardait tout en bon ordre — il avait été à l'école de Midge — et la hache et la scie étaient pendues à leur place sur le mur.

Il paya Willis et allait s'éloigner lorsque le jardinier lui dit à brûle-pourpoint :

« Curieux, hein, ce qui arrive au vieux pommier? »

La remarque était si inattendue qu'il en reçut un choc. Il se sentit changer de couleur.

« Pommier? Quel pommier? demanda-t-il.

— Mais celui du bout, près de la terrasse, répondit Willis. Je l'ai toujours vu stérile, depuis que je travaille ici, et ça fait pas mal d'années. Jamais une pomme, pas même une fleur. On voulait l'abattre, vous vous rappelez, l'hiver qu'il a fait si froid, et puis on n'en a plus parlé. Eh bien, voilà qu'il a refait un bail avec la vie, on dirait. Vous n'avez pas remarqué? »

Le jardinier le regarda en souriant d'un air entendu.

Que voulait-il dire? Il n'était pas possible qu'il eût été frappé lui aussi par cette ressemblance monstrueuse, mais non, c'était hors de question, indécent, sacrilège. D'ailleurs lui-même, l'avait écartée, il n'y songeait plus.

« Je n'ai rien remarqué », fit-il sur la défensive.

Willis se mit à rire.

« Venez un peu sur la terrasse, dit-il, je vais vous montrer ça, monsieur. »

Ils allèrent ensemble jusqu'à la pelouse montante et, en arrivant au pommier, Willis tendit la main et abaissa une branche qui se trouvait à sa portée. On entendit un léger craquement, comme si la branche était raide et refusait de plier, puis Willis écarta une espèce de lichen sec, découvrant les rameaux aigus.

« Regardez ça, monsieur, dit-il, il pousse des bourgeons. Regardez, tâtez vous-même. Y a de la vie là-dedans, pas d'erreur. J'avais encore jamais vu ça. Et cette branche-là, voyez, tout pareil. »

Il lâcha la première et se dressa pour en atteindre une autre.

Willis disait vrai. Il y avait des bourgeons, pas d'erreur, mais si petits et bruns qu'ils lui parurent à peine mériter ce nom; ils ressemblaient à une maladie des rameaux, à des bobos desséchés et sales. Il mit ses mains dans ses poches. L'idée d'y toucher lui causait un dégoût bizarre.

« Je ne crois pas que ça donnera grand-chose, dit-il.

— On ne sait pas, monsieur, dit Willis. J'ai de l'espoir. Il a supporté l'hiver, et si nous n'avons plus de fortes gelées, on ne peut pas dire ce qu'il nous prépare. Ça serait drôle de voir ce vieil arbre fleurir. Il portera encore des fruits. »

Il caressa le tronc du plat de la main dans un geste à la fois affectueux et familier.

Le propriétaire du pommier s'écarta. Willis l'agaçait sans qu'il sût pourquoi. N'aurait-on pas dit que ce vilain arbre était une personne? Voilà qu'il allait devoir renoncer à son projet de l'abattre le lendemain.

« Il prend la lumière du jeune pommier, dit-il. Ne vaudrait-il pas mieux le supprimer et laisser un peu plus d'espace à l'autre? »

Il s'approcha du jeune arbre et toucha une de ses branches. Ici, point de lichen, une écorce lisse, des bourgeons sur chaque rameau, gonflés, serrés. Il lâcha la branche qui rebondit avec souplesse.

« L'abattre, monsieur! répéta Willis, alors qu'il y a encore de la vie dedans? Oh, non, monsieur, je ne ferais pas ça. Il ne fait pas de tort au jeune arbre. Moi, je laisserais sa chance au vieux. S'il ne donne pas de fruits, il sera toujours temps de l'abattre l'hiver prochain.

— D'accord, Willis », dit-il, et il s'éloigna rapidement.

Il n'avait pas envie de discuter plus longtemps sur ce sujet.

Cette nuit-là, en allant se coucher, il ouvrit comme d'habitude toute grande la fenêtre et écarta les rideaux : il n'aimait pas se réveiller le matin dans une chambre close. La pleine lune éclairait la terrasse et la pelouse d'une lumière pâle, immobile, fantomale. Aucun vent. Un grand silence enveloppait toutes choses. Il se pencha, heureux de cette paix. La lune éclairait en plein le petit pommier, le jeune, qui rayonnait dans cette lumière avec quelque chose de féerique. Fin, svelte, léger, le jeune arbre ressemblait à une danseuse aux bras levés, dressée sur les pointes, prête à s'envoler. Quelle grâce aisée, heureuse, dans cette jeune vitalité! Brave petit arbre! A sa gauche, il apercevait l'autre pommier plongé à demi encore dans l'obscurité. Le clair de lune lui-même ne pouvait lui prêter de la beauté. Qu'avait-il donc pour se courber ainsi au lieu de s'élever vers la lumière? Cet arbre gâtait la nuit calme, abîmait le paysage. Il avait été stupide de céder à Willis et de consentir à l'épargner. Ces boutons ridicules ne fleuriraient jamais, et quand bien même...

Ses pensées se mirent à vagabonder et, pour la seconde fois depuis une semaine, il se surprit à penser à la jeune fille de la ferme et à son sourire joyeux. Il se demanda ce qu'elle était devenue. Mariée sans doute et jeune mère. Elle devait rendre un homme heureux. Bah, tant pis... Il sourit. Allait-il adopter cette expression à présent? Pauvre Midge! Il retint son souffle et demeura immobile, la main sur le rideau. Le pommier, celui de gauche, n'était plus dans l'ombre. La lune brillait sur les branches flétries qui ressemblaient à des bras dressés et suppliants, des bras gelés, raides et gourds de souffrance. Il n'y avait point de vent, et les autres arbres ne bougeaient pas; mais là, quelque chose frémissait, frissonnait dans les plus hautes branches, une brise venue de nulle part et qui mourait aussitôt. Tout à coup, une branche tomba du pommier sur le sol. C'était la branche basse aux petits boutons bruns qu'il n'avait point voulu toucher. Aucun bruissement, aucun signe d'agitation ne venait des autres arbres. Il continua à regarder la branche gisant dans l'herbe sous la lune. Elle était étendue en travers de l'ombre du jeune arbre, tout près de celui-ci et semblait le désigner d'un doigt accusateur.

Pour la première fois de sa vie, aussi loin qu'il lui en souvenait, il tira les rideaux devant la fenêtre pour ne pas laisser entrer la lumière de la lune.

Willis devait s'occuper exclusivement du potager. Il ne se montrait guère devant la maison, du vivant de Midge. C'était elle qui soignait les fleurs. Elle tondait même la pelouse, poussant la lourde machine le long de la pente, courbée sur les poignées.

C'était une des besognes qu'elle s'était assignées, comme de cirer le parquet des chambres à coucher. A présent que Midge n'était plus là pour s'occuper du jardin et lui dire ce qu'il avait à faire, Willis venait continuellement sur la pelouse. Le jardinier aimait ce changement qui lui donnait un sentiment de responsabilité.

« Je ne comprends pas comment cette branche a pu tomber, monsieur, dit-il le lundi.

— Quelle branche?

— Mais la branche du pommier. Celle que nous avons regardée avant que je parte.

— Elle devait être pourrie. Je vous ai dit que cet arbre était mort.

— Elle n'a rien de pourri, monsieur. Tenez, regardez-la. Elle est cassée net. »

Une fois encore, le propriétaire dut suivre son serviteur dans la prairie devant la terrasse. Willis ramassa la branche. Le lichen qui la recouvrait était mouillé et faisait penser à une chevelure négligée.

« Vous l'auriez pas détachée en la tâtant, des fois? demanda le jardinier.

— Absolument pas, répondit le propriétaire agacé. En fait, j'ai entendu dans la nuit cette branche tomber. Ça s'est passé au moment où j'ouvrais la fenêtre de ma chambre.

— C'est drôle. Pourtant il n'y avait pas de vent.

— Ce sont des choses qui arrivent aux vieux arbres. Je me demande ce que ça peut vous faire. On croirait... »

Il s'interrompit, ne sachant comment finir sa phrase.

« On croirait que cet arbre a une grande valeur », dit-il.

Le jardinier secoua la tête.

« C'est pas la valeur, dit-il. Je ne pense pas du

tout que cet arbre vaille de l'argent. C'est seulement qu'au bout de si longtemps qu'on l'avait cru mort, le voilà encore vivant et tout frétillant, comme qui dirait. Moi, j'appelle ça un phénomène de la nature. Espérons qu'il ne perdra plus de branches avant de fleurir. »

Un peu plus tard, le propriétaire, partant en promenade, vit le jardinier en train de couper l'herbe, au pied de l'arbre, et de placer un nouveau treillage autour du tronc. C'était vraiment ridicule. Il ne payait pas un gros salaire à cet homme pour qu'il perdît son temps sur un arbre à moitié mort. Il aurait dû être dans le potager à faire pousser des légumes. Mais c'était trop d'effort que de discuter avec lui.

Il rentra chez lui à cinq heures et demie. Le thé était tombé en désuétude depuis la mort de Midge, et il se préparait avec plaisir à retrouver son fauteuil près du feu, sa pipe, son whisky, et le silence.

Le feu n'était pas allumé depuis longtemps et la cheminée fumait. Une curieuse odeur, un peu écœurante, régnait dans le salon. Il ouvrit les fenêtres et monta retirer ses lourds brodequins. Quand il redescendit, la fumée remplissait toujours la pièce et l'odeur était aussi forte. Indéfinissable. Douceâtre, étrange. Il appela la femme de journée qui était à la cusine.

« Il y a une drôle d'odeur dans la maison, dit-il. Qu'est-ce que c'est? »

La femme le rejoignit dans le vestibule.

« Quel genre d'odeur, monsieur? dit-elle, sur la défensive.

— C'est dans le salon, dit-il. La pièce était pleine de fumée. Y auriez-vous brûlé quelque chose? »

Son visage s'éclaira :

« Ce doit être les bûches, dit-elle. Willis les a coupées spécialement, monsieur. Il a dit que ça vous plairait.

— Quelles bûches?

— Il a dit que c'était du pommier, monsieur, une branche qu'il a sciée. Ça brûle bien, le pommier, j'ai toujours entendu dire. Il y a des gens qui adorent cette odeur-là. Moi, je ne sens rien de spécial, mais il faut dire que j'ai le rhume. »

Ils regardèrent tous deux le feu. Willis avait débité le bois en petites bûches. La femme de journée, croyant plaire à son maître, les avait empilées afin de faire un feu qui durât longtemps. Il n'y avait pas de grandes flammes. La fumée qui s'en élevait était maigre et pauvre, de couleur verdâtre. Se pouvait-il qu'elle ne remarquât pas cette odeur écœurante et rance?

« Les bûches sont humides, dit-il brusquement. Willis aurait bien dû s'en apercevoir. Regardez-les. Complètement inutiles. »

Le visage de la femme prit une expression obstinée et presque boudeuse.

« Je regrette, dit-elle. Je n'ai rien remarqué de

spécial quand j'ai allumé le feu. Elles ont eu l'air de bien partir. On m'a toujours dit que le pommier était très bon comme bois à brûler et c'est aussi l'avis de Willis. Il m'a bien recommandé de les mettre dans votre cheminée ce soir; il les a coupées exprès pour vous. Moi, je croyais que vous étiez au courant et que vous lui aviez donné vos instructions.

— Bon, ça va, répondit-il. Je suppose que ces bûches finiront par brûler. Ce n'est pas votre faute. »

Il lui tourna le dos et se mit à tisonner pour essayer de séparer les bûches. Tant que la femme serait dans la maison, il ne pourrait rien faire. Enlever les bûches humides, en partie consumées, et les jeter derrière la maison, puis rallumer le feu avec du bois sec, provoquerait des commentaires. Il serait obligé pour cela de traverser la cuisine afin de gagner le cabinet où l'on rangeait le bois et elle le regarderait et s'avancerait en disant :

« Laissez-moi faire ça, monsieur. C'est-il que le feu s'est donc éteint? »

Non, il fallait attendre après dîner, quand elle aurait débarrassé la table, lavé la vaisselle et serait partie pour la nuit. Jusque-là, il supporterait de son mieux l'odeur du bois de pommier.

Il se versa du whisky, alluma sa pipe et regarda le feu. Nulle chaleur n'en émanait, et, le chauffage central éteint, il faisait frais dans le salon. De temps à autre, un mince panache de fumée verdâtre s'élevait des bûches, répandant cette odeur douceâtre, écœurante, qui ne ressemblait à aucune odeur de fumée de bois connue de lui. Quel insupportable touche-à-tout que ce jardinier... Pourquoi avoir scié ces bûches? Il aurait dû s'apercevoir qu'elles étaient humides. Gorgées d'eau. Il se pencha pour les voir de plus près. Mais était-ce bien de l'eau qui suintait en un mince filet de ces bûches pâles? Non, c'était une sève, repoussante et gluante.

Il prit le tisonnier et, d'un geste rageur, l'enfonça entre les bûches pour essayer de les enflammer et de changer cette fumée verte en une flamme normale. En vain. Les bûches ne voulaient point brûler. Et, pendant tout ce temps, le filet de sève continuait de couler sur la grille, et l'odeur douceâtre de remplir la pièce et de lui lever le cœur. Il prit son verre et son livre, alla allumer le radiateur électrique de son bureau et s'y installa.

C'était idiot. Cela lui rappelait le passé, l'époque où il faisait semblant d'avoir des lettres à écrire pour aller s'asseoir dans son bureau tandis que Midge était dans le salon. Elle avait l'habitude de bâiller le soir, sa journée de travail terminée, et ne s'en apercevait même pas. Elle s'installait sur le canapé avec son tricot, les aiguilles s'entrechoquaient dans une hâte furieuse, puis soudain s'élevaient ces profonds bâillements qui la secouaient, arrachant d'elle un « Ah!... ah!... Hi-oh! » prolongé, suivi par son inévitable soupir. Puis tout se taisait, sauf le cliquetis des aiguilles, mais il savait que, dans quelques minutes, un autre bâillement s'élèverait, un autre soupir, et il ne pouvait s'empêcher de les guetter, immobile derrière son livre.

Une colère impuissante le secouait, le désir de jeter son livre et de dire :

« Ecoute, si tu es si fatiguée que ça, pourquoi ne vas-tu pas te coucher? »

Mais il se retenait, et, au bout d'un moment, quand il ne pouvait plus le supporter, il se levait et, quittant le salon, allait se réfugier dans son bureau. Voilà qu'il recommençait ce soir à cause des bûches de pommier. A cause de l'odeur écœurante de ce bois mal brûlé.

Il resta dans son fauteuil de bureau jusqu'au dîner. A neuf heures, la femme de journée, ayant tout rangé, lui fit sa couverture et s'en alla pour la nuit.

Il revint au salon où il n'était pas entré depuis qu'il l'avait quitté, vers la fin de l'après-midi. Le feu était éteint. L'on voyait qu'il avait fait des efforts pour brûler, car les bûches étaient plus minces qu'auparavant et plus enfoncées dans la grille. Les cendres étaient maigres; pourtant, l'odeur écœurante subsistait dans les braises mourantes. Il alla dans la cuisine et y trouva un seau vide, qu'il rapporta dans le salon. Il y mit les bûches, de même que les cendres. Un reste d'humidité devait se trouver au fond du seau, ou bien les bûches n'étaient toujours pas sèches, car elles parurent y noircir et se couvrir d'une espèce d'écume. Il descendit à la cave, ouvrit la porte de la chaudière et y vida le seau.

Il se rappela alors trop tard qu'on avait laissé éteindre le chauffage central deux ou trois semaines plus tôt, à l'arrivée du printemps, et que, à moins qu'il ne rallumât la chaudière, les bûches y demeureraient intactes jusqu'à l'hiver suivant. Il trouva du papier, des allumettes, un bidon de pétrole et, ayant fait flamber le tout, referma la porte de la chaudière et écouta le ronflement des flammes. Voilà qui en finirait de cette désagréable histoire. Il attendit un moment, puis remonta l'escalier, et s'en fut rallumer le feu dans le salon. La besogne lui prit un certain temps, il lui fallut trouver du petit bois et du charbon, mais il y parvint avec de la patience et put enfin s'asseoir dans son fauteuil devant la flamme.

Il lisait depuis une vingtaine de minutes, lorsqu'il prit conscience d'un battement de porte. Il posa son livre et écouta. Tout d'abord, rien. Puis, oui, cela recommençait. Le grincement, le claquement d'une porte laissée ouverte du côté de la cuisine. Il se leva pour aller la fermer. C'était la porte de l'escalier de la cave. Il aurait juré qu'il l'avait fermée. Le pêne avait dû céder. Il alluma l'électricité au haut de l'escalier souterrain et examina le pêne. Il n'y vit rien de défectueux. Il allait refermer la porte plus à fond, lorsqu'il perçut de nouveau l'odeur, l'odeur douceâtre, écœurante, du bois de pommier brûlé. Elle montait de la cave et passait dans le couloir du rez-de-chaussée.

Soudain, sans raison, il fut pris de frayeur, presque de panique. Et si l'odeur, emplissant dans la nuit toute la maison, montait de l'office au premier étage et, tandis qu'il dormait, pénétrait dans sa chambre, l'étouffait, l'empêchait de respirer? L'idée était absurde, insensée... Et pourtant...

De nouveau, il se força à descendre dans la cave. Aucun son ne sortait de la chaudière, aucun ronflement de flammes. Des filets de fumée mince et verte se glissaient par la trappe fermée de la chaudière; c'était cela qu'il avait perçu dans le couloir du rez-de-chaussée.

Il s'approcha de la chaudière et ouvrit la trappe. Le papier était entièrement consumé, de même que quelques copeaux qu'il y avait joints. Mais les bûches, les bûches du pommier, n'avaient pas du tout brûlé. Elles gisaient là, telles qu'il les avait jetées, monceau de membres noircis comme les os d'un être mort calciné. Une nausée le secoua. Il porta son mouchoir à sa bouche, il étouffait. Puis, sans bien savoir ce qu'il faisait, il monta l'escalier en courant pour chercher le seau vide et, à l'aide d'une pelle et d'une paire de pincettes, essaya d'y replacer les bûches en les sortant à grand-peine par l'étroite ouverture de la chaudière. Il sentait ses entrailles se tordre. Enfin, le seau rempli, il le remonta et traversa la cuisine pour gagner la porte de service.

Il l'ouvrit. Il n'y avait point de lune et il pleuvait. Relevant le col de son veston, il scruta l'obscurité en cherchant où jeter les bûches. Il faisait trop sombre et trop mauvais pour aller jusqu'au fond du potager et les déposer sur le tas d'ordures, mais dans le pré, près du garage, l'herbe était haute et fournie, il pourrait les y dissimuler. Il suivit l'allée de gravier et, ayant atteint la barrière du pré, lança son fardeau dans l'herbe épaisse. Les bûches y pourriraient et y périraient, s'y gonfleraient de pluie, et finiraient par se confondre avec la terre. Peu lui importait. Il n'en était plus responsable. Elles avaient quitté sa maison, et ce qu'elles deviendraient ne le regardait plus.

Il revint chez lui et, cette fois, s'assura que la porte de la cave était bien fermée. L'air était clair de nouveau, l'odeur dissipée.

Il revint au salon pour se réchauffer devant le feu. Ses mains et ses pieds mouillés de pluie et son estomac encore secoué par l'odeur pénétrante de la fumée de bois de pommier s'alliaient pour glacer tout son être et il s'assit en frissonnant.

Il dormit peu cette nuit-là, et se réveilla au matin assez mal à son aise. Il avait la migraine et un mauvais goût dans la bouche. Il ne sortit pas.

Il avait le foie très dérangé. Pour passer sa mauvaise humeur, il parla sèchement à la femme de journée.

« Je me suis enrhumé en essayant de me réchauffer hier soir, lui dit-il. Assez de bois de pommier comme ça. De plus, cette odeur m'a détraqué l'estomac. Vous pourrez le dire à Willis demain, quand il viendra. »

Elle le regarda d'un air incrédule.

« C'est dommage, dit-elle. J'ai parlé de ce bois à ma sœur hier soir, en revenant de chez vous, et je lui ai dit que vous n'aimez pas ça. Elle a dit que c'était tout à fait inhabituel. Brûler du bois de pommier, c'est considéré comme un luxe et, en plus, ça brûle bien.

— Celui-là ne brûlait pas bien, c'est tout ce que je sais, lui dit-il, et je ne veux plus qu'on s'en serve. Quant à l'odeur... Je la sens encore, ça m'a complètement démoli. »

Elle pinça les lèvres.

« C'est dommage », dit-elle.

Comme elle quittait la salle à manger, son regard tomba sur une bouteille de whisky vide sur la desserte. Elle hésita un instant, puis la mit sur son plateau. Elle voulait laisser entendre que cette histoire d'indisposition due à de la fumée de bois de pommier était un bobard, il avait bu un petit coup de trop, voilà tout. Au diable, l'insolente!

« Oui, lui dit-il, vous en rapporterez une autre. »

Cela lui apprendrait à se mêler de ses affaires.

Il fut malade pendant plusieurs jours, écœuré, étourdi, et finit par téléphoner au docteur de venir l'examiner. L'histoire du bois de pommier, quand il la raconta, paraissait absurde, et le docteur, après l'avoir ausculté, ne sembla pas inquiet.

« Un peu de froid sur le foie, dit-il, les pieds mouillés et, peut-être, quelque chose que vous avez mangé, tout ensemble. Je ne pense pas que la fumée de bois y soit pour grand-chose. Vous devriez faire plus d'exercice, si vous avez des tendances hépathiques. Jouez au golf. Moi, je ne sais pas comment je tiendrais le coup sans ma journée de golf du dimanche. »

Il rit en rangeant ses instruments dans son sac.

« Je vais vous faire une ordonnance, dit-il, mais moi, si j'étais vous, une fois la pluie cessée, je sortirais prendre l'air. Il fait assez doux et il ne manque qu'un peu de soleil pour faire tout fleurir. Votre jardin est très en avance sur le mien. Vos arbres fruitiers sont tous en boutons. »

Au moment de sortir, il ajouta :

« N'oubliez pas que vous avez subi un choc grave, il y a plusieurs mois. Il faut du temps pour surmonter cela. Vous vous ressentez encore de la perte de votre femme. Le meilleur remède, c'est de sortir, voir des gens, vous distraire. Adieu, soignez-vous bien. »

Le malade s'habilla et descendit. Le médecin

était évidemment plein de bonne volonté, mais sa visite avait été du temps de perdu. « Vous vous ressentez encore de la perte de votre femme. » Comme le docteur pouvait se méprendre! Pauvre Midge... Lui, du moins, avait l'honnêteté de s'avouer qu'elle ne lui manquait nullement, que, depuis qu'elle était partie, il avait l'impression de respirer plus librement, et que, à part cette crise hépatique, il y avait des années qu'il ne s'était aussi bien porté.

La femme de ménage avait profité des quelques jours qu'il avait passés au lit pour faire subir au salon le grand nettoyage de printemps. Travail inutile, mais héritage de Midge sans doute. La pièce avait un air récuré, ordonné au cordeau, beaucoup trop bien rangé. Ses objets personnels étaient rassemblés, ses livres et ses papiers formaient une pile bien nette sur un guéridon. Quel ennui, vraiment, d'être à la merci des idées saugrenues d'une servante! Pour un peu, il l'aurait mise à la porte et se serait débrouillé tout seul, mais le souci quotidien, l'ennui de la cuisine et de la vaisselle, le retinrent. La vie idéale, évidemment, était celle d'un homme en Orient ou dans les mers du Sud. Là, pas de problème, l'on prenait une épouse indigène et l'on s'assurait un service parfait et silencieux, une excellente cuisine, l'on était libéré de tout effort de conversation, mais, si l'on désirait quelque chose de plus, elle était là, jeune, ardente, la compagne des heures nocturnes.

Jamais une critique, la docilité d'un animal pour son maître, et le rire léger d'une enfant. Oui, c'étaient des sages, ces types qui rompaient avec les conventions. Il leur tirait son chapeau.

Il alla à la fenêtre et regarda la pelouse montante. La pluie cessait, demain il ferait beau; il pourrait sortir, comme le lui avait conseillé le docteur. Celui-ci avait dit vrai au sujet des arbres fruitiers. Le petit, près du perron, était déjà en fleur, et un merle s'était perché sur une des branches qui se balançait légèrement sous son poids.

Les gouttes de pluie luisaient et les boutons étaient roses et très serrés, mais, quand le soleil percerait, le lendemain, ils apparaîtraient tendres et frais comme le bleu du ciel. Il avait envie de charger son vieil appareil et de prendre une photo du petit arbre. Les autres fleuriraient eux aussi dans la semaine. Quant au vieux, à gauche, il avait l'air aussi mort que d'habitude, à moins que ses soi-disant boutons ne fussent si bruns qu'on ne les distinguait pas à cette distance. Peut-être la chute de la branche avait-elle marqué sa fin. Bon débarras.

Il quitta la fenêtre et se mit à disposer le salon à son goût, y dispersant ses affaires. Il aimait à ranger, à ouvrir des tiroirs, à en sortir des objets et à les y remettre. Il y avait un crayon rouge dans le tiroir d'une petite table; sans doute, en faisant le ménage à fond, la femme de journée l'avait-elle trouvé glissé derrière une pile de bouquins. Il le tailla, en effila la mine. Il découvrit un rouleau de pellicule dans un autre tiroir et le garda pour en garnir son appareil, le lendemain matin. Le tiroir contenait encore des papiers et des douzaines de vieilles photos en désordre, portraits de studios et instantanés d'amateurs. Midge les classait autrefois et les collait dans des albums; puis elle avait dû s'en désintéresser pendant la guerre, ou bien avait-elle eu trop d'autres choses à faire.

On pouvait vraiment jeter toutes ces paperasses. Elles auraient fait un bon feu, l'autre soir; elles auraient peut-être réussi à enflammer le bois de pommier. Il n'y avait vraiment aucune raison de les conserver. Cette lamentable photo de Midge, par exemple, prise, Dieu sait quand, peu de temps après leur mariage, à en juger par la mode. Etait-elle vraiment coiffée de la sorte? Cette tignasse ébouriffée beaucoup trop épaisse pour son visage, déjà long et étroit. Ce décolleté en pointe et ces longues boucles d'oreilles, et ce sourire trop ouvert qui agrandissait la bouche. Dans le coin, à gauche, elle avait écrit : « A mon Buzz chéri. Sa Midge qui l'aime. » Il avait complètement oublié ce vieux surnom, abandonné depuis des années; il avait l'impression qu'il ne lui avait jamais plu, il le trouvait ridicule et gênant, et il avait reproché à sa femme de l'employer en public.

Il déchira la photo en deux et la jeta au feu. Il

la regarda s'enrouler sur elle-même et se consumer, le dernier trait à disparaître fut ce sourire ardent. Mon Buzz chéri. Il se rappela soudain la robe du soir représentée sur la photographie. C'était une robe verte, couleur qui n'avait jamais été seyante pour elle, qui la pâlissait, et elle l'avait achetée pour une occasion spéciale : un dîner d'anniversaire de mariage. Le couple qui le célébrait avait invité tous les amis et voisins qui s'étaient mariés à peu près à la même époque, et c'est ainsi que Midge et lui s'étaient trouvés du nombre.

Il y avait eu beaucoup de champagne, un ou deux discours, une grande gaieté, des rires, des plaisanteries — certaines assez risquées — et il se rappelait que, la fête terminée, au moment où il remontait dans sa voiture, son hôte lui avait dit en riant : « Essaie, mon vieux, de remplir tes devoirs en chapeau haut de forme. Il paraît que c'est irrésistible! » Il avait senti Midge assise à côté de lui, immobile et raide dans sa robe verte, avec, sur le visage, le même sourire que sur la photo qu'il venait de détruire, à la fois tendue et hésitante, ne comprenant pas tout à fait le sens des mots que leur hôte un peu gris avait lancés dans l'air nocturne, mais désireuse de se montrer à la page, brûlant de plaire et, plus que tout, brûlant d'attirer.

En rentrant dans la maison, après avoir mis la voiture au garage, il l'avait trouvée qui l'attendait sans aucune raison dans le salon, son manteau rejeté pour découvrir la robe du soir, un grand sourire pas très assuré sur son visage.

Il avait bâillé, puis, s'enfonçant dans un fauteuil, avait pris un livre. Elle avait attendu un instant et, lentement, avait pris son manteau et était montée. Elle avait dû faire faire cette photo peu de temps après. « A mon Buzz chéri. Sa Midge qui l'aime. » Il jeta une grosse poignée de bois sec dans le feu. Le bois craqua et se fendit, réduisant en cendres le portrait. Pas de bûches vertes et humides, ce soir...

Le lendemain, il faisait beau et chaud. Le soleil brillait et les oiseaux chantaient. Il eut soudain envie d'aller à Londres. C'était un jour à flâner dans Bond Street, à regarder les passants, un jour à aller chez son tailleur, à se faire couper les cheveux, à manger une douzaine d'huîtres dans son bar favori. Son rhume était passé, des heures aimables s'étendaient devant lui. Il pourrait même aller voir une pièce de théâtre en matinée.

Le jour s'écoula sans incident, paisible, distrayant, tel qu'il l'avait souhaité, diversion à la monotonie de la campagne. Il monta en voiture vers sept heures en pensant avec plaisir à son apéritif et à son dîner. Il faisait si bon que, même le soleil couché, il n'éprouva pas le besoin de mettre son pardessus. Il salua de la main le fermier qui passait la grille au moment où lui-même tournait dans la grande allée.

« Beau temps », lui cria-t-il.

L'homme acquiesça en souriant.

« Faut espérer que c'est pour de bon, cette fois », lui répondit-il.

Brave type. Ils étaient restés très copains depuis les dimanches de guerre où il conduisait le tracteur.

Il rangea la voiture, but son whisky, puis fit un tour au jardin en attendant le dîner. Quel changement ces heures de soleil avaient apporté à tout! Plusieurs jonquilles étaient sorties, des narcisses aussi, et les haies étaient fraîches et drues. Quant aux pommiers, leurs boutons avaient éclos et ils étaient tous en fleur. Il s'approcha de son petit préféré et toucha les pétales. Ils étaient doux sous sa main. Il secoua doucement un rameau; la floraison, ferme et bien accrochée, ne se détacha point. Le parfum était encore presque imperceptible, mais, dans un jour ou deux, avec un peu plus de soleil et quelques averses, peut-être, il émanerait de la fleur épanouie et remplirait subtilement l'air, jamais pénétrant, jamais fort, senteur qu'il fallait découvrir soi-même, comme font les abeilles. Une fois découverte, elle persistait, attirante, réconfortante et suave. Il caressa le petit arbre et descendit vers la maison.

Le lendemain matin, pendant son petit déjeuner, on frappa à la porte de la salle à manger et la femme de journée lui annonça que Willis était là, qui désirait lui parler. Il dit à Willis d'entrer.

Le jardinier paraissait chagrin. Que se passait-il?

« Je suis fâché de vous déranger, monsieur, dit-il, mais j'ai eu des mots avec Mr. Jackson ce matin. Il se plaint. »

Jackson était le fermier, et c'est à lui qu'appartenaient les champs voisins.

« De quoi se plaint-il?

— Il dit que j'ai jeté du bois dans son pré par-dessus la barrière et que le petit poulain qui y était avec la jument a trébuché dessus et que maintenant il boite. Moi, jamais j'ai jeté de bois par-dessus la barrière. Il était pas commode du tout. Il a parlé du prix du poulain et il a dit comme ça que ça diminuerait les chances de le vendre.

— J'espère que vous lui avez dit que vous n'aviez rien jeté.

— Oui, monsieur. Mais ce qu'il y a, c'est qu'on a bien jeté du bois par-dessus la barrière. Il m'a montré l'endroit. Juste derrière le garage. J'y ai été avec Mr. Jackson, et c'était vrai. On a jeté des bûches dans ce coin-là, monsieur. J'ai préféré vous mettre au courant avant d'en parler à la cuisine, autrement, vous savez ce que c'est, ça fera des histoires. »

Il sentait sur lui le regard du jardinier. Impossible de nier. D'ailleurs, tout était de la faute de Willis.

« Inutile d'en parler à la cuisine, Willis, dit-il. C'est moi qui ai jeté les bûches. Vous les avez apportées dans la maison sans que je vous en aie prié, et le résultat, c'est qu'elles ont éteint mon feu, rempli la pièce de fumée et gâché ma soirée. Je les ai lancées par-dessus la barrière dans un moment de colère, et si elles ont blessé le poulain de Jackson, présentez-lui mes excuses et dites-lui que je le dédommagerai. Tout ce que je vous demande, c'est de ne plus apporter de bûches de ce genre dans la maison.

— Non, monsieur. Il paraît que vous n'en avez pas été content. Mais je ne croyais pas que vous iriez jusqu'à les jeter comme ça.

— Eh bien, je l'ai fait, et en voilà assez.

— Bien, monsieur. »

Willis allait se retirer mais, au moment de quitter la salle à manger, il s'arrêta et dit :

« Je ne comprends pas que ces bûches n'aient pas brûlé. J'en avais apporté un petit morceau à ma femme et il a donné un beau feu brillant comme tout.

— Ici, il n'a pas brûlé.

— En tout cas, le vieil arbre est en train de rattraper sa branche perdue, monsieur. Vous l'avez pas vu ce matin?

— Non.

— C'est le soleil d'hier qui a fait cela, monsieur, et la chaleur de la nuit. Il est beau comme tout, tout en fleur. Faut voir ça, monsieur. »

Willis parti, il se remit à son petit déjeuner.

Il sortit sur la terrasse. Tout d'abord, il ne monta pas à la pelouse, il prétexta d'autres choses à faire; ne fallait-il pas sortir le lourd fauteuil de jardin, puisque le temps s'était mis au beau? Puis, prenant une paire de ciseaux, il tailla quelques rosiers sous les fenêtres. Cependant, quelque chose l'attirait vers le pommier.

Il était tel que Willis l'avait décrit. Etait-ce le soleil, la chaleur, la nuit sereine, il ne savait, mais les petits boutons bruns s'étaient dépliés, épanouis en fleurs, et étendaient à présent au-dessus de sa tête un nuage magique de floraison blanche. Il s'épaissisait à la cime de l'arbre où les fleurs étaient si denses qu'on eût dit des couches d'ouate spongieuse, et toutes, depuis les hautes branches jusqu'à celles qui se trouvaient le plus proches du sol, avaient cette même couleur maladive, blafarde.

Il n'avait pas l'air d'un arbre; il ressemblait plutôt à une tente abandonnée sous la pluie par des campeurs, ou encore à un plumeau, un plumeau géant décoloré par le soleil. La floraison était trop épaisse, trop lourde pour le long tronc maigre, et l'humidité qu'elle contenait l'alourdissait encore. Déjà, comme épuisées par l'effort, les fleurs des basses branches se tachaient de brun; pourtant il n'avait pas plu.

Voilà. Willis avait raison. L'arbre avait fleuri. Mais, au lieu de fleurir en vie, en beauté, il s'était, par quelque trait profond de sa nature, mal développé, et avait produit un monstre. Un monstre qui ne connaissait ni sa texture ni sa forme et s'imaginait plaire. Il avait l'air de dire avec une grimace un peu timide : « Regarde, tout cela est pour toi. »

Il entendit soudain un pas derrière lui. C'était Willis.

« Beau spectacle, hein, monsieur?

— Je regrette, je ne l'admire pas. La floraison est beaucoup trop épaisse. »

Willis le regarda et ne dit rien. Le jardinier devait le trouver bien difficile, dur, et peut-être bizarre; sans doute en parlerait-il à la cuisine avec la femme de journée.

Il se força à lui sourire.

« Ecoutez, lui dit-il, je ne dis pas ça pour vous contrarier. Mais toutes ces fleurs ne m'intéressent pas. Je les préfère légères et teintées comme celles du petit arbre. Mais prenez-en pour votre femme. Je ne demande pas mieux. Coupez-en autant que vous voudrez, cela ne me privera pas. »

Il étendit le bras d'un geste généreux. Il désirait que Willis allât sur-le-champ chercher une échelle et enlevât toutes ces branches fleuries.

Le jardinier secoua la tête, d'un air scandalisé.

« Oh, non, merci, monsieur. Je ne pourrais pas faire une chose pareille. Cela abîmerait l'arbre. Il faudra voir les fruits. Voilà ce que j'attends, moi, les fruits. »

Il n'y avait plus rien à dire.

« Bon, Willis, comme vous voudrez. »

Il descendit sur la terrasse et s'assit au soleil, les yeux sur la pelouse qui s'élevait devant lui, mais il ne pouvait voir le petit arbre modeste et tranquille près du perron, levant sa douce floraison vers le ciel. Le jeune pommier était caché, écrasé, par le monstre et son grand nuage de pétales froissés qui tombaient déjà, blanchâtres, dans l'herbe. De quelque façon qu'il tournât son fauteuil, d'un côté ou de l'autre de la terrasse, il lui semblait qu'il ne pouvait échapper à l'arbre, qu'il se dressait devant lui, plein de reproche et de désir, avide d'une admiration qu'il ne pouvait lui donner.

Cet été-là, il prit des vacances plus longues qu'il n'avait fait depuis des années. Il resta tout juste dix jours chez sa vieille mère, dans le Norfolk, au lieu du mois traditionnel qu'il y passait avec Midge, et voyagea le reste du mois d'août et tout septembre en Suisse et en Italie.

Il partit en voiture, afin de circuler et de s'arrêter à sa guise. Il n'était pas friand de points de vue, ni d'excursions, et l'alpinisme n'était pas son fort. Ce qu'il aimait, c'était d'aborder une petite ville dans la fraîcheur du soir, de choisir un petit hôtel bien confortable et d'y rester, s'il s'y plaisait, deux ou trois jours de suite sans rien faire, à flâner.

Il aimait passer la matinée dans un café au soleil, à regarder les gens, un verre de vin devant lui; tant de gais jeunes gens voyageaient de nos jours! Il prenait plaisir au bruit des conversations autour de lui, à condition de n'être pas obligé de s'y mêler. De temps à autre, un sourire venait à lui, quelques mots aimables à lui adressés par un pensionnaire de son hôtel, mais rien qui l'engageât, juste de quoi lui donner l'impression de nager avec le courant, de faire partie de ce monde de loisirs et de mouvement.

Le pénible des vacances, autrefois, avec Midge, était l'habitude qu'elle avait de faire connaissance avec des gens, quelque autre couple dont elle disait que c'étaient des gens « bien », ou « tout à fait notre genre ». Cela commençait par une conversation en prenant le café et continuait par des projets d'excursions en commun, de voitures louées à quatre. Il détestait cela, et ses vacances en étaient gâtées.

Maintenant, Dieu merci, rien de pareil. Il faisait ce qui lui plaisait, au moment où il en avait envie. Point de Midge pour lui dire : « Alors, on bouge? », au moment où il était parfaitement heureux devant son verre de vin; point de Midge pour organiser la visite d'une vieille église dont il n'avait que faire.

Il grossit, durant ces vacances, et cela le laissa indifférent. Il n'y avait personne pour lui proposer une longue promenade afin de « faire passer » un trop bon repas, gâchant ainsi l'agréable somnolence qui accompagne le dessert et le café, personne pour s'étonner de lui voir arborer soudain une chemise d'un ton vif, une cravate flamboyante.

Flânant à travers les petites villes et les villages,

nu-tête, un cigare aux lèvres, recevant les sourires des gais jeunes gens qu'il croisait, il se sentait au paradis. C'était cela la vie, sans tracas, sans soucis. Pas de : « Il faut que nous soyons de retour le quinze, à cause de cette réunion du comité de bienfaisance »; pas de : « Nous ne pouvons absolument pas laisser la maison fermée plus d'une quinzaine, il pourrait arriver quelque chose. » Au lieu de cela, les brillantes lumières d'une petite foire champêtre dans un village dont il n'avait pas même pris la peine de demander le nom; le rythme de la musique, les rires des garçons et des filles, et lui-même, après une bouteille de vin du pays, s'inclinant devant une jeunesse coiffée d'un mouchoir à fleurs et l'entraînant sous la tente où l'on dansait. Qu'importait la chaleur et que leurs pas ne s'harmonisassent point — il y avait des années qu'il n'avait pas dansé. C'était cela la vie, c'était cela. Il la lâcha quand la musique cessa et elle courut en riant retrouver ses amis, riant de lui sans doute. Et après? Il s'était bien amusé.

Il quitta l'Italie quand le temps fraîchit, à la fin septembre, et rentra chez lui la première semaine d'octobre. Aucune difficulté. Un télégramme à la femme de journée indiquant la date probable de son arrivée, et c'était tout. Avec Midge, les plus courtes vacances et leur retour entraînaient des complications. Instructions écrites au sujet de l'épicerie, du lait, du pain, de l'aération des lits, de l'allumage des feux, de la reprise d'abonnement aux journaux. Tout devenait labeur.

Il s'engagea dans l'allée par un tendre soir d'octobre. De la fumée montait des cheminées, la grande porte était ouverte, son aimable demeure l'attendait. Point de course à l'office pour s'enquérir des désastres possibles : accidents de tuyauterie, meubles brisés, pénurie d'eau, difficultés de ravitaillement. La femme de journée évitait de l'importuner. Simplement : « Bonsoir, monsieur. J'espère que vous avez passé de bonnes vacances. Le dîner à la même heure que d'habitude? » Puis le silence. Il pouvait boire son apéritif, allumer sa pipe, se détendre; la petite pile de courrier était sans importance. Point d'enveloppes déchirées avec fièvre, point de sonneries du téléphone, point de ces interminables conversations féminines : « Et alors? Où en êtes-vous? Vraiment? Ma pauvre! Mais qu'est-ce que tu lui as répondu?... Elle a fait ça!... Non, mercredi, impossible... »

Il s'étendit voluptueusement, engourdi par le voyage, et regarda avec plaisir le salon plaisant et vide. La route depuis Douvres lui avait donné faim et sa côtelette lui parut maigre après les menus étrangers. Mais ça ne lui ferait pas de mal de se remettre à un régime plus frugal. Une sardine sur toast suivit la côtelette, puis il chercha des yeux le dessert.

Il y avait une assiette de pommes sur la desserte. Il alla la prendre et la posa devant lui sur la table. Petites, ridées, brunâtres, elles n'avaient pas trop bonne mine. Il mordit dans l'une d'elles, mais cracha dès qu'il en sentit le goût sur sa langue. La pomme était pourrie. Il en goûta une autre, ce fut la même chose. Il regarda de plus près la pyramide de pommes. Leur peau ressemblait à certains cuirs grenus; on s'attendait à une chair acide, elle était au contraire fade et molle, avec des pépins jaunes. Un goût ignoble. Un fragment s'était niché contre une de ses dents et il l'en délogea, fibreux, répugnant...

Il sonna la servante.

« Il n'y a pas d'autre dessert? demanda-t-il.

— Mais non, monsieur. Je me suis rappelé que vous adoriez les pommes, et Willis a apporté celles-ci du jardin. Il a dit qu'elles étaient particulièrement bonnes et juste à point.

— Eh bien, il s'est trompé. Elles sont immangeables.

— Je suis désolée, monsieur. Je ne les aurais pas servies, si j'avais su. Il y en a encore beaucoup à l'office. Willis en a apporté plein un grand panier.

— Toutes comme celles-ci?

— Oui, monsieur. Des petites brunes. Il n'y en a pas d'autres.

— Bah! tant pis... Je m'en occuperai moi-même demain matin. »

Il quitta la table et passa au salon. Il but un verre de porto pour faire passer le goût des pommes, mais ça n'y changea rien, pas plus que le biscuit dont il l'accompagna. Une saveur de pulpe pourrie collait à sa langue et à son palais; il fut obligé d'aller dans la salle de bains et de se laver les dents. Le plus agaçant, c'est qu'une bonne pomme saine aurait été la bienvenue après ce dîner plutôt terne : un fruit à la peau lisse et claire, à la chair pas trop sucrée, un rien acide. Il connaissait l'espèce. C'était un plaisir d'y mordre. Evidemment, il fallait savoir les cueillir au bon moment.

Il rêva cette nuit-là qu'il était retourné en Italie et dansait sous la tente, sur les pavés de la petite place. Il se réveilla, des flonflons dans les oreilles mais ne put se rappeler le visage de la jeune paysanne, ni la sensation de son corps trébuchant contre lui. Il essaya de retrouver tout cela en prenant au lit son thé matinal, mais le souvenir lui échappait.

Il se leva et alla à la fenêtre voir le temps qu'il faisait. Assez beau avec un petit vent frais.

C'est alors qu'il vit l'arbre. Le spectacle était si inattendu qu'il en reçut un choc. Il comprit aussitôt d'où venaient les pommes du dîner. L'arbre était chargé, accablé, d'un fardeau de fruits. Ils se pressaient, petits et brunâtres, sur chaque branche, diminuant de volume à mesure qu'ils approchaient du sommet, si bien que ceux des hautes branches, qui n'avaient pas encore atteint leur taille normale, avaient l'air de noix.

Ils pesaient lourdement sur l'arbre qui en paraissait courbé, tordu, déformé, les basses branches balayant presque le sol, tandis que, dans l'herbe, tout autour du tronc, s'étalaient d'autres pommes tombées, poussées par leurs sœurs avides. La terre était jonchée de ces fruits, dont beaucoup étaient ouverts et pourrissaient sous les guêpes. Jamais de sa vie, il n'avait vu un arbre aussi chargé. C'était un miracle qu'il ne s'écroulât pas sous le poids.

Il sortit avant le petit déjeuner — sa curiosité était trop grande — et s'arrêta devant l'arbre. Il n'y avait aucun doute, c'était bien de là que venaient les pommes qu'on lui avait servies à dîner. A peine plus grosses que des mandarines, certaines encore plus petites, elles étaient si serrées sur les branches qu'on ne pouvait en cueillir une sans en détacher une douzaine.

Il y avait quelque chose de monstrueux, de repoussant, dans cette fécondité, et, en même temps, de pitoyable pour l'arbre soumis à un tel supplice, car c'était un supplice, il n'y avait pas d'autre mot. Le pommier était torturé par ses fruits, brisé par leur poids, et le plus affreux était qu'aucun d'eux n'était mangeable. Chaque pomme était entièrement pourrie. Il écrasa sous ses pas des fruits tombés; il n'y avait pas moyen de les éviter; au bout d'un moment, ils ne furent plus qu'une morve gluante qui collait à ses talons, et il dut essuyer ses chaussures avec des tampons d'herbe.

Il aurait mieux valu que l'arbre fût mort, sec et

nu, avant qu'une telle chose lui arrivât. A quoi bon, pour lui et pour les autres, cette cargaison de fruits pourris gisant à terre, souillant le sol, tandis que l'arbre lui-même se courbait douloureusement et cependant — il l'eût juré — triomphant, gonflé d'orgueil?

De même qu'au printemps, la masse blême de ses fleurs détournait vos regards des autres arbres, de même ses fruits à présent avaient quelque chose de fascinant. Impossible d'échapper au spectacle de cette abondance. Toutes les fenêtres de la façade le regardaient. Il savait ce qui allait se passer. Les pommes resteraient là jusqu'à ce qu'on les cueillît, accrochées aux branches, tout octobre, tout novembre, et on ne les cueillerait jamais, puisque personne ne pouvait les manger. Il se voyait agacé par ce pommier pendant tout l'automne. Chaque fois qu'il sortirait sur la terrasse, il le verrait là, ployé, affreux.

C'était curieux à quel point il s'était mis à détester cet arbre. C'était un constant rappel du fait qu'il... — du diable s'il eût su dire de quoi... — un constant rappel de tout ce qu'il détestait et avait toujours détesté par-dessus tout, sans pouvoir le nommer. Il décida sur-le-champ que Willis cueillerait ces pommes et les emporterait, les vendrait, s'en débarrasserait, en ferait ce qu'il voudrait, pourvu qu'on ne l'obligeât pas, lui, à les manger, qu'on ne l'obligeât pas à regarder cet arbre accablé tout l'automne.

Il lui tourna le dos et constata avec plaisir qu'aucun des autres pommiers ne s'était abandonné à un excès aussi dégradant. Ils portaient une belle moisson sans rien d'anormal, et, comme on pouvait s'y attendre, le jeune arbre, à la droite du vieux, composait un charmant spectacle, avec son léger fardeau de pommes de taille moyenne, vermeilles, et d'un rouge frais et clair à l'endroit où le soleil les avait mûries. Il décida d'en cueillir une et de l'emporter pour la manger à son petit déjeuner. Il fit son choix, et la pomme, au premier contact, lui tomba dans la main. Elle était si appétissante qu'il y mordit avec gourmandise. Elle ne le déçut point : juteuse, fleurant bon, un rien acide, couverte encore de rosée. Il ne regarda plus le vieil arbre et rentra en appétit pour son petit déjeuner.

Le jardinier mit près d'une semaine à dépouiller le vieux pommier et ne cacha pas sa désapprobation.

« Faites-en ce que vous voudrez, lui dit son patron. Vendez-les et gardez l'argent, ou bien emportez-les et donnez-les à manger à vos cochons. Je ne peux pas les voir, et c'est tout. Prenez une grande échelle et commencez tout de suite. »

Il lui semblait que Willis faisait traîner exprès la besogne. Il le vit par la fenêtre travailler comme au ralenti. Il plaça d'abord son échelle, puis la gravit laborieusement, en redescendit pour la caler, enfin commença à cueillir les pommes et à les jeter l'une après l'autre dans le panier. Cela dura des jours. Le jardinier était toujours perché sous les branches craquantes et gémissantes, tandis qu'au pied de l'échelle s'étalaient les paniers de jonc, les seaux, les baquets remplis de pommes.

Enfin la besogne s'acheva. L'échelle disparut avec les seaux et les paniers, et l'arbre se montra complètement nu. Il le regarda ce soir-là avec satisfaction. Plus de pommes pourrissantes pour offenser le regard; elles avaient disparu jusqu'à la dernière.

Toutefois, l'arbre, au lieu d'en paraître allégé, semblait plus abattu encore si possible. Les branches restaient ployées et les feuilles, déjà jaunies par la fraîcheur des soirées d'automne, se repliaient en frissonnant. « Est-ce là ma récompense? semblait dire le pommier. Après tout ce que j'ai fait pour toi! »

Comme la lumière déclinait, l'ombre de l'arbre tachait la pelouse humide. Ce serait bientôt l'hiver, les jours courts et sans lumière.

Il n'avait jamais beaucoup aimé le déclin de l'année. Autrefois, lorsqu'il allait chaque jour à son bureau de Londres, ç'avait été le départ en train, au matin aigre. Vers trois heures de l'après-midi, les employés allumaient l'électricité, un brouillard triste et terne troublait l'air; puis c'était le lent retour quotidien des salariés, dix par compartiment, serrés, secoués, enrhumés. Venait ensuite la longue soirée en face de Midge, devant le feu du salon, à écouter ou feindre d'écouter comment elle avait passé sa journée et ce qui n'avait pas marché.

Si elle n'avait pas été frappée par une catastrophe domestique, elle ramassait quelque récent événement propre à assombrir l'atmosphère. « Il paraît que les transports vont encore augmenter : et ton demi-tarif? » Ou bien : « Ça n'a pas l'air d'aller trop bien, en Afrique du Sud; on en a beaucoup parlé à la radio », ou encore : « Trois nouveaux cas de polio à l'hôpital. Je me demande pourquoi les médecins n'inventent pas quelque chose... »

Maintenant, enfin, il était déchargé de son rôle d'auditeur, mais le souvenir de ces longues soirées l'accompagnait encore et, lorsque les lampes étaient allumées et les rideaux fermés, il se rappelait le cliquetis des aiguilles, le verbiage vide et le « Hi-ho » des bâillements. Il entrait parfois maintenant, avant ou après dîner, à la vieille auberge du Chasseur Vert, à un demi-kilomètre de chez lui, sur la grand-route. Là, personne ne le dérangeait. Il s'asseyait dans un coin, après avoir dit bonsoir à Mrs. Hill, l'accorte propriétaire, puis il regardait, en fumant une cigarette et en buvant un whisky, les habitués avaler un bock, jouer aux fléchettes, potiner.

Ici, en quelque sorte, se prolongeaient ses vacances d'été. Il y goûtait un peu de l'atmosphère insouciante des cafés et des restaurants étrangers, et il trouvait aimable et réconfortante l'espèce de chaleur du bar vivement éclairé, enfumé, rempli de paysans qui ne s'occupaient pas de lui. Ces visites coupaient les longues soirées sombres d'hiver et les rendaient plus supportables.

Vers le milieu de décembre, un rhume de cerveau les interrompit. Il fut obligé de rester chez lui. Il s'étonna de constater combien le Chasseur Vert lui manquait et à quel point il pouvait s'ennuyer dans ce salon ou ce bureau, sans rien d'autre à faire que lire ou écouter la radio. Le rhume et l'ennui le rendaient maussade et irritable, et son inactivité forcée pesait sur son foie. Il avait besoin d'exercice. A la fin d'une journée particulièrement morne, il décida de sortir le lendemain, quel que fût le temps. Le ciel s'était alourdi vers le milieu de l'après-midi et annonçait de la neige, mais tant pis, il ne pouvait supporter de rester claustré vingt-quatre heures de plus.

Ce qui mit le comble à son exaspération, ce fut la tarte qu'on lui servit à dîner. Il en était à ce dernier stade du rhume de cerveau où le goût est encore atténué, l'appétit faible, mais où, cependant, un certain vide de l'estomac réclame des aliments soigneusement choisis. Une volaille eût fait l'affaire, ou un demi-perdreau cuit à point, suivi par un soufflé au fromage. Autant demander la lune. La femme de journée, qui n'avait pas d'imagination, lui servit un carrelet, de tous les poissons le plus insipide et le plus sec. Quand elle en eut enlevé le débris — il avait laissé presque tout sur son assiette — elle revint portant une tarte, et, comme sa faim était loin d'être satisfaite, il se servit largement.

Il lui suffit d'y goûter. Toussant, suffoquant, il cracha la bouchée sur son assiette. Il se leva et sonna.

La servante parut, une interrogation sur le visage à cet appel inattendu.

« Qu'est-ce que c'est que ça?

— Une tarte aux confitures, monsieur.

— Quelles confitures?

— Des confitures de pommes, monsieur. C'est moi qui les ai faites.

— Je m'en doutais. Vous vous êtes servie de ces pommes dont je m'étais plaint, il y a quelques mois. Je vous avais dit nettement, à Willis et à vous, que je ne voulais pas de ces pommes dans la maison. »

Le visage de la servante se ferma.

« Vous avez dit de ne pas cuire les pommes ni de vous les servir pour dessert. Vous n'avez pas parlé de confitures. J'ai pensé qu'elles seraient très bonnes en confitures. Et j'en ai fait pour essayer. Elles étaient délicieuses. Alors j'ai fait plusieurs pots avec les pommes que Willis m'a données. Nous faisions toujours des confitures, madame et moi.

— Eh bien, je suis désolé que vous vous soyez donné tant de mal, mais je ne peux pas manger ça. Je n'ai pas pu digérer ces pommes en automne et, qu'on en fasse des confitures ou tout ce que vous voudrez, je ne les digérerai pas mieux. Emportez la tarte et que je ne la revoie pas, non plus que les confitures. Je prendrai du café au salon. »

En sortant de la salle à manger, il tremblait. Il était inouï qu'un si petit incident le mît si fort en colère. Bon Dieu! Que ces gens étaient idiots! Elle savait, Willis savait, qu'il détestait ces pommes, qu'il en avait le goût et l'odeur en horreur, mais ils avaient décidé, dans leur esprit parcimonieux, qu'il était économique de lui servir des confitures faites à la maison, des confitures de ces pommes qu'il ne pouvait souffrir.

Il avala un whisky très fort et alluma une cigarette.

Un instant plus tard, la servante parut, apportant le café. Elle ne se retira pas tout de suite après avoir posé le plateau.

« Pourrais-je vous dire un mot, monsieur?

— Qu'y a-t-il?

— Je crois qu'il vaudrait mieux que je vous donne mon compte. »

Il ne manquait plus que cela... Quelle journée, quelle soirée!

« Pourquoi? Parce que je n'aime pas la tarte aux pommes?

— Oh! ce n'est pas seulement ça, monsieur. Je trouve que les choses ont beaucoup changé. Il y a quelque temps déjà que je voulais vous en parler.

— Je ne vous donne pas beaucoup de mal, je crois.

— Non, monsieur. Seulement, dans le temps, du vivant de madame, j'avais l'impression que mon travail était apprécié. Maintenant, on dirait que quoi que je fasse, ça n'a pas d'importance. On ne me dit jamais rien, et j'ai beau faire de mon mieux, je ne sais jamais à quoi m'en tenir. Je crois que je serai mieux dans une maison où il y a une dame qui ferait attention à ce que je fais.

— Vous êtes évidemment le meilleur juge. Je regrette que vous ne vous plaisiez plus ici.

— Et puis vous avez été parti si longtemps, cet été. Du temps de madame, vous ne partiez jamais plus de quinze jours. Rien n'est plus comme avant. Je ne sais plus où j'en suis, et Willis non plus.

— Alors, Willis lui aussi en a assez?

— Ce n'est pas à moi de le dire, bien sûr. Je sais qu'il a été très contrarié à cause des pommes, mais il y a déjà quelque temps de ça. Peut-être qu'il voudra vous parler lui-même.

— Peut-être. Je ne savais pas que je vous causais à tous deux tant de soucis. Bon, en voilà assez. Bonne nuit. »

Elle sortit de la pièce. Il regarda autour de lui d'un air boudeur. Bon débarras, voilà ce qu'il dirait de leur départ à tous les deux. Ça n'est plus comme avant. Tout a tellement changé. Quelle absurdité! Et la contrariété de Willis à cause des pommes, quelle impudence! Alors, il n'avait plus le droit de faire de ses arbres ce qu'il voulait? Tant pis pour son rhume et pour le mauvais temps. Il ne pouvait pas rester assis devant ce feu à méditer sur Willis et sur la cuisinière. Il irait au Chasseur Vert et n'y penserait plus.

Il mit son pardessus, son cache-nez et sa vieille casquette, et descendit la route d'un bon pas. Vingt minutes plus tard, il était assis dans son coin habituel du Chasseur Vert, tandis que Mrs. Hill lui versait son whisky et lui exprimait sa joie de le revoir. Un ou deux habitués lui sourirent et s'enquirent de sa santé.

« Vous avez le rhume? Personne n'y échappe.

— C'est bien vrai.

— C'est la saison, faut dire, n'est-ce pas?

— Mais oui. C'est quand ça tombe sur la poitrine que c'est mauvais

— Oui, mais quand on l'a dans la tête et qu'on ne peut pas respirer, c'est bien embêtant aussi.

— C'est vrai. L'un ne vaut pas mieux que l'autre. Il n'y a pas à dire. »

Aimables gens, pleins de cordialité, pas hostiles, pas gênants.

« Encore un whisky, s'il vous plaît.

— Voilà, monsieur. Ça vous fera du bien. Ça tue le rhume. »

Mrs. Hill rayonnait derrière son comptoir, volumineuse et réconfortante. Il entendit, à travers un voile de fumée, le bruit de conversations et de gros rires, le tintement des fléchettes, les exclamations joyeuses quand l'une d'elles frappait le centre de la cible.

« ... et s'il se met à neiger, disait Mrs. Hill, je ne sais pas ce qu'on fera avec ces livraisons de charbon en retard. Si on avait seulement une provision de bois, on s'arrangerait avec ça, en attendant, mais vous savez ce qu'ils en demandent? Deux livres le stère. Moi, je dis... »

Il se pencha en avant, et sa voix sonna lointaine, même à ses propres oreilles :

« Je vous donnerai du bois », dit-il.

Mrs. Hill se retourna. Ce n'est pas à lui qu'elle parlait.

« Plaît-il? fit-elle.

— Je vous donnerai du bois, répéta-t-il. J'ai un vieil arbre chez moi. Voilà des mois qu'il devrait être abattu. Je vous ferai ça demain. »

Elle hocha la tête en souriant.

« Oh! non, monsieur. Je ne voudrais pas vous donner ce mal. Le charbon arrivera bien, n'ayez pas peur.

— Aucun mal. Un plaisir. Ça me fera du bien, l'exercice, vous savez. Je grossis. Comptez sur moi. »

Il se leva et tendit une main un peu hésitante vers son manteau.

« Du bois de pommier, dit-il. Ça ne vous ennuie pas que ça soit du pommier?

— Mais non, répondit-elle, n'importe quel bois

fera l'affaire. Mais ça ne vous privera pas, monsieur? »

Il hocha la tête d'un air mystérieux. C'était un engagement, un secret.

« Je vous l'apporterai demain soir sur ma remorque, dit-il.

— Attention, monsieur, dit-elle. Prenez garde à la marche... »

Il rentra à pied en souriant tout seul dans la nuit froide et vivifiante. Il ne se rappela pas s'être déshabillé ni couché, mais la première pensée qui lui vint le lendemain au réveil fut la promesse qu'il avait faite au sujet de l'arbre.

Il s'avisa avec satisfaction que ce n'était pas le jour de Willis. Rien ne s'opposait à son projet. Le ciel était lourd et il avait neigé pendant la nuit. Il neigerait encore mais, pour l'instant, rien ne l'empêchait de faire ce qu'il voulait.

Après le petit déjeuner, il traversa le potager et se rendit au hangar à outils. Il prit la scie, les leviers et la hache. Il pouvait avoir besoin de tout cela. Comme il revenait vers le jardin, ses outils sur l'épaule, il rit tout seul en se disant qu'il devait ressembler à un exécuteur des hautes œuvres de l'ancien temps, allant décapiter quelque misérable victime dans sa tour.

Il posa ses outils sous le pommier. Ce serait vraiment une action charitable. Il n'avait jamais rien vu de si lamentable, de si foncièrement désespéré, que ce pommier. Il ne pouvait pas y subsister la moindre vie. Il n'avait plus une seule feuille. Courbé, tordu, déjeté, il abîmait le paysage. Sans lui, tout le décor du jardin changerait.

Un flocon de neige tomba sur sa main, puis un autre. Il regarda la fenêtre de la salle à manger. Il pouvait voir la servante en train de mettre le couvert de son déjeuner. Il descendit le perron et entra dans la maison.

« Ecoutez, dit-il, si vous voulez bien laisser mon déjeuner dans le four, je crois que je me débrouillerai tout seul pour une fois. Je serai sans doute occupé et je ne veux pas me déranger pour déjeuner. D'ailleurs, il va neiger. Vous feriez mieux de vous dépêcher de rentrer chez vous de bonne heure, au cas où ça se gâterait pour de bon. Je m'arrangerai très bien tout seul. Je préfère. »

Peut-être imaginait-elle que cette décision était une réaction offensée au fait qu'elle lui avait donné son compte la veille au soir. Elle pouvait imaginer ce qui lui plaisait, il n'en avait cure. Il voulait être seul; il ne voulait pas de visage épiant derrière les carreaux.

Elle s'en alla vers midi et demi et, dès qu'elle fut partie, il ouvrit le four et y prit son déjeuner. Il désirait en finir, afin de pouvoir consacrer tout le court après-midi à abattre le pommier.

Il n'y avait pas eu de nouvelle chute de neige en dehors de quelques flocons qui ne demeuraient point. Il quitta sa veste, roula ses manches et prit sa scie. De la main gauche, il arracha le treillage à la base de l'arbre. Puis il enfonça la scie dans le tronc à un pied du sol et se mit à scier.

Pendant une dizaine de coups de scie, tout alla bien. Les dents d'acier mordaient le bois et tenaient ferme. Puis, au bout de quelques mouvements, la scie commença à ployer. C'était ce qu'il craignait.

Il essaya de la dégager, mais la fente qu'il avait faite n'était pas assez large et l'arbre serrait fort la scie. Il enfonça le premier levier, en vain. Il enfonça le second et l'ouverture s'élargit un peu, mais insuffisamment pour dégager la scie.

Il tira et secoua la scie sans résultat. Il commençait à perdre patience. Il prit la hache et en frappa l'arbre, faisant voler des éclats du tronc qui s'éparpillaient dans l'herbe.

Ça allait mieux. C'était la bonne méthode.

La lourde hache montait et s'abattait, taillant dans l'arbre. L'écorce se détachait et de grandes plaques blanches de bois rêche apparaissaient. Vas-y, hache, coupe dans la masse dure. Jette la hache maintenant, écarte la chair élastique avec tes mains nues. Ça n'y est pas encore, vas-y, continue.

Voici dégagés la scie et le levier. Maintenant, reprends la hache. Frappe, frappe fort les fibres qui se cramponnent. Voilà les grognements, le craquement; l'arbre vacille et chancelle, il ne tient plus que par une fibre sanglante, elle se rompt, il va tomber... Il tombe... Un dernier coup... Il s'abat avec un bruit qui remplit l'air, toutes ses branches éparses dans l'herbe.

Il recula en essuyant la sueur de son front et de son menton. L'épave l'entourait de toutes parts; devant lui, à ses pieds, s'offrait le moignon blanc et déchiqueté du tronc coupé.

Il se mit à neiger.

Sa première tâche, une fois l'arbre abattu, fut de donner des coups de hache dans les branches et les rameaux, afin de débiter le bois en tas plus faciles à transporter.

Les branches minces, ficelées en bottes, serviraient de petit bois; Mrs. Hill serait sûrement contente d'en avoir aussi. Il amena la voiture, munie de sa remorque, à l'entrée du jardin, près de la terrasse. Le sectionnement des branches était une besogne facile, il vint à bout de la plupart à la serpe; le plus fatigant fut de se pencher pour lier les fagots, puis de les descendre à l'autre bout de la terrasse et de les porter dans la remorque. Il sépara les plus grosses branches du tronc à coups de hache, puis les coupa en trois ou quatre morceaux, les encorda et les traîna une à une jusqu'à la remorque.

Il fit tout cela en se hâtant. Le peu de lumière de ce jour serait éteint à quatre heures et demie, et la neige continuait à tomber. Le sol en était déjà couvert et, lorsqu'il interrompait un instant son travail pour essuyer la sueur de son visage, les minces flocons glacés tombaient sur ses lèvres et se glissaient doucement, insidieusement, à l'intérieur de son col, s'enfonçaient le long de son cou, de son corps. S'il levait les yeux vers le ciel, il était aussitôt aveuglé. Les flocons tombaient plus épais, plus vite, tourbillonnaient autour de sa tête, et il avait l'impression que le ciel s'était changé en un dais de neige qui descendait de plus en plus bas, de plus en plus près, pour étouffer la terre. La neige tombait sur les rameaux brisés et les branches coupées, gênant sa besogne. S'il s'arrêtait une seconde pour reprendre haleine et rassembler ses forces, il retrouvait le tas de bois couvert d'une nouvelle couche protectrice douce et blanche.

Il était obligé de garder les mains nues, des gants auraient affaibli sa prise sur le manche de la hache ou de la serpe et l'auraient empêché de tirer la corde et de serrer les branches. Ses doigts étaient engourdis, ils seraient bientôt paralysés par le froid. Il avait une douleur sous le cœur à force de traîner le bois jusqu'à la remorque; et le travail ne semblait pas avancer. Chaque fois qu'il revenait à l'arbre tombé, le tas lui paraissait aussi haut : branches longues, branches courtes, petit bois presque recouverts de neige. Il fallait corder, lier tout cela, puis le porter ou le traîner.

Il était quatre heures et demie et il faisait presque nuit lorsqu'il finit de charger les branches; il ne restait plus à emporter à présent que le tronc, déjà coupé en trois, jusqu'à la terrasse et à la remorque.

Il se sentait épuisé. Seule, la volonté de se débarrasser de l'arbre le soutenait encore. Il respirait lentement, péniblement, et, pendant tout ce temps, la neige lui tombait dans la bouche, dans les yeux, l'aveuglant presque.

Il prit sa corde et la passa sous le tronc glissant et froid, la nouant furieusement. Le bois nu était dur et rigide, l'écorce écorchait ses mains engourdies.

« Voilà qui est fait, souffla-t-il. Maintenant, tu es fini ! »

Il se releva en chancelant, le poids du lourd tronc d'arbre sur l'épaule, et le traîna lentement vers la grille, le laissant cogner derrière lui contre chacune des marches qui descendaient de la pelouse à la terrasse. Lourds et inertes, les derniers rameaux nus du pommier le suivaient sur la neige mouillée.

C'était fini. Sa tâche était accomplie. Il se redressa, pantelant, une main sur la remorque. Non, il ne restait plus rien à faire que d'emporter tout cela au Chasseur Vert avant que la neige ne rendît l'allée impraticable. Il avait pensé à munir de chaînes sa voiture.

Il rentra dans la maison pour changer de vêtements (ceux qu'il avait collaient à son corps) et boire un verre d'alcool. Pas le temps de s'occuper de son feu, pas le temps de fermer les rideaux, de voir ce qu'il y avait pour souper, toutes besognes dont se chargeait d'ordinaire la femme de journée; il ferait cela plus tard. D'abord un peu d'alcool, et puis se débarrasser du bois.

Il avait l'esprit las et engourdi comme les mains, comme tout son corps. Un moment, il pensa à remettre le transport au lendemain, à se laisser tomber dans un fauteuil et à fermer les yeux. Non, il ne fallait pas. Demain il serait tombé encore plus de neige, demain il y en aurait un mètre d'épaisseur dans l'allée. Il connaissait ce temps. La remorque serait embourbée devant la grille du jardin, chargée de son tas de bois livide et glacé. Il fallait faire un effort et en finir ce soir.

Il vida son verre, se changea, et sortit pour mettre l'auto en marche. Il neigeait encore, mais, avec la nuit, un froid plus vif et plus sain pénétrait l'air, et il gelait. Les flocons tombaient plus lentement et avec plus de précision.

Le moteur se mit en marche et il descendit la côte, traînant la remorque. Il conduisait lentement et très prudemment, à cause de sa lourde charge. C'était une tension, après le rude effort de l'après-midi, de percer la nuit et la neige, d'essuyer le pare-brise. Jamais les lumières du Chasseur Vert n'avaient brillé plus gaiement qu'en l'accueillant dans la petite cour.

Il cligna des yeux sur le seuil en souriant tout seul.

« Voilà. Je vous livre votre bois », dit-il.

Mrs. Hill se tourna vers lui derrière son comptoir et deux ou trois consommateurs le regardèrent, cependant qu'un silence tombait sur les joueurs de fléchettes.

« Pas possible. . », commença Mrs. Hill.

Mais il désigna la porte d'un signe de tête et se mit à rire.

« Allez voir, dit-il, mais ne me demandez pas de le décharger ce soir. »

Il se dirigea vers son coin favori en riant tout seul, tandis que l'on s'approchait de la porte avec des exclamations et des rires. Il était un héros, les habitués se pressaient autour de lui pour l'interroger, et Mrs. Hill lui versait son whisky, le remerciait, riait, secouait la tête.

« Ce soir, c'est la tournée de la patronne, dit-elle.

— Pas du tout, fit-il, c'est ma tournée à moi. Allons, les amis! »

C'était une fête, joyeuse, chaleureuse. « A votre santé », répétait-il, à la santé de Mrs. Hill, de lui-même et de tout le monde. Quand était Noël? La semaine prochaine, la suivante? Eh bien, donc, joyeux Noël. Qu'importait la neige, qu'importait le mauvais temps? Pour la première fois, il était des leurs, il ne restait plus isolé dans son coin. Pour la première fois, il buvait avec eux, il riait avec eux, il lança même une fléchette ávec eux; ils étaient tous ensemble dans ce bar chaud, confiné, enfumé, et il sentait qu'ils l'aimaient, qu'il était des leurs et non plus « le monsieur » de la maison du coteau.

Les heures passaient; certains rentrèrent chez eux, d'autres les remplacèrent, et lui était toujours assis là, étourdi, à l'aise dans la chaleur et la fumée mêlées. Rien de ce qu'il voyait et entendait n'avait beaucoup de sens, mais c'était sans importance, car la bonne, grosse et joyeuse Mrs. Hill s'occupait de lui, et sa face ronde le regardait en souriant derrière son comptoir.

Un autre visage s'approcha de lui, celui d'un ouvrier de la ferme avec lequel il avait parfois conduit le tracteur pendant la guerre. Il se pencha pour lui frapper l'épaule.

« Qu'est devenue la petite? » lui demanda-t-il.

L'homme posa sa chope.

« Qui ça, monsieur? fit-il.

— Vous vous rappelez bien. La petite qui aidait à la ferme. Elle trayait les vaches et portait à manger aux cochons. Une jolie brune, les cheveux bouclés, toujours le sourire. »

Mrs. Hill, en train de servir un autre client, se retourna.

« Est-ce que le monsieur ne voudrait pas parler de May, des fois? demanda-t-elle.

— Oui, c'est ça, c'était bien son nom. La petite May, dit-il.

— Comment? Vous ne savez donc pas, monsieur? dit Mrs. Hill en lui remplissant son verre. Ça nous a fait quelque chose à tous sur le moment. Tout le monde en a parlé, n'est-ce pas, Fred?

— Pour sûr, Mrs. Hill. »

L'homme s'essuya la bouche du revers de la main.

« Tuée, dit-il, projetée d'une moto où elle était montée derrière un gars. Elle était sur le point de se marier. Ça fait bien quatre ans de ça, maintenant. Terrible, hein? Une gentille gosse comme ça...

— On avait tous envoyé une couronne, les gens d'ici réunis, dit Mrs. Hill. Sa mère nous a envoyé une lettre de remerciements très touchée, avec un article d'un journal du pays, pas vrai, Fred? Un grand enterrement qu'elle a eu, avec beaucoup de fleurs et de condoléances. Pauvre May. Tout le monde l'aimait bien.

— Ça c'est vrai, dit Fred.

— C'est drôle que vous n'en ayez pas entendu parler, monsieur, dit Mrs. Hill.

— Non, fit-il, non, personne ne me l'a dit. Ça me fait de la peine, beaucoup de peine. »

Il regardait devant lui son verre à demi vide.

La conversation continuait autour de lui, mais il n'y participait plus. Il était de nouveau seul, silencieux dans son coin. Morte. Cette pauvre jolie fille était morte. Projetée d'une moto. Morte depuis trois ou quatre ans. Un imprudent, un idiot, avait pris trop brusquement un virage, la petite derrière lui, cramponnée à sa ceinture, elle lui riait dans l'oreille, puis, crac... fini. Plus de cheveux bouclés gonflés par le vent autour de son visage, plus de rires.

May, c'était son nom; il se le rappelait à présent. Il la voyait sourire par-dessus l'épaule quand on l'appelait. « Voilà », répondait-elle d'un ton chantant, posait un seau qui tintait sur le pavé de la cour, puis s'éloignait dans ses grosses bottes pataudes en sifflant. Il l'avait tenue enlacée, embrassée, un moment bref et léger. May, la fille aux yeux rieurs.

« Vous partez, monsieur? demanda Mrs. Hill.

— Oui, oui, il faut que je rentre. »

Il se dirigea vers la sortie d'un pas mal assuré et ouvrit la porte. Il avait gelé au cours des dernières heures et la neige avait cessé. Le dais épais avait disparu du ciel et les étoiles brillaient.

« Vous voulez un coup de main pour la voiture? proposa quelqu'un.

— Non, merci, dit-il, j'y arriverai. »

Il détacha la remorque et la laissa tomber. Une partie du bois roula lourdement en avant. Il verrait ça demain. Demain, si le cœur lui en disait, il reviendrait aider à décharger le bois. Pas ce soir. Il en avait assez fait. Il était vraiment fatigué à présent, exténué.

Il mit quelque temps à faire démarrer la voiture et, arrivé à mi-chemin à peine de la route de traverse qui montait à sa maison, il se rendit compte qu'il aurait mieux fait de laisser l'auto devant l'auberge. La neige était épaisse autour de lui, et l'ornière qu'il y avait faite quelques heures plus tôt était recouverte. L'auto tangua, patina, et soudain la roue avant droite s'enfonça et le véhicule tout entier s'inclina de côté. Il était tombé dans une ornière.

Il descendit et regarda autour de lui. La voiture était bien embourbée, impossible à redresser sans l'aide de deux ou trois hommes et, quand bien même il l'eût trouvée sur-le-champ, quel espoir avait-il de poursuivre sa route dans une telle épaisseur de neige? Mieux valait abandonner l'auto et revenir le lendemain, reposé. A quoi bon traîner ici, passer la moitié de la nuit à pousser et tirer cette voiture en pure perte? Elle ne risquait rien sur le bord de cette route de traverse; personne n'y roulerait cette nuit.

Il continua son chemin à pied. C'était une malchance d'avoir enfoncé la voiture dans cette ornière, car le milieu de la route n'était pas si mauvais que cela, la neige ne montait pas plus haut que ses chevilles. Il enfonça ses mains dans les poches de son pardessus et gravit le coteau; le paysage n'était qu'une vaste étendue déserte et blanche de tous côtés.

Il lui souvint qu'il avait envoyé sa femme de journée chez elle dès midi et qu'il allait trouver la maison triste et froide à son retour. Le feu du salon serait éteint et la chaudière aussi, très probablement. Les fenêtres le regarderaient d'un regard vitreux qui laisserait entrer la nuit. Par-dessus le marché, il aurait son dîner à faire. Tant pis, c'était sa faute. Il ne pouvait s'en prendre qu'à lui-même. Voilà le moment où quelqu'un aurait dû l'attendre, accourir du salon dans le vestibule, lui ouvrir la porte, inonder le seuil de lumière. « Tu vas bien, chéri? Je commençais à m'inquiéter. »

Il s'arrêta pour respirer en haut de la côte, et vit sa maison entourée d'arbres au bout de la courte allée. Elle était sombre et rébarbative, sans une seule fenêtre éclairée. Il y avait plus d'intimité dehors, sous les étoiles brillantes, sur la neige fraîche, que dans cette sombre demeure.

Il avait laissé la barrière ouverte et il entra par là, se dirigeant vers la terrasse après avoir refermé la barrière derrière lui. Quel silence sur le jardin! Pas un son. L'on eût dit qu'un esprit était venu jeter un charme sur cet endroit, le plongeant dans une immobilité blanche.

Il marchait doucement sur la neige. Il s'approcha des pommiers.

A présent, le plus jeune se dressait seul en haut des marches; délivré d'un voisinage écrasant, ses branches étendues, luisantes de blancheur, il appartenait à un monde féerique, un monde de fantaisie et de fantômes. Il eut envie de toucher ses branches pour s'assurer qu'il était toujours vivant, que la neige ne lui avait pas fait de mal et qu'il refleurirait au printemps.

Il allait l'atteindre lorsqu'il trébucha et tomba, son pied tordu sous lui, pris dans un obstacle caché sous la neige. Il essaya de remuer son pied, mais quelque chose pressait dessus, et il comprit instantanément, à l'acuité de la douleur qui mordait sa cheville, que ce qui le retenait était le moignon fendu du vieux pommier abattu par lui dans l'après-midi.

Appuyé sur ses coudes, il essaya de ramper, mais il était tombé dans une position telle que sa jambe était repliée en arrière et que chaque effort emprisonnait plus fermement son pied dans l'entaille du tronc. Il voulut tâter le sol sous la neige, mais, partout, ses mains ne rencontraient que les petits rameaux brisés du pommier éparpillés par la chute de l'arbre, et recouverts de neige. Il appela au secours, tout en sachant bien, au fond de lui-même, que personne ne l'entendrait.

« Lâche-moi! cria-t-il, lâche-moi! » comme si la chose qui le tenait à sa merci avait le pouvoir de le libérer et des larmes de désespoir et d'épouvante coulaient sur ses joues. Il lui faudrait rester là toute la nuit, retenu dans l'étau du vieux pommier. Il n'y avait pas d'espoir, il n'y aurait pas d'évasion avant qu'on ne le découvrît au matin, et qui sait s'il ne serait pas trop tard, qui sait si on ne le trouverait pas mort, étendu, raide, dans la neige glacée?

Il se débattit une fois encore pour dégager son pied, jurant et sanglotant. En vain. Il ne pouvait bouger. Epuisé, il posa sa tête sur ses bras et pleura. Il s'enfonçait de plus en plus profondément dans la neige et, lorsqu'une brindille froide et mouillée toucha ses lèvres, il lui sembla qu'une main timide s'avançait vers lui en hésitant dans l'obscurité.

ENCORE UN BAISER

Traduction de Denise van Moppès

En quittant l'armée, j'ai d'abord pris le temps de me retourner, puis j'ai trouvé du travail sur la route de Hampstead. C'était dans un garage en bas de la côte de Haverstock, près de Chalk farm. Ça m'allait comme un gant. J'ai toujours aimé à bricoler dans les moteurs; c'est ce que je faisais d'ailleurs quand j'étais mobilisé et je suis spécialiste; ça m'est toujours venu tout naturellement, la mécanique. Moi, ce que j'aime, c'est d'être couché sur le dos, en salopette crasseuse, sous le ventre d'une voiture ou d'un camion, un tournevis à la main, à m'expliquer avec un boulon, dans l'odeur de l'essence, pendant que quelqu'un fait ronfler un moteur et que les autres gars font tinter leurs outils en sifflotant.

Le patron du garage était un bon bougre, facile à vivre, toujours de bonne humeur, et qui se rendait compte que j'aimais le travail. Lui, il n'était pas très fort comme mécanicien; alors, il me laissait les réparations, et ça me plaisait.

Je n'habitais pas chez ma mère; c'était trop loin,

de l'autre côté de la route de Shepperton, et ça ne me disait rien de passer la moitié de la journée à aller à mon travail et à en revenir. J'aime être tout près du boulot; travailler sur place, comme qui dirait. Alors j'ai pris une chambre chez des nommés Thompson, à dix minutes à pied de mon garage. Des gens très bien. Lui, il était dans la chaussure, cordonnier, quoi; et Mrs. Thompson, elle faisait la cuisine et lui tenait son ménage, au-dessus de sa boutique. Je mangeais avec eux le petit déjeuner et le dîner — on avait toujours un vrai dîner cuisiné — et comme j'étais leur seul locataire, je faisais pour ainsi dire partie de la famille.

Moi, je suis pour les habitudes régulières. J'aime bien faire mon travail, puis, ma journée finie, m'asseoir à lire mon journal avec une cigarette et la radio, un peu de musique, de l'opérette ou quelque chose de ce genre-là. Je me couche de bonne heure. Je n'ai jamais beaucoup couru après les femmes, même quand j'étais dans l'armée. Pourtant j'ai été en Proche-Orient, à Port-Saïd, dans des coins comme ça.

Non, je me plaisais bien chez les Thompson, à faire à peu près tous les jours la même chose, jusqu'à la fameuse nuit. Depuis cette nuit-là, rien n'est plus pareil. C'est drôle...

Les Thompson étaient allés voir leur fille mariée du côté d'Highgate. Ils m'avaient proposé de venir avec, mais j'avais peur de déranger. Bon.

Alors, ce soir-là, plutôt que rester à la maison tout seul, je suis allé au ciné en quittant le garage. J'ai regardé les affiches dehors : c'était un film de cow boys; on voyait un gars qui enfonçait un poignard dans le ventre d'un Indien. Moi, ça me plaît, ces trucs-là, je suis pareil qu'un gosse pour les films de cow boys. Bon. J'allonge mon shilling six pence et j'entre. Je donne mon ticket à l'ouvreuse et je lui dis : « Au dernier rang, s'il vous plaît. » J'aime bien être très loin et appuyer ma tête au mur.

Alors, voilà que je la regarde. Il y a de ces cinés où ils vous déguisent les filles en béret de velours et des trucs comme ça. Celle-là, elle n'avait pas l'air déguisé. Elle avait des cheveux cuivre, coupés genre page, je crois qu'on appelle, et les yeux bleus, de ceux qui ont l'air myope mais qui voient plus loin qu'on ne croirait et qui deviennent sombres la nuit, presque noirs; sa bouche, elle était un peu boudeuse, comme si elle en avait marre et qu'il faudrait qu'on lui donne la lune pour la faire sourire. Pas de taches de rousseur, pas une peau de lait non plus, plus chaude que ça, plus comme une pêche, et pas maquillée. Elle était petite et mince et sa jaquette de velours — bleue qu'elle était — la moulait bien, et son calot en arrière laissait voir ses cheveux cuivre.

J'ai acheté le programme — pas que j'en avais besoin, mais pour ne pas passer tout de suite le rideau — et je lui ai dit :

« Il est bon, le film? »

Elle m'a pas regardé. Elle a continué à regarder le mur.

« Le genre à coups de couteaux, mais vous pourrez toujours faire un somme », qu'elle a répondu.

J'ai pas pu m'empêcher de rire. Mais je voyais bien qu'elle était sérieuse. Elle n'essayait pas de m'aguicher ou des trucs comme ça.

« Vous ne leur faites pas de réclame, que j'ai dit. Si le directeur vous entendait! »

Alors elle m'a regardé. Elle a tourné ses yeux bleus vers moi, toujours l'air d'en avoir marre et de s'en fiche, mais y avait quelque chose dans ses yeux que je n'avais jamais vu avant et que je n'ai jamais vu depuis, une espèce de paresse, comme quelqu'un qui s'éveille d'un long rêve et est content de vous trouver là. Les yeux des chats ont ce regard-là, des fois, quand on les caresse et qu'ils se mettent à ronronner et à se blottir et vous laissent leur faire tout ce qu'on veut. Elle m'a regardé comme ça un moment, et il y avait un sourire caché derrière sa bouche, comme s'il n'attendait qu'une occasion, et, en déchirant mon ticket en deux, elle m'a dit :

« Je suis pas payée pour faire de la réclame. Je suis payée pour être frusquée comme ça et vous placer à l'intérieur. »

Elle a écarté les rideaux et lancé la lumière de sa lampe électrique dans l'obscurité. Je n'y voyais rien. Il faisait noir comme dans un four, comme c'est toujours pour commencer, tant qu'on n'est pas habitué et qu'on ne distingue pas encore la silhouette des spectateurs, mais, sur l'écran, il y avait deux énormes têtes et un des gars disait à l'autre : « Si tu ne marches pas droit, je te descends », et quelqu'un cassait une vitre et il y avait une femme qui criait.

« Ça me paraît pas mal », que j'ai dit, et j'ai commencé à chercher une place à tâtons.

Elle a dit :

« Ça, ce n'est pas le film, c'est l'annonce pour la semaine prochaine. »

Puis elle a tourné sa lumière et m'a montré une place libre au dernier rang, la seconde en arrivant par l'allée centrale.

Il y a d'abord eu la publicité et les actualités, et puis un type qui jouait de l'orgue, et, pendant qu'il jouait, les rideaux qui cachaient l'écran changeaient de couleur — violet, jaune, vert. Ils vous en donnent pour votre argent. J'ai un peu regardé à droite et à gauche et je me suis aperçu que la salle était à moitié vide, et je me suis dit que la fille devait avoir raison, que le grand film ne devait pas être épatant, et que c'est pour ça qu'il y avait si peu de monde.

Juste avant qu'on éteigne, la voilà qui arrive dans la salle. Elle avait un panier de glaces, mais elle ne se donnait même pas la peine de le dire ni d'essayer d'en vendre. Elle avait l'air de dormir debout. Alors, moi, je l'ai appelée.

« Vous en avez à six pence? » que je lui dis.

Elle m'a regardé. J'aurais aussi bien pu être un tas de poussière devant elle; et puis, elle a dû me reconnaître, parce que son demi-sourire lui est revenu avec son regard paresseux, et elle a fait le tour par-derrière pour venir à moi.

« Gaufrette ou cornet? », elle m'a demandé.

Faut dire ce qui est : je n'avais pas plus envie de l'une que de l'autre. Je voulais seulement lui acheter quelque chose et qu'elle me parle.

« Qu'est-ce que vous me recommandez? » que je lui ai dit.

Elle a haussé les épaules.

« Les cornets, ça dure plus longtemps », qu'elle a fait, et m'en a mis un dans la main avant que j'aie eu le temps de lui donner ma commande.

« Je vous en offre un, je lui ai dit.

— Non, merci, qu'elle dit. Je les ai vu faire. »

Elle est repartie, on a éteint, et moi j'étais là, un grand cornet de glace à la main, un peu nigaud. La glace débordait du cornet sur ma chemise et j'étais obligé d'avaler le plus vite que je pouvais pour que ça ne me coule pas sur les genoux, en me retournant de côté, parce que quelqu'un était venu s'asseoir à la place vide au bord de l'allée centrale.

Quand j'ai eu enfin tout avalé, je me suis essuyé avec mon mouchoir et j'ai commencé à faire attention à l'histoire sur l'écran. C'était tout à fait le film d'aventures, avec des carrioles dans les prairies et un train rempli de lingots d'or qu'on capture, et l'héroïne en culotte de cheval un moment et, tout de suite après, en robe du soir. Moi, c'est comme ça que je comprends le ciné, pas du tout comme la vie réelle. Mais pendant que je regardais l'histoire, voilà que je sens un parfum dans l'air, je ne savais pas ce que c'était ni d'où ça venait, mais c'était là tout de même. A ma droite, y avait un homme, et à ma gauche, y avait deux places vides, et ça ne venait sûrement pas des deux qui étaient devant moi, mais je ne pouvais tout de même pas me retourner pour renifler.

Moi, je n'adore pas les parfums. Je trouve que, souvent, ils ne sentent pas bon; mais celui-là n'était pas comme les autres : il ne sentait pas le rance, et il n'était pas trop fort non plus. Il sentait comme les fleurs qu'on vend dans les quartiers chic, chez les grands fleuristes, quand il n'y en a pas encore sur les petites voitures — trois cents balles la branche, les riches achètent ça pour des actrices et autres — et qu'est-ce que ça sentait bon, là, dans cette vieille salle de cinéma moisie, pleine de fumée de cigarette! J'en étais tout bête.

A la fin, je me suis retourné dans mon fauteuil pour voir d'où ça venait. Ça venait de l'ouvreuse; elle était accoudée au promenoir juste derrière moi.

« Si vous gigotez comme ça, qu'elle me dit, vous n'en aurez pas pour votre shilling six. Regardez l'écran. »

Mais tout bas, pour que personne entende. Chuchoté pour moi tout seul. Je n'ai pas pu m'empêcher de rire. Qu'est-ce qu'elle tenait comme culot! Maintenant, je savais d'où venait le parfum, et, je peux pas expliquer, mais le film me plaisait encore mieux. Comme si elle était assise dans le fauteuil vide à côté de moi et qu'on regarde le film ensemble.

Quand l'histoire a été finie et qu'on a rallumé, je me suis aperçu que c'était la dernière séance et qu'il était presque dix heures. Tout le monde s'en allait. Alors, j'ai attendu un petit moment, et elle est venue avec sa lampe électrique pour regarder sous les fauteuils si personne n'avait laissé un gant ou un sac — ça arrive — et elle ne faisait pas plus attention à moi que si j'étais un chiffon qu'on ne prend même pas la peine de ramasser.

J'étais debout au dernier rang, tout seul — la salle était vide maintenant — et quand elle est arrivée près de moi, elle a dit : « Restez pas là, vous bouchez le passage », en continuant à fouiller avec sa lampe, mais il n'y avait rien, sauf un paquet de cigarettes vide qu'on jetterait en faisant le ménage le lendemain matin. Elle s'est relevée et m'a regardé de haut en bas et puis elle a ôté le drôle de calot qui lui allait si bien et elle s'est éventée avec en disant : « Vous avez l'intention de coucher ici? » Et elle est partie en sifflotant entre les rideaux.

C'était très agaçant. Jamais une fille ne m'avait fait autant d'effet que celle-là. Je l'ai suivie dans le vestibule, mais elle était sortie par une porte derrière la caisse, et le gars de service était déjà en train de cadenasser les grilles pour la nuit. Je suis sorti l'attendre dans la rue. Je me sentais un peu crétin parce que, quand elle sortirait, ce serait probablement avec une bande de copines — les filles, c'est comme ça —, celle qui m'avait vendu mon billet, par exemple, et il devait y avoir encore d'autres ouvreuses au balcon et peut-être bien aussi la demoiselle du vestiaire, et elles riraient ensemble et je n'aurais jamais le courage de l'approcher.

Mais elle est sortie quelques minutes plus tard, toute seule. Elle avait un imperméable avec une ceinture, les mains dans les poches et pas de chapeau. Elle s'est mise à remonter la rue sans regarder ni à droite ni à gauche. Je l'ai suivie et j'avais peur qu'elle se retourne et qu'elle me dise de fiche le camp, mais elle continuait à marcher vite, droit devant elle, et ses cheveux cuivre coiffés à la page se balançaient au mouvement de ses épaules.

A un moment, elle a eu l'air d'hésiter, et puis elle a traversé et s'est arrêtée à une station d'autobus. Y avait déjà quatre ou cinq personnes qui faisaient la queue et elle ne m'a pas vu me mettre à la file, et quand l'autobus est arrivé, elle y est montée devant les autres, et moi aussi, sans la moindre idée où il pouvait bien aller, et je m'en fichais royalement. Elle a grimpé sur l'impériale, moi derrière elle; elle s'est assise en bâillant sur la dernière banquette et elle a fermé les yeux.

Je me suis assis à côté d'elle, horriblement intimidé, parce que faut dire que ces trucs-là, c'est pas mon genre, et que je m'attendais à ce qu'elle m'engueule. Quand le receveur s'est amené, j'ai dit : « Deux à six pence », en me disant que son trajet ne pouvait pas coûter plus que ça.

Il a fait un petit clin d'œil — c'était le genre de type qui aime à faire son malin — et il a dit : « Attention aux secousses, quand le chauffeur changera de vitesse. C'est un nouveau. » Et il est descendu en riant tout seul, tellement il se trouvait drôle.

Il avait réveillé la petite et elle m'a regardé avec ses yeux à moitié endormis, et puis elle a regardé les tickets que j'avais à la main — elle a dû voir à la couleur que c'était des à six pence — et elle a souri. C'était la première fois de toute la soirée qu'elle me faisait un vrai sourire, et elle m'a dit sans avoir l'air étonné : « Bonjour, inconnu. »

J'ai sorti une cigarette pour me mettre à mon aise et je lui en ai offert une, mais elle l'a refusée. Elle a refermé les yeux pour se rendormir. Alors, comme il n'y avait personne pour nous remarquer sur l'impériale, sauf un gars de l'aviation, devant, penché sur son journal, j'ai étendu la main et j'ai appuyé sa tête sur mon épaule et passé mon bras derrière elle en pensant qu'elle allait le rejeter et m'envoyer promener. Mais non, elle a fait un petit rire, elle s'est installée douillettement comme dans un fauteuil et elle a dit : « C'est pas tous les soirs que je fais le trajet à l'œil et qu'on me donne un oreiller encore. Réveille-moi en bas de la côte, avant d'arriver au cimetière. »

Je ne savais pas de quelle côte elle parlait, ni de quel cimetière, mais pas souvent que je l'aurais réveillée! J'avais pris deux à six pence, et j'en voulais pour mon argent.

Alors on est restés comme ça tout contre, à se faire secouer dans l'autobus, et c'était rien chic. Je me disais que c'était rudement plus marrant que d'être dans ma taule, en train de lire les nouvelles sportives, ou bien de passer la soirée à Highgate, chez la fille des Thompson.

Au bout d'un moment, je suis devenu plus hardi et j'ai posé ma tête contre la sienne et je l'ai serrée un peu plus fort avec mon bras, pas trop, bien gentiment. N'importe qui serait monté sur l'impériale nous aurait pris pour des amoureux.

On devait bien en avoir déjà pour quatre pence de trajet et j'ai commencé à m'inquiéter. L'autobus ne reviendrait sûrement pas dans l'autre sens quand on serait arrivé au bout des six pence;

il resterait au terminus pour la nuit. Et nous on serait là, la petite et moi, en carafe, au diable, sans autobus pour rentrer, et moi avec tout juste six shillings sur moi. C'est pas avec six shillings que je pourrais payer un taxi avec le pourboire et tout. D'ailleurs, y aurait probablement pas de taxis.

J'avais pas été très fort de sortir avec si peu sur moi. C'était peut-être idiot de m'en faire pour ça, mais j'avais suivi mon impulsion depuis le début, et si j'avais su comment ma soirée tournerait, j'aurais rempli mon portefeuille. C'était pas si souvent que je sortais avec une fille, et j'aime faire les choses convenablement. Aller manger un morceau quelque part et, si elle a envie de quelque chose d'un peu plus corsé qu'un café ou une orangeade... oui, bien sûr, à cette heure-là, les bistrots sont fermés, mais j'en connaissais un dans mon quartier, une espèce de bar où mon patron était client et où on pouvait acheter une bouteille de gin et la laisser là, et après aller en boire un coup quand on en avait envie. Il paraît qu'ils font ça aussi dans les boîtes chic, seulement, qu'est-ce que ça coûte!

En attendant, j'étais sur l'impériale d'un autobus, Dieu sait où, avec ma gosse à côté de moi — je l'appelais « ma gosse » comme si c'était vrai et qu'on soit des amoureux — et j'avais même pas de quoi la ramener. Je commençais à m'énerver et j'ai fouillé dans toutes mes poches au cas où, par un coup de veine, j'y aurais trouvé une demi-couronne ou un billet de dix shillings oubliés là, et ç'a dû la déranger, parce que, tout d'un coup, elle m'a tiré l'oreille et elle m'a dit : « Secoue pas le bateau comme ça! »

Eh bien, ça... ça m'a retourné. Je peux pas dire pourquoi. Elle a tenu mon oreille un petit moment avant de la tirer, comme si elle en tâtait la peau et que ça lui plaisait, et puis elle lui a donné une petite secousse. Un truc qu'on ferait à un mioche, et puis elle avait dit ça comme si on se connaissait depuis des années et qu'on fasse un pique-nique ensemble : « Secoue pas le bateau comme ça. » Des potes, des copains, en mieux.

« Ecoutez, que je lui dis, je suis désolé. J'ai fait quelque chose d'idiot. J'ai pris des tickets pour le terminus parce que j'avais envie d'être près de vous, mais quand on sera arrivés, faudra descendre et on sera à des kilomètres de partout, et je n'ai que six shillings sur moi.

— T'as pas de jambes? qu'elle me fait.

— Si. Pourquoi?

— Les jambes, c'est pour marcher. Les miennes, je m'en sers pour ça », qu'elle répond.

Alors, j'ai vu que ça n'avait pas d'importance et qu'elle ne m'en voulait pas et que tout allait bien. Je me suis senti tout content et je l'ai serrée un peu pour lui montrer que je la trouvais chic — avec la plupart des filles, qu'est-ce que j'en aurais entendu! — et je lui ai dit :

« Je sais pas si on a pas déjà passé un cimetière. Ça vous ennuie beaucoup?

— Oh! y en aura d'autres, qu'elle a fait. Je suis pas difficile. »

Je savais plus quoi penser. J'avais cru qu'elle voulait descendre au cimetière parce que c'était un arrêt près de chez elle, comme on dit : « Arrêtez-moi à Uniprix », si on habite dans le coin. J'ai réfléchi un petit peu là-dessus et puis je lui ai demandé :

« Qu'est-ce que vous voulez dire : y en aura d'autres? Y en a pas tellement que ça sur le parcours des autobus.

— Je parlais en général, qu'elle dit. Te crois pas obligé de causer. J'aime mieux quand tu te tais. »

C'était pas vexant, comme elle a dit ça. Je comprenais son idée. C'est très bien de causer avec des gens comme Mr. et Mrs. Thompson après le dîner. On se dit ce qu'on a fait dans la journée et on se lit quelque chose qu'on a remarqué sur le journal, et on dit : « Ce que c'est, quand même! » Et on parle de chose et d'autre, et puis, un moment, y en a un qui commence à bâiller et y en a un qui dit : « Si on allait se coucher? » C'est pas mal non plus avec un type comme mon patron, en prenant un café crème pour couper la matinée ou bien vers trois heures, si on a rien à faire; on se dit : « Moi, mon idée, c'est que ce gouvernement c'est la pagaille, ni plus ni moins que celui d'avant », et là-dessus on est interrompu par une bagnole qui vient demander de l'essence. J'aime bien aussi parler avec ma vieille maman quand je vais la voir — faut dire que c'est pas très souvent — et elle me raconte comment qu'elle me corrigeait quand j'étais môme, et je m'assois sur la table de la cuisine comme dans ce temps-là, pendant qu'elle fait des petits gâteaux à la noix de coco, et elle me dit : « T'as toujours adoré la noix de coco. » J'appelle ça causer, j'appelle ça de la conversation.

Mais je n'avais pas envie de causer avec ma gosse. J'avais envie de rien d'autre que de la tenir comme ça, mon menton sur sa tête, et c'est ça qu'elle voulait dire en disant qu'elle préférait que je me taise. Moi aussi, je préférais.

Y avait encore une chose pourtant qui me turlupinait : je me demandais si je pourrais l'embrasser avant que l'autobus s'arrête et qu'on nous fasse descendre au terminus. Je me comprends. Passer son bras derrière les épaules d'une fille, ou l'embrasser, ça fait deux. Faut le temps de la mettre en train. Quand on commence avec toute une soirée devant soi, après qu'on a été au ciné ou dans un concert, et puis qu'on a été manger un morceau et boire un coup, on a fait connaissance, quoi, et c'est régulier de finir en se bécotant un peu, la fille s'y attend. Faut dire ce qui est : moi, j'ai jamais été très fort pour les baisers. Y en avait une que je connaissais, avant de partir soldat, et c'était une chic fille, qui me plaisait bien. Mais elle avait les dents un peu en avant et, même en fermant les yeux et en essayant d'oublier qui c'est qu'on embrasse, on sait bien que c'est elle et ça fiche tout par terre. Cette bonne vieille Doris! Mais le contraire, c'est encore pire : celles qui se cramponnent à vous et c'est tout juste si elles vous mangent pas. C'est pas ce genre-là qui manque quand on est soldat. Elles sont hardies, faut voir, et faut qu'elles vous tripotent, et on dirait qu'elles peuvent pas attendre que le gars commence à s'occuper avec elles. Ça m'écœurait, je peux bien le dire, et y avait plus personne. C'est comme ça. Je dois être trop sensible, faut croire.

Ce soir-là, en autobus, c'était tout le contraire. Je sais pas ce qu'elle avait, cette fille, ses yeux endormis et ses cheveux cuivre, et cet air de pas s'occuper si j'étais là et, en même temps, que je lui plaisais; j'avais encore jamais rien connu de pareil. Alors, je me dis : « Je m'y risque-t-y ou bien si j'attends ?» Et je voyais bien, à la façon dont le chauffeur conduisait et dont le receveur sifflotait en bas et disait : « Bonne nuit » aux voyageurs qui descendaient, que le dernier arrêt ne devait pas être bien loin, et mon cœur a commencé à battre sous ma veste et mon cou à chauffer sous mon col — allons, crétin, un baiser, elle te tuera pas — et puis... C'était comme de se lancer du plongeoir. Je me dis : « Allons-y », et je me penche, je lui tourne la tête vers moi, je lui lève le menton avec la main, et je l'embrasse bien comme il faut.

Si j'étais dans le genre poétique j'appellerais ça une révélation. Mais je suis pas poétique et je dis seulement qu'elle m'a rendu mon baiser et que ç'a duré longtemps et que c'était pas du tout comme avec Doris.

Là-dessus, l'autobus s'est arrêté brusquement et le receveur a crié en chantant un peu : « Tout le monde descend. » Je lui aurais tordu le cou.

Elle m'a donné un coup de pied dans la cheville. « Allons, bouge », qu'elle m'a dit, et je me suis levé et j'ai descendu l'escalier, elle derrière moi, et on s'est retrouvés dans une rue. En plus, il commençait à pleuvoir, pas fort, juste assez pour qu'on s'en aperçoive et qu'on ait envie de remonter son col, et on était tout au bout d'une grande rue large avec, de chaque côté, des boutiques fermées et pas éclairées, le bout du monde, quoi, et c'est vrai qu'il y avait une côte qui montait sur la gauche et, au pied de la côte, un cimetière. J'apercevais les grilles et les tombes blanches derrière, et ça s'étendait loin, presque jusqu'à mi-chemin de la côte.

« Eh bien... que je dis, c'est cet endroit-là que vous pensiez?

— Peut-être bien », qu'elle fait en regardant d'un air distrait par-dessus son épaule, puis la voilà qui passe son bras sous le mien.

« Si on prenait d'abord un café crème? » qu'elle dit.

D'abord?... Je me demandais si elle voulait dire : avant la longue balade de retour, ou bien si elle trouvait qu'on était arrivés. Ça n'avait pas d'importance. Il n'était pas beaucoup plus de onze heures, et une tasse de café n'était pas de refus, un sandwich non plus. Il y avait une petite baraque en planches, de l'autre côté de la route, et elle était encore ouverte.

On y est allé, et on y a retrouvé le chauffeur et le receveur, et aussi le gars de l'aviation qui était devant nous sur l'impériale. Ils étaient en train de commander du thé et des sandwiches, et on a fait comme eux, sauf que nous on prenait du café. Ils les font très bien les sandwiches dans ces baraques, je l'avais déjà remarqué : pas regardants, de belles tranches de jambon dans du pain blanc bien épais, et le café est toujours brûlant, et les tasses bien pleines, bien servies. Je me suis dit : « Avec six shillings, j'en verrai la farce. »

J'ai remarqué que ma gosse regardait l'aviateur, l'air pensif comme qui dirait, comme si elle l'avait déjà vu, et lui aussi il la regardait. Je pouvais pas lui en vouloir. Ça me déplaisait pas d'ailleurs; quand on sort avec une fille, ça vous fait honneur que les autres la remarquent. Et on ne pouvait pas ne pas la remarquer, ma gosse.

Et puis, elle lui a tourné le dos et elle s'est accoudée au comptoir pour boire son café bien chaud, et moi, à côté d'elle, je faisais pareil. On se tenait pas à l'écart, on était aimable et poli et on a dit bonsoir à tout le monde, mais ça se voyait qu'on était ensemble, la petite et moi. Ça, ça me plaisait. C'est drôle, ça me faisait quelque chose, ça me donnait un sentiment de supériorité, comme qui dirait. Après tout, ils pouvaient très bien croire qu'on était mariés et qu'on rentrait chez nous.

Ils discutaient, les trois autres et le gars qui servait le thé et les sandwiches, mais nous on ne s'y est pas mêlés.

« Vous devriez faire attention, avec cet uniforme, qu'il disait le receveur au gars de l'aviation, ou bien vous finirez comme les autres. Se balader seul si tard, c'est pas prudent. »

Ils se sont tous mis à rire. Je ne comprenais pas très bien. Pour moi, ils blaguaient.

« Je suis pas né d'hier, qu'il a dit l'aviateur. Je reconnais les mauvais coucheurs.

— C'est ce que disaient les autres, probable, qu'a dit le conducteur, et voyez ce qui leur est arrivé. Ça fait réfléchir. Mais pourquoi qu'elle s'en prend à l'aviation, on se demande?

— C'est à cause de la couleur de l'uniforme, que répond l'autre. Ça se voit dans le noir. »

Ils continuaient à rire et à blaguer. Moi, j'ai allumé une cigarette, mais ma gosse n'en a pas voulu.

« Moi, je dis que c'est la guerre qui a abîmé

les femmes, qu'a dit le type de la baraque en essuyant une tasse et en l'accrochant derrière lui. Y en a beaucoup que ça a rendues toquées, si vous voulez mon opinion. Elles savent plus reconnaître ce qui est bien de ce qui est mal.

— C'est pas ça, c'est le sport qui gâche tout, qu'a dit le receveur. Ça leur développe les muscles et tout ce qui n'était pas fait pour être développé. Mes deux mômes, par exemple. La fille vous met le garçon par terre, faut voir comme; une vraie petite brute. C'est pour vous dire.

— Ça c'est vrai, qu'a fait le chauffeur, l'égalité des sexes, qu'on appelle. C'est le droit de vote qu'a fait ça. On aurait jamais dû leur donner le droit de vote.

— Bah! qu'a fait l'aviateur, c'est pas le droit de vote qu'a rendu les femmes cinglées. Elles ont toujours été comme ça. C'est en Orient qu'ils savent traiter les femmes comme elles le méritent. Ils les enferment. Voilà la manière. Comme ça, pas d'histoires.

— Je me demande ce que ma bourgeoise dirait si je voulais l'enfermer », qu'a dit le chauffeur.

Et ils se sont tous mis à rire.

Ma gosse me tirait par la manche et j'ai vu qu'elle avait fini son café. Elle a fait un signe de tête vers la rue.

« Tu veux rentrer chez nous? » que j'ai dit.

C'est bête, mais j'avais envie de faire croire aux autres qu'on rentrait chez nous. Elle n'a rien répondu. Elle s'est seulement mise en route, les mains dans les poches de son imperméable. J'ai dit bonsoir et je l'ai rejointe, mais j'avais remarqué que l'aviateur la suivait des yeux par-dessus sa tasse.

Elle montait la rue et il continuait à pleuvoir, c'était plutôt triste, ça vous donnait envie d'être assis devant un bon feu dans un endroit douillet. Quand on a eu traversé la rue, et qu'on s'est trouvés devant le cimetière, elle s'est arrêtée et elle m'a regardé en souriant.

« Qu'est-ce qu'on fait? que j'ai dit.

— Les tombes, c'est plat quelquefois, qu'elle a dit.

— Et alors? que j'ai demandé, un peu ahuri.

— On peut se coucher dessus », qu'elle a répondu.

Elle s'est tournée et elle a recommencé à marcher en regardant la grille, et on est arrivés à un endroit où y avait un barreau cassé et un autre écarté; alors elle m'a regardé de nouveau en souriant.

« C'est toujours comme ça, qu'elle a dit. On trouve toujours une brèche si on regarde bien. »

Elle s'est enfoncée dans cette brèche de la grille aussi facilement qu'un couteau dans du beurre. J'en revenais pas.

« Attends-moi, que j'ai dit, je suis pas aussi mince que toi. »

Mais elle était déjà en avant et se promenait

entre les tombes. J'ai passé par la brèche en m'essoufflant un peu, puis j'ai regardé autour de moi, et vous me croirez si vous voulez, elle était couchée sur une pierre longue et plate, les bras sous sa tête et les yeux fermés.

Je m'attendais pas à ça. Bien sûr, j'avais l'intention de la raccompagner chez elle et tout ça, de lui donner rendez-vous pour le lendemain soir. Comme il était très tard, on aurait pu s'arrêter un petit moment sous la porte cochère de sa maison. Elle n'aurait pas été obligée de monter tout de suite. Mais se coucher comme ça sur une tombe, ça n'avait pas l'air naturel.

Je me suis assis et je lui ai pris la main.

« Tu vas te mouiller à te coucher comme ça », que j'ai dit.

C'était pas très fort, mais je trouvais rien d'autre à dire.

« J'ai l'habitude », qu'elle a répondu.

Elle a ouvert les yeux et elle m'a regardé. Y avait un réverbère dans la rue, pas loin, qui éclairait un peu, et d'ailleurs la nuit n'était pas très noire malgré la pluie, brouillée plutôt. Je voudrais pouvoir dire comment étaient ses yeux, mais les belles phrases, c'est pas mon genre. Vous avez déjà vu une montre à cadran lumineux dans l'obscurité. Moi, j'en ai une. Quand on se réveille la nuit, elle est là à votre poignet, comme une amie. Eh bien, les yeux de ma gosse, ils brillaient un peu comme ça, mais jolis en plus. Et c'était plus des yeux de chat paresseux. Ils étaient tendres, gentils, et tristes aussi, tout ça en même temps.

« L'habitude de coucher sous la pluie? que j'ai dit.

— J'ai été élevée comme ça, qu'elle a répondu. Dans les abris, on nous appelait les enfants perdus de la guerre.

— Vous n'aviez pas été évacués?

— Pas moi, qu'elle a dit. Moi, je ne restais nulle part. Je revenais toujours.

— Pas de parents?

— Non. Tués tous les deux par la bombe qui a démoli notre maison. »

Elle parlait pas d'un air dramatique. Elle disait ça tout simplement.

« Pas de chance », que j'ai fait.

Elle a pas répondu. Moi, je restais assis là, à lui tenir la main, et j'avais envie de la raccompagner chez elle.

« Y a longtemps que tu as cette place au ciné? que j'ai demandé.

— Ça fait trois semaines, qu'elle a répondu. Je reste jamais longtemps. Je vais bientôt changer.

— Pourquoi ça?

— Les nerfs », qu'elle a fait.

Tout à coup, elle a levé les mains et m'a pris la figure et l'a tenue comme ça. Très gentiment, pas comme on pourrait croire.

« T'as un bon visage. Il me plaît », qu'elle a dit.

C'était bizarre. La façon dont elle disait ça me rendait tout bête et doux, pas du tout excité comme dans l'autobus, et je me suis dit : « Eh bien, c'est peut-être justement ça, j'ai trouvé enfin une femme qui me plaît vraiment. Mais pas pour un soir en passant. Pour durer... »

« Tu as quelqu'un? je lui ai demandé.

— Non, qu'elle a dit.

— Je veux dire : quelqu'un de régulier.

— Non, jamais. »

C'était une drôle de conversation dans un cimetière, elle couchée là comme une statue sur ce vieux tombeau.

« Moi non plus je n'ai pas d'amie, que j'ai dit. Je n'ai jamais pensé à ça comme les autres. Je suis assez difficile. Et puis j'aime mon boulot. Je travaille dans un garage, mécanicien, tu sais, les réparations, ce qui se présente. Bon salaire. J'ai mis un peu de côté en plus de ce que j'envoie à ma mère. J'ai une chambre meublée chez des gens très gentils, Mr. et Mrs. Thompson. Et mon patron, au garage, est un très chic type lui aussi. Je ne me suis jamais senti seul, et je ne me sens pas seul maintenant non plus. Mais de t'avoir rencontrée, ça me fait réfléchir. Tu sais, ça sera plus jamais comme avant. »

Elle ne m'interrompait pas, et c'était un peu comme si je pensais tout haut.

« Rentrer chez les Thompson, c'est très gentil, que je disais, et on peut pas rêver meilleures gens.

Le frichti aussi est de première et on jaspine un peu après dîner, on écoute la radio. Mais, tu sais, maintenant, j'ai envie d'autre chose. Je voudrais venir te chercher au ciné quand le programme est terminé; tu serais là devant le rideau à regarder sortir le public et tu me ferais un petit clin d'œil pour me dire que tu vas aller te changer, que je peux t'attendre. Après, tu sortirais dans la rue, comme ce soir, mais tu ne t'en irais pas toute seule, tu me prendrais le bras, et si tu ne voulais pas mettre ton manteau, je te le porterais, ou bien un paquet, ou ce que tu aurais. On irait manger un morceau dans un restaurant du quartier. On aurait notre table réservée; on serait connus des serveuses et des patrons; ils nous auraient gardé quelque chose de bon, exprès pour nous. »

Je voyais ça comme si j'y étais. La table avec l'écriteau : « Réservé », la serveuse souriante : « Y a des œufs au curry ce soir », et nous, allant chercher nos plateaux, et ma gosse s'amusant à faire comme si elle me connaissait pas, et moi riant tout seul.

« Tu vois ce que je veux dire? que je lui ai dit. Pas juste une aventure, quelque chose de plus sérieux. »

Je ne sais pas si elle m'entendait. Elle était couchée là à me regarder, à me toucher l'oreille et le menton, de sa drôle de manière gentille. On aurait dit qu'elle me plaignait.

« J'aimerais t'acheter des choses, que je lui disais, des fleurs quelquefois. C'est joli, une femme avec une fleur à son corsage, ça fait soigné. Et, pour une occasion, Noël, un anniversaire, une bricole que t'aurais vue à une devanture et qui t'aurait fait envie, mais mettons que ça t'aurait ennuyée d'entrer demander le prix. Une broche, par exemple, ou un bracelet, quelque chose de bien. Et moi j'irais l'acheter quand tu ne serais pas avec moi, et ça coûterait plus que ma paie de la semaine, mais je m'en ficherais pas mal. »

Je voyais son expression quand elle ouvrirait le paquet. Et elle la mettrait tout de suite, cette bricole que je lui aurais achetée, et on sortirait ensemble, et elle aurait fait un peu de toilette pour l'occasion; rien de voyant, mais quelque chose qui flatte l'œil. Un peu piquant, si vous voyez ce que je veux dire.

« On peut pas parler de mariage, à une époque pareille, quand rien n'est sûr, que j'ai dit. Pour un homme, ça n'a pas d'importance, mais c'est dur pour les femmes. Serrés dans un deux-pièces, et encore... Les queues, les cartes d'alimentation, tout ça. Les femmes aiment leur indépendance, avoir un métier, ne pas se sentir attachées, pareil que nous. Mais c'est idiot ce qu'ils disaient tout à l'heure, à la baraque où on a pris le café, à propos des femmes qui ne sont plus comme avant et que c'est la faute à la guerre. Et pour ce qui est de la façon dont on les traite en Orient, j'en ai vu quelque chose. Ce type voulait faire le malin; tous des crâneurs, dans l'aviation; moi, j'ai trouvé qu'il disait des bêtises. »

Elle a laissé retomber ses mains et a fermé les yeux. La pierre de la tombe commençait à être trempée. Ça me faisait du souci pour elle; elle avait bien son imperméable, mais ses jambes et ses pieds étaient mouillés dans leurs bas fins et leurs petites chaussures.

« Tu n'as jamais été dans l'aviation, toi? » qu'elle me demande.

Curieux. Sa voix était devenue très dure, sèche, différente. Comme si elle était inquiète et même effrayée.

« Ah, non! que je lui dis. Moi, j'étais avec les motorisés. Des gars pépères. Pas de bravades, pas de folies. Avec eux, on savait ce qu'on faisait.

— Je suis contente, qu'elle a dit. Tu es un brave type, un bon type. Je suis contente. »

Je me demandais si elle n'aurait pas connu un aviateur qui l'aurait laissée tomber. J'en ai rencontré de terribles dans l'aviation. Et je me rappelais la façon dont elle avait regardé le garçon qui buvait du thé à la baraque. Comme en réfléchissant, comme si elle pensait à quelque chose. Je pouvais pas espérer qu'elle n'ait pas connu un peu la vie, jolie comme elle était, et élevée dans les abris, sans parents, comme elle avait raconté. Mais je pouvais pas supporter de penser que quelqu'un l'avait fait souffrir.

« Pourquoi tu leur en veux? que j'ai dit. Qu'est-ce qu'elle t'a fait, l'aviation?

— Elle a démoli ma maison.

— Les Allemands, pas les nôtres.

— Ils sont tous pareils. Tous des tueurs », qu'elle dit.

Je la regardais, couchée sur cette tombe. Sa voix n'était plus dure comme quand elle m'avait demandé si je n'avais pas été dans l'aviation, mais lasse, et triste, malheureuse, et ça me faisait drôle au creux de l'estomac, et ça me donnait envie de faire n'importe quelle bêtise et de la ramener avec moi chez les Thompson et de dire à Mrs. Thompson — c'était une bonne vieille, elle ne ferait pas d'histoires — : « Voilà ma gosse. Soignez-la bien. » Comme ça, je saurais qu'elle serait en sûreté, qu'il ne lui arriverait rien, que personne lui ferait de mal. C'est ça qui me faisait peur tout à coup, l'idée que quelqu'un pourrait venir et faire du mal à ma gosse.

Je me suis penché, je l'ai prise dans mes bras et je l'ai soulevée, tout contre moi.

« Ecoute, je lui dis, il pleut très fort. Je vais te ramener chez toi. Tu vas attraper la mort à rester couchée ici sur cette pierre mouillée.

— Non, qu'elle dit, les mains sur mes épaules, personne ne me ramène jamais chez moi. Tu vas t'en aller chez toi, tout seul.

— Je te laisserai pas ici, que je dis.

— Si, c'est ce que je veux que tu fasses. Si tu

refuses, ça me fâchera. Tu veux pas que je sois fâchée, dis? »

Je l'ai regardée, ahuri. Sa figure était bizarre dans cette drôle de lumière brouillée, plus blanche, mais très belle. Bon Dieu, qu'est-ce qu'elle était belle!

« Qu'est-ce que tu veux que je fasse? que j'ai dit.

— Je veux que tu t'en ailles, que tu me laisses ici et que tu ne te retournes pas, qu'elle dit, comme dans un rêve, comme un somnambule. Va, retourne-t'en sous la pluie. Tu en as pour des heures. Ça ne fait rien, tu es jeune et fort et tu as de grandes jambes. Rentre chez toi, couche-toi et dors; tu te réveilleras demain matin, tu prendras ton petit déjeuner et tu iras à ton travail comme d'habitude.

— Et toi?

— T'occupe pas de moi. Va-t'en.

— Je pourrai venir te chercher au ciné, demain soir? Comme je te disais tout à l'heure, tu sais... quelque chose de régulier? »

Elle n'a pas répondu. Elle a seulement souri. Elle était assise, sans bouger, et elle me regardait; et puis, elle a fermé les yeux en renversant la tête et elle a dit : « Encore un baiser... »

Je l'ai laissée, comme elle me le demandait. Je ne me suis pas retourné. Je me suis glissé par la grille du cimetière, sur la route. On ne voyait personne, et la baraque, près du terminus de l'autobus, était fermée, les volets mis.

Je me suis mis en marche dans la direction d'où l'autobus nous avait amenés là. La rue était droite à perte de vue. Une grande rue de faubourg, probablement. Y avait des boutiques des deux côtés et ça se trouvait quelque part au nord-est de Londres, dans un coin où j'avais jamais mis les pieds. J'étais complètement perdu, mais ça m'était égal. Je me faisais l'effet d'un somnambule, comme elle disait.

Je pensais à elle tout le temps. Devant moi, pendant que je marchais, y avait son visage et rien d'autre. Ils avaient un mot, au régiment, quand un gars a une femme dans la peau comme ça et qu'il ne voit plus, ne sent plus ce qu'il fait; moi, je disais que c'était du boniment, ou alors que ça arrive quand on est saoul, mais maintenant je savais que c'était vrai et que ça m'était arrivé. Je ne voulais pas m'en faire pour la façon dont elle rentrerait chez elle; elle m'avait dit qu'il ne fallait pas, et elle devait habiter dans le coin, sans cela elle ne serait jamais venue si loin en autobus, mais c'était drôle quand même de loger si loin de son travail. Peut-être qu'avec le temps, elle m'en raconterait un peu plus, petit à petit. Je ne voulais pas lui arracher ses secrets. J'avais une seule idée fixe : c'était d'aller la chercher le lendemain soir à son cinéma. C'était bien décidé, et rien ne pourrait me faire changer d'idée. En attendant, rien ne compterait jusqu'à ce qu'il soit dix heures du soir.

Je marchais toujours sous la pluie, et voilà qu'un camion a passé et je lui ai fait signe; il m'a emmené une grande partie du chemin avant de tourner sur la gauche dans une autre direction. Je suis descendu et j'ai recommencé à marcher, et il devait pas être loin de trois heures quand je suis arrivé chez moi.

En temps normal, ça m'aurait gêné de réveiller Mr. Thompson pour qu'il m'ouvre la porte, et faut dire que ça ne m'était encore jamais arrivé, mais j'étais tellement éclairé en dedans par mon amour pour ma gosse, que ça m'était bien égal. Il a fini par descendre, mais j'avais dû sonner plusieurs fois avant qu'il m'entende. Il était blême de sommeil, le pauvre vieux, son pyjama tout chiffonné par le lit.

« Qu'est-ce qui vous est arrivé? qu'il m'a demandé. On s'est fait de la bile, nous deux ma femme. On avait peur que vous soyez renversé par une auto, écrasé. On est rentrés et on a trouvé la maison vide et votre dîner pas touché.

— J'ai été au ciné, que j'ai dit.

— Au ciné? »

Il m'a regardé.

« Le ciné finit à dix heures.

— Je sais, que j'ai répondu. J'ai fait une balade après. Je vous demande pardon. Bonsoir. »

Je suis monté à ma chambre en laissant le vieux

verrouiller la porte en bougonnant, et j'ai entendu Mrs. Thompson crier de sa chambre : « Qu'est-ce que c'est? C'est lui? Il est rentré? »

Je leur avais fait du souci, des ennuis, et j'aurais dû aller illico m'excuser, mais je ne pouvais pas, c'était plus fort que moi, ça ne serait pas sorti comme il fallait; alors, j'ai fermé ma porte, je me suis déshabillé et je me suis couché, et c'était comme si elle était encore avec moi dans l'obscurité, ma gosse.

Le lendemain, au petit déjeuner, ils n'étaient pas très causants, les Thompson. Ils ne me regardaient pas. Mr. Thompson m'a tendu un hareng sans dire un mot ni lever le nez de son journal.

J'ai avalé mon petit déjeuner et puis j'ai dit :

« J'espère que vous avez passé une bonne soirée à Highgate. »

Et Mrs. Thompson, la bouche un peu pincée, m'a répondu :

« Très bonne, merci; nous sommes rentrés à dix heures. »

Elle a un peu reniflé et elle a versé une seconde tasse de thé à Mr. Thompson.

On a continué à ne pas dire un mot, puis Mrs. Thompson m'a demandé :

« Vous serez là pour dîner ce soir? »

Et j'ai répondu :

« Non, je ne crois pas. J'ai rendez-vous. »

Et le vieux m'a regardé par-dessus ses lunettes.

« Si vous devez rentrer tard, on fera mieux de vous laisser la clef », qu'il m'a dit.

Puis il s'est remis à lire son journal. On voyait que ça les vexait que je ne leur raconte rien et ne leur dise pas où j'allais.

Je suis parti au travail, et on a eu beaucoup à faire ce jour-là au garage, un boulot, et puis un autre, et, d'habitude, ça ne m'aurait pas déplu. J'aime les journées bien remplies et je reste souvent après l'heure, mais ce jour-là je voulais filer avant la fermeture des magasins. Je ne pensais qu'à ça depuis que l'idée m'était venue.

Il était quatre heures et demie quand le patron est venu me dire :

« J'ai promis au docteur qu'il aurait son Austin ce soir, je lui ai dit que vous l'auriez finie à sept heures et demie. D'accord? »

Mon cœur s'est serré. J'avais compté partir de bonne heure pour faire ce que j'avais à faire. Puis j'ai réfléchi que si le patron me laissait filer tout de suite, j'aurais le temps d'aller faire mon achat avant que la boutique ferme et de revenir finir le travail sur l'Austin. Alors j'ai dit :

« Je veux bien travailler un peu après l'heure, mais je voudrais m'absenter un petit moment, si vous ne bougez pas. J'ai quelque chose à acheter avant que les boutiques ferment. »

Ça lui allait. J'ai ôté ma salopette, je me suis lavé, j'ai mis mon veston, et je suis allé en bas de la côte de Haverstock, là où y a des magasins. Je savais celui qu'il me fallait. C'était une bijouterie où Mrs. Thompson donnait sa pendule à réparer, un endroit où on vend pas de la camelote, mais de la belle marchandise, des cadres en argent massif, des couverts, des machines comme ça.

Y avait aussi des bagues, naturellement, et des bracelets fantaisie, mais ceux-là, je ne les regardais pas. Toutes les filles, dans les cantines, en avaient avec des pendeloques porte-bonheur; moi, je trouve ça commun. J'ai regardé dans la vitrine et, tout d'un coup, j'ai vu ce que je voulais, un peu en arrière.

C'était une broche. Très petite, pas beaucoup plus grande que l'ongle, mais avec une jolie pierre bleue en forme de cœur. C'est ça qui m'a plu, la forme. Je l'ai regardée un petit moment, le prix n'était pas marqué, ça devait coûter gros, mais je suis entré et j'ai demandé à la voir. Le bijoutier me l'a sortie de la vitrine, l'a un peu astiquée, et l'a tournée de côté et d'autre; et moi je la voyais sur ma gosse, brillant joliment sur sa robe ou son chandail. C'était exactement ce que je voulais.

« Je la prends », que je dis, et puis j'ai demandé le prix.

J'ai un peu sursauté quand il me l'a dit, mais j'ai sorti mon portefeuille et compté les billets. Il a mis le cœur dans une boîte, bien emmailloté dans de l'ouate, et a fait un beau petit paquet noué d'une ficelle fantaisie. Je savais que je serais obligé de demander une avance au patron avant de quitter le garage ce soir, mais il était bon bougre et il ne me refuserait pas.

En sortant de la bijouterie, avec le cadeau pour ma gosse bien en sûreté dans ma poche, j'ai entendu sonner cinq heures moins le quart à l'église. J'avais le temps de passer au ciné pour être sûr qu'elle avait bien compris notre rendez-vous de ce soir, et puis je remonterais au garage en vitesse et j'aurais terminé l'Austin à l'heure où le docteur la voulait.

Quand je suis arrivé au cinéma, mon cœur battait comme un marteau-pilon et je pouvais à peine avaler. Je me représentais comment elle serait, debout devant les rideaux de l'entrée, avec sa jaquette de velours et son calot en arrière.

Y avait une petite queue dehors et j'ai vu que le programme était changé. L'affiche du cow boy en train de descendre un Indien n'était plus là et, à la place, y avait un tas de filles en train de danser avec un type qui se pavanait devant elles, la canne à la main. C'était du music-hall.

Je suis entré, mais je ne suis pas passé à la caisse, j'ai regardé tout droit vers le rideau où elle aurait dû être. Y avait bien une ouvreuse, mais c'était pas elle. C'était une grande bringue qui avait l'air gourde dans son costume et qui essayait de faire deux choses à la fois : contrôler les tickets des gens qui passaient sans lâcher sa lampe électrique.

J'ai attendu un petit moment. Peut-être qu'elles

avaient changé de service et que ma gosse faisait maintenant le balcon. Quand les derniers spectateurs ont été entrés, comme la grande bringue n'avait plus rien à faire, je me suis approché d'elle et j'ai dit :

« Excusez-moi, vous pourriez pas me dire comment faire pour dire un mot à l'autre demoiselle? »

Elle m'a regardé :

« Quelle autre demoiselle?

— Celle qui était là hier soir, avec des cheveux cuivre », que j'ai dit.

Là-dessus, elle me regarde de plus près, l'air soupçonneux.

« On l'a pas vue aujourd'hui, qu'elle dit. C'est moi qui la remplace.

— Pas vue?

— Non. Et c'est drôle que vous la demandiez. Vous n'êtes pas le premier. La police est venue pour elle, y a qu'un moment. Ils ont causé au directeur et au garçon de service et on m'a rien dit à moi, mais j'ai idée que ça sent pas bon. »

Mon cœur s'est mis à battre différemment, pas d'excitation : de malaise. Comme quand quelqu'un tombe malade, qu'on l'emmène d'urgence à l'hôpital.

« La police? que je dis. Qu'est-ce qu'elle vient faire ici?

— Je vous ai déjà dit que je savais pas, qu'elle répond, mais c'est à propos d'elle, et le directeur est parti avec eux au commissariat et il n'est pas encore rentré... Par ici, s'il vous plaît, à gauche pour le balcon, à droite pour l'orchestre. »

Je restais là sans savoir quoi faire. J'avais l'impression que la terre manquait sous mes pieds.

La grande bringue a encore contrôlé un billet, et puis elle m'a dit par-dessus l'épaule :

« C'était une connaissance à vous?

— Pour ainsi dire », que j'ai fait.

Je ne savais quoi répondre.

« Moi, si vous voulez mon opinion, je crois qu'elle avait pas tout son bon sens, et ça m'étonnerait pas qu'elle se soit suicidée et qu'on l'ait retrouvée morte. ... Non, les glaces sont vendues dans la salle à l'entracte, après les actualités. »

Je suis sorti et je suis resté dans la rue. La queue s'allongeait au guichet des places bon marché; y avait même des enfants qui parlaient, très excités. Je suis passé près d'eux et j'ai remonté la rue. Je me sentais tout chose. Quelque chose était arrivé à ma gosse. Je le savais maintenant. C'est pour ça qu'elle avait voulu rester seule, la nuit d'avant, et que je ne la raccompagne pas chez elle. Elle voulait se tuer, là, dans le cimetière. C'est pour ça qu'elle parlait si drôlement et qu'elle était toute pâle. Voilà, on l'avait retrouvée, étendue sur la tombe près de la grille.

Si je n'étais pas parti, elle irait bien. Si j'étais resté seulement cinq minutes de plus à la prier, j'aurais fini par lui faire voir mon point de vue et par la ramener chez elle, sans écouter ses bêtises, et en ce moment, elle serait au ciné en train de conduire les spectateurs à leurs places.

Peut-être que ce n'était pas aussi grave que je croyais. Peut-être qu'on l'avait trouvée en train d'errer, qu'elle avait perdu la mémoire et que la police l'avait ramassée; puis, quand on avait trouvé où elle travaillait et tout ça, la police était venue contrôler auprès du directeur du cinéma ce qui en était. Si j'allais au commissariat demander ce qui s'était passé, peut-être qu'on me le dirait, alors, moi, je pourrais dire qu'elle était mon amie et qu'on s'était baladé ensemble, et tant pis si elle ne me reconnaissait pas, moi je n'en démordrais pas. Je ne pouvais pas laisser mon patron dans le pétrin, fallait que je fasse le boulot sur l'Austin, mais quand j'aurais fini, j'irais au commissariat.

J'avais plus de cœur au ventre et je suis rentré au garage sans savoir ce que je faisais et, pour la première fois de ma vie, l'odeur m'a tourné l'estomac, l'odeur d'huile et de cambouis, et y avait un type qui faisait ronfler son moteur avant de tourner sa bagnole, et un grand nuage de fumée sortait de son tuyau d'échappement et puait plein l'atelier.

J'ai mis ma salopette et j'ai pris mes outils. J'ai commencé l'Austin, mais, tout le temps, je me demandais ce qui avait bien pu arriver à ma gosse et si elle était au commissariat, perdue, toute seule, ou bien couchée quelque part... morte. Je revoyais tout le temps sa figure, comme je l'avais vue la nuit.

J'en ai eu pour une heure et demie sur l'Austin, pas plus, et elle était prête pour la route avec son plein d'essence et tout, tournée vers la sortie du garage pour que son propriétaire n'ait plus qu'à l'emmener, mais moi, je n'en pouvais plus, mort de fatigue que j'étais, et en sueur. Je me suis lavé un brin, j'ai mis mon veston, et je sentais le paquet dans ma poche. Je l'ai sorti et je l'ai regardé, si coquet avec sa ficelle fantaisie, et puis je l'ai remis dans ma poche. J'avais pas remarqué que le patron était entré. Je tournais le dos à la porte.

« Vous avez trouvé ce que vous vouliez? » qu'y me demande, tout gai et souriant.

C'était un bon bougre, jamais de mauvaise humeur, et on s'entendait bien.

« Oui », que je réponds.

Mais j'avais pas envie de parler. Je lui ai dit que le boulot était fait et l'Austin prête à rouler. J'ai été dans le bureau avec lui pour qu'il note le travail fait et les heures supplémentaires, et il m'a offert une cigarette du paquet qui était sur la table, à côté du journal du soir.

« Lady Luck a gagné aujourd'hui, qu'il fait. Je suis en gain de quelques shillings cette semaine. »

Il inscrivait mon travail dans son livre pour tenir à jour les feuilles de paie.

« Tant mieux pour vous, que je dis.

— Seulement je l'avais jouée placée, comme un crétin, qu'il dit. Elle a rapporté vingt-cinq contre un. Enfin, c'est le jeu! »

J'ai pas répondu. Je suis pas porté sur la boisson, mais j'avais terriblement besoin de quelque chose de fort sur le moment. Je me suis essuyé le front. J'aurais voulu qu'il en finisse avec ses chiffres, et bonsoir.

« Encore un pauvre diable qu'on a descendu, qu'il dit. Ça fait le troisième en trois semaines, l'intestin transpercé, exactement comme les deux autres. Il est décédé ce matin à l'hôpital. On dirait qu'il y a un sort sur les aviateurs.

— Qu'est-ce que c'était? Un avion à réaction? je demande.

— Avion à réaction? qu'il fait. Bon Dieu, non! assassinat. Un poignard dans le ventre, le pauvre gars. Vous ne lisez pas les journaux? C'est le troisième en trois semaines, exactement de la même façon, tous les trois dans l'aviation, et, chaque fois, on les retrouve près d'un cimetière. Comme je disais, y a un instant, au client qui prenait de l'essence, y a donc pas que les hommes qui perdent le nord et deviennent des fous sexuels, les femmes aussi, à ce qu'il paraît. Mais celle-ci, ils l'auront, voyez-vous. C'est écrit sur le journal qu'on est sur sa piste et qu'on s'attend à son arrestation prochaine. Il serait temps, avant qu'elle en descende un quatrième. »

Il a fermé son registre et mis son crayon derrière l'oreille.

« On boit un coup? qu'il fait. J'ai une bouteille de gin dans l'armoire.

— Non, que je réponds, non, merci beaucoup. Je... J'ai un rendez-vous.

— Ah! bon, qu'il dit en souriant. Amusez-vous bien. »

J'ai descendu la rue et acheté un journal. C'était comme il avait dit : en première page. On disait que le crime avait dû être commis vers deux heures du matin. Un jeune type de l'aviation, dans le nord-est de Londres. Il avait réussi à se traîner jusqu'à une cabine téléphonique et à appeler la police, et les policiers l'avaient trouvé là en arrivant, par terre dans la cabine.

Il avait fait une déposition dans l'ambulance, avant de mourir. Il avait déclaré qu'une fille l'avait accosté et qu'il l'avait suivie. Il croyait que c'était une fille légère — il l'avait vue en train de boire du café devant une baraque avec un autre homme, un peu plus tôt dans la soirée — et il avait cru qu'elle avait laissé tomber son compagnon et avait un caprice pour lui, et voilà qu'elle l'avait frappé, qu'il disait, en plein dans le ventre.

On disait sur le journal qu'il avait donné à la police une description détaillée de la meurtrière, et on disait aussi que la police priait l'homme qui avait été vu en sa compagnie au début de la soirée, de se faire connaître pour aider l'enquête.

J'avais plus besoin du journal. Je l'ai jeté. J'ai marché dans les rues jusqu'à ce que je sois exténué et, quand j'ai pensé que Mr. et Mrs. Thompson étaient couchés, je suis rentré, j'ai trouvé à tâtons la clef qu'ils m'avaient laissée pendue à une ficelle dans la boîte aux lettres et je suis monté dans ma chambre.

Mrs. Thompson avait fait ma couverture et mis à côté de mon lit un Thermos de thé — une gentille attention — et la dernière édition d'un journal du soir.

On l'avait arrêtée. A trois heures de l'après-midi. Je n'ai pas lu l'article, ni le nom, ni rien. Je me suis assis sur mon lit, j'ai pris le journal; sur la première page, y avait ma gosse qui me regardait.

J'ai sorti le paquet de ma poche et je l'ai ouvert, j'ai jeté le papier et la ficelle fantaisie et je suis resté là à regarder le petit cœur que je tenais dans ma main.

LE VIEUX

Traduction de Denise van. Moppès

C'EST vous qui demandiez qui c'était que ce Vieux? Il me semblait bien. Vous êtes nouveau dans le pays, vous passez vos vacances par ici? Il en vient beaucoup comme vous en été, depuis quelque temps. Ils finissent toujours par découvrir cette crique en descendant des falaises; ils s'arrêtent et, après avoir regardé la mer, ils se retournent pour regarder le lac. Tout comme vous venez de faire.

C'est un joli endroit, n'est-ce pas? Tranquille, isolé. Rien d'étonnant que le Vieux l'ait choisi.

Je ne sais pas quand il s'est installé ici. Personne ne se rappelle. Ça doit faire pas mal d'années. Il y était déjà quand je suis arrivé, longtemps avant la guerre. Peut-être qu'il cherchait à échapper à la civilisation, comme moi. Ou peut-être que, là où il habitait avant, les voisins étaient devenus gênants. C'est difficile à dire. J'ai eu tout de suite l'impression qu'il avait fait quelque chose ou qu'on lui avait fait quelque chose qui l'avait monté contre le monde. Je me rappelle, la première fois que je l'ai aperçu, je me suis dit : « Je parie que ce type-là a un fichu caractère. »

Oui, il habitait là, au bord du lac, avec sa dame. Ils avaient une drôle de baraque, exposée à tous les vents, mais ça ne paraissait pas les gêner.

J'avais été mis en garde par un des gars de la ferme, qui m'avait conseillé, avec un petit sourire, de ne pas marcher dans les plates-bandes du Vieux; paraît qu'il n'aimait pas les intrus. Alors je me suis tenu peinard et je n'ai pas cherché à faire la causette avec lui, histoire de me distraire. Ça ne m'aurait pas servi à grand-chose, d'ailleurs, puisque je ne savais pas un mot de son patois. La première fois que je l'ai vu, il était là au bord du lac, tourné vers la mer, et j'ai évité, par discrétion, le bout de planche qui traverse le ruisseau pour ne pas passer trop près de lui; j'ai gagné l'autre côté du lac par la plage. Puis, un peu gêné, vous savez. avec l'impression que je n'avais rien à faire dans le coin, je me suis caché derrière des buissons, j'ai pris ma jumelle, et je l'ai regardé.

C'était un grand type, large, fort — il a vieilli depuis, naturellement; je vous parle d'y a des années — mais même au jour d'aujourd'hui, vous devez bien voir ce qu'il a été. Une espèce d'élan en lui, je ne peux pas dire, et cette belle tête qu'il tenait comme un roi. Ce n'est pas pour rien que je dis ça. Non, je ne blague pas. Est-ce qu'on sait s'il n'a pas du sang royal dans les veines et de quels ancêtres il descend? Alors, de temps en temps, ça se réveille en lui — sans qu'il le fasse exprès — c'est plus fort que lui, et il devient violent. Je n'ai pas pensé à ça, dans le moment. Je l'ai seulement regardé et je me suis courbé derrière le buisson quand je l'ai vu se retourner. Je me demandais ce qui se passait dans sa tête et s'il savait que j'étais là à le regarder.

J'aurais eu bonne mine, s'il avait décidé de tourner autour du lac pour venir jusqu'à moi. Mais il a dû changer d'avis, et puis peut-être qu'il s'en moquait pas mal. Il continuait à regarder la mer, les mouettes et la marée montante, et, pour finir, il est parti de son côté du lac pour rentrer chez lui, aller retrouver sa dame, et dîner peut-être bien.

Elle, je ne l'ai pas aperçue ce jour-là. Elle n'était pas dans les parages. Vous voyez où ils habitaient, tout au bord, sur la rive gauche du lac, sans vrai chemin pour arriver chez eux. Je n'avais pas le culot de m'approcher pour me trouver tout d'un coup en face d'elle. Mais quand je l'ai vue, plus tard, j'ai été déçu. Elle n'avait pas l'air de grand-chose. Je veux dire qu'elle n'avait pas l'air d'un caractère comme lui. Une brave créature bien tranquille, que je me suis dit.

Ils revenaient de la pêche tous les deux quand je les ai vus, et ils remontaient de la plage vers le lac. Lui était devant, bien entendu. Elle suivait derrière. Aucun d'eux ne m'a seulement remarqué, et je préférais ça, parce que le Vieux aurait très bien pu s'arrêter pour l'attendre et lui dire de rentrer chez eux, et puis descendre dans les rochers où j'étais assis. Vous vous demandez ce que j'aurais fait dans ce cas-là? Du diable si je le sais. Peut-être que je me serais levé en sifflant, d'un air détaché, que je lui aurais fait un petit salut, un sourire — bien inutile, mais c'est instinctif, si vous voyez ce que je veux dire —, que je lui aurais dit bonsoir et que je serais parti de mon côté. Je ne crois pas qu'il aurait fait quelque chose. Il m'aurait seulement suivi des yeux, ces drôles d'yeux longs et étroits qu'il a, et laissé tranquille.

Après ça, l'hiver, l'été, j'étais tout le temps sur la plage et les rochers et eux ils continuaient leur bizarre existence, loin de tout, parfois pêchant dans le lac, parfois dans la mer. De temps en temps, je les rencontrais dans le port, sur l'estuaire, en train de regarder les yachts à l'ancre, les bateaux. Je me demandais toujours lequel des deux avait proposé de venir là. Peut-être qu'il avait eu brusquement envie du mouvement et de la vie du port, toutes ces choses qu'il avait abandonnées, ou qu'il n'avait jamais connues, et il avait dit : « Demain, on ira en ville. » Alors, elle, contente de faire ce qui plaisait à son mari, l'avait accompagné.

Voyez-vous, une chose qui frappait — et on ne pouvait pas s'empêcher de le remarquer — c'est la façon dont ces deux-là s'aimaient. Je l'ai vue, elle, quand il rentrait d'une journée de pêche; vers le soir, elle descendait au lac et de là sur la plage et jusqu'au bord des vagues pour l'attendre. Elle le voyait arriver de loin, et il devait la voir aussi dès qu'il avait tourné le coin de la baie. Il venait droit sur la plage et elle allait à sa rencontre, et ils s'embrassaient sans s'occuper si on pouvait les voir. C'était touchant, dans son genre. On se disait que ce Vieux, il devait tout de même avoir du bon, puisque c'était comme ça. Peut-être bien que c'était une brute avec les étrangers, mais, en tout cas, elle, elle l'adorait. Ça me donnait de la sympathie pour lui quand je les voyais comme ça tous les deux.

Vous demandez s'ils avaient des enfants? J'y arrive. C'est de ça, justement, que je voulais vous causer. Parce qu'il y a eu une tragédie, voyez-vous. Et personne n'en sait rien, sauf moi. J'aurais peut-être dû en parler à quelqu'un, mais si je l'avais fait, je ne sais pas... On aurait peut-être emmené le Vieux, et elle, ça lui aurait brisé le cœur, et, en tout cas, tout bien réfléchi, ça n'était pas mon affaire. Je sais que les présomptions contre le Vieux étaient très fortes, mais j'avais pas de preuve absolue; ç'avait pu être un accident et, en tout cas, personne n'a fait d'enquête à l'époque où le petit a disparu; alors pourquoi j'aurais été me mettre à faire le Jacques et le dénonciateur?

Je vais essayer de vous raconter ce qui s'est passé. Mais faut bien comprendre que tout ça a mis assez longtemps et y avait des périodes où j'étais absent ou occupé et où je n'allais pas au lac. Personne d'autre que moi n'avait l'air de s'intéresser aux deux qui habitaient là; alors, l'histoire que je vous raconte, c'est seulement ce que j'ai vu de mes yeux, pas des choses que j'ai entendu dire, des racontars, ou des choses qu'on répétait derrière leur dos.

Oui, ils n'ont pas toujours été seuls comme les voilà maintenant. Ils avaient quatre gosses. Trois filles et un garçon. Ils les ont élevés tous les quatre dans cette vieille cabane au bord du lac, et je me suis toujours demandé comment ils faisaient. Bon Dieu, j'ai vu des journées où la pluie fouettait le lac, qu'il faisait plein de petites vagues qui venaient s'étaler sur la rive boueuse, tout près de leur baraque, et que la prairie n'était plus qu'un marécage. Et le vent qui soufflait en plein dedans! Vous vous seriez dit que n'importe qui, avec un grain de bon sens, aurait emmené sa dame et ses mômes hors de là et serait parti dans un autre coin où ils auraient pu vivre comme des gens civilisés. Mais non. Le Vieux, il devait se dire que du moment qu'il pouvait le supporter, elle n'avait qu'à faire comme lui et les gosses pareil. Peut-être qu'il voulait les élever à la dure.

Remarquez que c'étaient de beaux gosses. Surtout la plus jeune des filles. Je n'ai jamais su son nom, mais je l'appelais Poucette, tellement elle était vive. On voyait bien qu'elle descendait de lui, malgré qu'elle était toute petite. Je la revois encore, toute menue, la première à s'aventurer en canot sur le lac par un beau matin, loin devant ses sœurs et son frère.

Le frère, je l'avais surnommé Bébé. C'était l'aîné, mais, entre nous, il était un peu niais. Il n'avait pas la beauté de ses sœurs, et il était plutôt gauche. Les filles jouaient de leur côté, allaient à la pêche, lui, il traînait derrière sans savoir quoi faire. Toutes les fois qu'il pouvait, il restait à la maison, près de sa mère. Tout à fait un fils à maman. C'est pour ça que je l'appelais comme j'ai dit. Pas qu'elle avait l'air de faire plus cas de lui que des autres. Elle les traitait tous les quatre pareil, pour autant que je pouvais voir; mais on sentait tout de même que le Vieux comptait plus pour elle. Le fils, c'était un grand bébé, et j'ai idée qu'il était un peu simple d'esprit.

Les enfants étaient aussi sauvages que leurs parents. Ils avaient dû être habitués comme ça par le Vieux. Ils ne venaient jamais jouer sur la plage; ça devait quand même être tentant en plein été, quand les gens se promenaient sur les falaises et descendaient se baigner, faire des pique-niques. Je suppose que le Vieux avait ses raisons à lui de leur défendre de se mêler aux étrangers.

Ils avaient l'habitude de me voir bricoler dans leurs parages : chercher du bois d'épave, des choses comme ça. Je m'arrêtais souvent pour les regarder jouer au bord du lac. Mais je ne leur adressais pas la parole. Des fois qu'ils auraient été le dire au Vieux. Ils me regardaient quand je passais près d'eux, puis détournaient les yeux, timides comme qui dirait. Tous, sauf Poucette. Poucette, elle, secouait la tête et faisait la cabriole pour que je la remarque.

Je les regardais quelquefois partir tous les six — le Vieux, sa dame, Bébé et les trois filles — pour aller pêcher toute la journée en mer. C'est le Vieux qui commandait, bien entendu; Poucette restait près de son papa pour l'aider; la dame regardait autour d'elle pour voir si le beau temps allait tenir; les deux filles marchaient à côté d'elle, et Bébé, le pauvre Bébé simple d'esprit, toujours à la queue. Je n'ai jamais su ce qu'ils pêchaient. Ils restaient tard dehors et, moi, j'avais quitté la plage quand ils revenaient. Mais j'ai idée qu'ils s'en tiraient pas mal. Ils devaient vivre presque entièrement de ce qu'ils attrapaient. Ma foi, on dit que c'est plein de vitamines, le poisson, n'est-ce pas? Peut-être bien que le Vieux avait des idées à lui sur l'alimentation.

Le temps passait et les gosses se sont mis à grandir. Poucette y perdait un peu de son cachet, à mon idée. Elle ressemblait plus à ses sœurs en grandissant. Mais, y a pas à dire, ça faisait un joli trio. Tranquilles, vous savez, bien élevées.

Bébé, lui, il était immense. Presque aussi grand que le Vieux, mais quelle différence! Il n'avait pas la beauté de son père, ni sa force ni sa prestance; c'était une espèce de grande brute maladroite. Et, le malheur, je crois que le Vieux avait honte de lui. Il ne faisait sûrement pas grand-chose dans la maison. Et, à la pêche, il n'était bon à rien. Les filles travaillaient comme des fourmis, Bébé toujours derrière à tout gâcher. Quand sa mère était là, il restait à côté d'elle sans rien faire.

Je voyais bien que ça énervait le Vieux d'avoir une gourde pareille comme fils. Ce qui l'agaçait aussi, c'est que Bébé soit si grand. Ça devait le chiffonner, entier comme il était. La force et la stupidité, ça n'était pas fait pour aller ensemble. Dans une famille normale, bien sûr, Bébé aurait déjà quitté la maison pour aller travailler. Je me demandais s'ils parlaient de ça, le soir, la dame et le Vieux, ou bien si c'était quelque chose qu'on ne disait pas mais que tout le monde savait bien, que Bébé n'était bon à rien.

Les enfants ont tout de même fini par quitter les parents. Les filles du moins.

Je vais vous dire comment c'est arrivé.

Un jour de la fin de l'automne, j'étais allé faire des emplettes dans la petite ville du port, à cinq kilomètres d'ici, et voilà que j'aperçois le Vieux, la dame, les trois filles et Bébé qui se dirigeaient vers Pont — c'est au bout de la pointe, à l'est en venant du port. Pont, c'est quelques maisons, une ferme, et une église derrière. Les enfants avaient l'air tout frais lavés et astiqués, le Vieux et la dame aussi, et je me suis demandé s'ils allaient en visite. Ce n'était pas dans leurs habitudes mais, après tout, ils avaient peut-être des amis ou des connaissances sans que je le sache. En tout cas, c'est la dernière fois que je les ai vus, ce beau samedi après-midi, se dirigeant vers Pont.

Il ventait dur de l'est et, le lendemain, c'est devenu un vrai ouragan. Je suis resté chez moi. Il devait y avoir de grosses vagues sur la plage. Je me suis demandé si le Vieux et sa famille avaient pu rentrer. Ils auraient été sages de rester à Pont chez leurs amis, si tant est qu'ils y avaient des amis.

Le vent n'est pas tombé avant le mardi; ce jour-là, je suis retourné à la plage. Y avait plein partout de varech, de bois d'épave, d'huile et de goudron. C'est toujours comme ça après l'ouragan d'est. Je regardai le lac, vers la baraque du Vieux, et je l'ai vu là, avec sa dame, juste au bord. Mais pas trace des enfants.

J'ai trouvé ça un peu drôle et j'ai attendu en pensant qu'ils allaient peut-être venir. Ils ne sont pas venus. J'ai tourné autour du lac; de l'autre rive, j'avais une bonne vue de leur cabane, et j'ai même pris ma vieille jumelle pour mieux regarder. Eh bien, les enfants n'y étaient pas. Le Vieux bricolait comme il faisait souvent quand il n'était pas à la pêche et sa dame s'était installée pour se reposer au soleil. Y avait pas deux explications. Ils avaient laissé les enfants chez des amis à Pont. Ils avaient envoyé les enfants en vacances.

Je peux bien dire que cette idée m'a soulagé, parce que, un moment, j'avais eu peur qu'ils se soient mis en route pour rentrer le samedi soir et qu'ils aient été pris par la tempête; et puis que le Vieux et sa dame soient rentrés sains et saufs, mais pas les gosses. Mais ça ne se pouvait pas. J'en aurais entendu parler. Quelqu'un aurait dit quelque chose. Le Vieux ne serait pas là en train de bricoler comme si de rien n'était, avec sa dame à flâner au soleil. Non, c'était sûrement ça ; ils avaient laissé les enfants chez des amis. A moins qu'enfin Bébé et ses sœurs soient partis plus loin se placer.

A ce moment-là, j'ai regretté de ne pas savoir deux ou trois mots de sa langue pour pouvoir l'interpeller en voisin et lui dire :

« Je vois que vous êtes tout seuls, votre dame et vous. Il n'est rien arrivé, j'espère? »

Mais ça n'aurait servi à rien. Il m'aurait regardé avec ses yeux étranges et m'aurait envoyé promener.

Je n'ai jamais revu les filles. Jamais. Elles ne sont pas revenues. Un jour, j'ai cru apercevoir Poucette un peu plus haut sur l'estuaire, avec une bande d'amis, mais je ne suis pas sûr. Si c'était elle, elle avait grandi et changé. Je vais vous dire ce que je crois. Je crois que le Vieux et sa dame les avaient emmenés avec une idée bien arrêtée, ce samedi-là, et, ou bien ils les avaient installés chez des amis, ou bien ils leur avaient dit de se débrouiller tout seuls.

Je sais que ça peut sembler dur, et qu'on se

dit que, soi, on ne traiterait pas ses enfants comme ça; mais faut bien se rappeler que le Vieux était un dur et qui n'écoutait que lui. Sans doute qu'il pensait que c'était mieux comme ça, et il avait probablement raison, et si j'avais seulement pu savoir ce qui est arrivé aux filles, surtout à Poucette, je ne m'en ferais pas.

Mais je m'en fais quelquefois à cause de ce qui est arrivé à Bébé.

Voyez-vous, Bébé a été assez stupide pour rentrer. Il est rentré trois semaines à peu près après ce fameux samedi. J'étais descendu par les bois; ce n'est pas mon chemin habituel, en général j'arrive au lac en longeant le ruisseau qui prend sa source plus haut. J'ai contourné le lac au nord, du côté des marécages, à quelque distance de la maison du Vieux, et, la première chose que j'ai vue, c'était Bébé.

Il ne faisait rien. Il était au milieu du marécage. Il avait l'air ahuri. J'étais trop loin pour l'appeler et, d'ailleurs, je n'aurais pas osé. Mais je l'ai regardé, planté là avec son air pataud, et j'ai vu qu'il regardait l'autre rive du lac. Il regardait du côté du Vieux.

Le Vieux et sa dame, ils ne faisaient pas du tout attention à Bébé. Ils étaient près de la plage, au pont de planche, et je ne sais pas s'ils partaient pour la pêche ou s'ils en revenaient. Et Bébé se tenait là avec son visage éberlué, stupide, mais pas seulement stupide, effrayé.

J'avais envie de dire : « Qu'est-ce qui se passe? » Mais je ne savais pas comment le dire. Je restai planté là, comme Bébé, à regarder le Vieux.

Alors, ce que nous redoutions sans doute tous les deux est arrivé.

Le Vieux a levé la tête et il a vu Bébé.

Il a dû dire un mot à sa dame, parce qu'elle n'a plus bougé, elle est restée où elle était, près du pont, mais le Vieux s'est retourné comme l'éclair et est descendu de l'autre côté du lac, dans les marécages, vers Bébé. Il avait l'air terrible. Jamais je n'oublierai comment il était à ce moment-là. Cette tête superbe, que j'avais toujours admirée, était furieuse à présent, méchante; et il disait des sottises à Bébé en approchant. Je l'entendais.

Bébé, stupéfait, épouvanté, cherchait désespérément un refuge autour de lui. Il n'y en avait pas. Il n'y avait rien d'autre que les roseaux minces du marécage. Mais le pauvre gars était si bête qu'il est allé se tapir là, se croyant en sûreté. C'était affreux à voir.

Moi, je rassemblais mon courage pour intervenir, quand le Vieux s'est arrêté net, puis s'est retourné, toujours jurant et maugréant, et est revenu au pont. Bébé le regardait sous son couvert de roseaux, puis, pauvre idiot qu'il était, il s'est dirigé de nouveau vers le lac, avec l'idée sans doute de revenir chez ses parents.

J'ai regardé autour de moi. Il n'y avait personne qu'on aurait pu appeler. Personne à qui demander de l'aide. Et si j'avais été en demander à la femme, elle m'aurait répondu de ne pas m'en mêler, qu'il valait mieux laisser le Vieux tranquille quand il piquait une de ses rages et que, d'ailleurs, Bébé était assez grand pour se défendre. Il était aussi grand que le Vieux. Il pouvait cogner s'il le fallait. Moi, je savais que ce n'était pas vrai. Bébé n'était pas un lutteur. Il ne savait pas se défendre.

J'ai attendu longtemps au bord du lac, mais rien ne s'est passé. Il commençait à faire noir. Ça ne servait à rien que j'attende là. Le Vieux et la dame ont quitté le pont et sont rentrés chez eux. Bébé restait planté là au bord du lac.

Je l'ai appelé doucement :

« Ce n'est pas la peine. Il ne te laissera pas entrer. Retourne à Pont ou ailleurs. Va n'importe où, mais pas ici. »

Il a levé la tête avec cette même expression étonnée, et j'ai bien vu qu'il n'avait pas compris un mot de ce que je lui disais.

Je me sentais impuissant. Je suis rentré chez moi. Mais, toute la soirée, j'ai pensé à Bébé et, au matin, je suis redescendu au lac. J'avais pris un gros bâton pour me donner du courage. C'est pas qu'il aurait servi à grand-chose. Surtout contre le Vieux.

Eh bien, ils avaient dû arriver à une espèce d'accord pendant la nuit. Bébé était près de sa maman, et le Vieux bricolait de son côté.

Faut dire ce qui est : ça m'a soulagé. Parce que qu'est-ce que j'aurais bien pu dire ou faire, au fond? Si le Vieux ne voulait pas de Bébé à la maison, c'était son affaire, après tout. Et si Bébé était trop idiot pour s'en aller, ça ne regardait que lui.

Mais moi je donnais tort à la mère. C'était à elle à dire à Bébé qu'il dérangeait et que le Vieux était de mauvais poil, et que Bébé ferait mieux de se tirer avant que ça se gâte. Mais je l'ai jamais crue très intelligente. Elle n'a jamais montré beaucoup d'initiative.

Quoi qu'il en soit, leur accord a paru se maintenir quelque temps. Bébé restait collé aux jupes de sa mère; peut-être tout de même qu'il l'aidait au ménage, j'en sais rien; et le Vieux leur fichait la paix et restait seul de plus en plus.

Il avait pris l'habitude de s'asseoir près du pont, courbé, regardant la mer avec un drôle de regard rêveur. Il avait l'air bizarre et solitaire. Ça ne me plaisait pas. Je ne sais pas ce qu'étaient ses pensées, mais je suis sûr qu'elles étaient mauvaises. Ça commençait à faire très longtemps que leurs joyeuses parties de pêche en famille avaient cessé. Maintenant, tout était changé. Il restait seul à l'écart, et la dame et Bébé étaient toujours ensemble.

Il me faisait pitié, mais il me faisait peur aussi. Parce que je sentais que ça ne pourrait pas continuer comme ça indéfiniment; il arriverait quelque chose.

Je suis descendu un jour à la plage chercher du bois d'épave — il avait fait du vent toute la nuit — et, en jetant un coup d'œil vers le lac, j'ai vu que Bébé n'était pas avec sa mère. Il était de nouveau là, dans le marécage, grand et fort et crétin, et le Vieux, devant sa maison, regardait son fils avec des yeux d'assassin.

Je me suis dit : « Il va le tuer. » Mais je ne savais pas comment, où, ni quand, si ce serait la nuit dans son sommeil, ou dans la journée à la pêche. La mère ne servirait à rien, elle ne pourrait par le retenir. Ce n'était pas la peine d'en parler à la mère. Si seulement Bébé avait eu un grain de bon sens et était parti...

Je restai là à surveiller jusqu'à la tombée du jour. Il n'est rien arrivé.

Il a plu pendant la nuit. Il faisait gris, froid, et sombre. Décembre était partout, sur tous les arbres ternes et dénudés. Je n'ai pas pu descendre au lac avant la fin de l'après-midi; le ciel s'était dégagé et le soleil luisait, un peu mouillé comme souvent en hiver, un dernier éclat juste avant de s'enfoncer dans la mer.

J'ai vu le Vieux et aussi sa dame. Ils étaient tout près l'un de l'autre, devant la vieille cabane, et ils m'ont vu venir, car ils regardaient dans ma direction. Bébé n'était pas là. Il n'était pas non plus dans les marécages. Ni au bord du lac.

J'ai traversé le pont et j'ai suivi la rive droite du lac, j'avais mes jumelles, mais je n'ai pas aperçu

Bébé. Et tout le temps, je sentais que le Vieux me surveillait.

Je l'ai vu tout à coup. J'ai dégringolé le talus et traversé la prairie et je me suis approché de cette chose que j'apercevais là, étendue derrière les roseaux.

Il était mort. Il y avait un grand trou dans son corps. Du sang séché sur son dos. Mais il était resté étendu là toute la nuit. Son corps était trempé de pluie.

Vous allez peut-être dire que je suis idiot, mais je me suis mis à pleurer comme une bête, et j'ai crié au Vieux :

« Assassin, salaud, assassin! »

Il n'a pas répondu. Il n'a pas bougé. Il est resté là, debout devant sa baraque avec sa dame, à me regarder.

Vous vous demandez ce que j'ai fait? Je suis allé chercher une bêche et j'ai creusé une tombe pour Bébé dans les roseaux, et j'ai dit une prière pour lui, sans savoir seulement sa religion. Quand j'ai eu fini, j'ai regardé de l'autre côté du lac, vers le Vieux.

Et vous savez ce que j'ai vu?

Je l'ai vu baisser sa grande tête et se pencher vers sa dame et l'embrasser. Et elle a levé la tête vers lui et elle l'a embrassé aussi. C'était à la fois un *requiem* et une bénédiction. Une expiation, une action de grâces. Ils savaient bien, à leur manière à eux, qu'ils avaient mal agi, mais c'était fini maintenant que j'avais enterré Bébé et qu'il n'était plus là. Ils pouvaient de nouveau être ensemble tous les deux sans un tiers pour les diviser.

Ils ont été au milieu du lac, et, tout à coup, j'ai vu le Vieux tendre le cou et battre des ailes, et il a pris son vol au-dessus de l'eau, d'un mouvement plein de puissance, et elle l'a suivi. J'ai regardé les deux cygnes s'envoler vers la mer, tout droit dans le soleil couchant, et je peux vous dire que c'est un des plus beaux spectacles que j'aie vus de ma vie : ces deux cygnes volant ainsi, seuls, en plein hiver.

MOBILE INCONNU

Traduction de Florence Glass

UN MATIN, vers onze heures et demie, Mary Farren se rendit dans la salle d'armes, prit le revolver de son mari, le chargea et se tira une balle. Le maître d'hôtel entendit le coup de feu de l'office. Sachant que Sir John était absent et ne serait pas de retour avant le déjeuner, il ne pouvait imaginer qui se trouvait dans la salle d'armes à pareille heure.

Il alla se rendre compte par lui-même, et trouva Lady Farren étendue sur le sol, baignant dans son sang. Elle était morte.

Horrifié, il appela la femme de charge, et d'un commun accord, ils convinrent d'alerter d'abord le docteur, puis la police, et de téléphoner ensuite à Sir John, qui assistait à un conseil d'administration.

Le maître d'hôtel raconta au docteur et à la police, qui se suivirent à quelques minutes d'intervalle, ce qui était arrivé; au téléphone, il avait formulé son appel à l'un et aux autres de la même manière :

« Sa Grâce a eu un accident. Elle est étendue à

terre dans la salle d'armes, une blessure à la tête. Je crois qu'elle est morte. »

Le message destiné à Sir John était quelque peu différent. Il consistait simplement en ceci :

« Sir John pouvait-il rentrer immédiatement à la maison, car Sa Grâce avait eu un accident? »

Le docteur dut cependant lui dire la vérité quand il rentra.

C'était une déplorable et malheureuse histoire. Il connaissait John Farren depuis des années — c'était lui qui soignait Mary Farren et son mari. Il ne connaissait pas de couple plus uni, et ils étaient si heureux de la naissance du bébé qui devait avoir lieu au printemps. Aucune complication n'était à craindre : Mary Farren était une femme normale, pleine de santé et ravie à l'idée d'être mère.

Le suicide était par conséquent inexplicable. Car c'était un suicide. Il ne pouvait y avoir le moindre doute. Mary Farren avait griffonné trois mots sur un bout de papier qu'elle avait posé sur le bureau de la salle d'armes. Les trois mots disaient : « Pardonne-moi, chéri. »

Le revolver avait été rangé, une fois déchargé, comme à l'habitude. Il fallait donc que Mary Farren l'eût chargé pour se tuer.

La police et le médecin tombèrent d'accord que la blessure avait été infligée par la victime elle-même. Heureusement, elle avait dû mourir sur le coup.

Sir John était effondré. Au cours de la demi-heure pendant laquelle il s'entretint avec les docteurs et la police, il vieillit de dix ans.

« Mais pourquoi a-t-elle fait cela? répétait-il sans cesse dans son désespoir, nous étions si heureux. Nous nous aimions, nous attendions l'enfant, il n'y avait aucune raison, je vous dis, aucune. »

Ni la police ni le docteur ne pouvaient lui apporter de réponse.

Les formalités habituelles furent accomplies, la routine officielle d'une enquête, suivie du verdict attendu : « Suicide. Mobile inconnu. »

Sir John eut un autre entretien avec le docteur, puis un autre encore, mais ils ne purent aboutir à une conclusion.

« Oui, c'est possible, disait le docteur, il arrive que certaines femmes, dans cet état, aient l'esprit momentanément dérangé, mais vous en auriez remarqué les symptômes, et moi aussi. Vous me dites qu'elle était parfaitement normale la nuit d'avant, parfaitement normale au petit déjeuner. D'après ce que vous savez, elle n'avait aucune préoccupation?

— Pas la moindre, répliquait Sir John, nous avons pris notre petit déjeuner ensemble, comme tous les jours, nous avons fait des projets pour l'après-midi; après mon conseil d'administration, je devais l'emmener faire une promenade en voiture. Elle paraissait si gaie, si heureuse. »

Les domestiques attestèrent, eux aussi, la bonne humeur de leur maîtresse.

La femme de chambre, qui s'était rendue dans la chambre à coucher à dix heures et demie, y avait trouvé Sa Grâce occupée à examiner des châles de laine arrivés par la poste. Lady Farren, ravie du travail délicat des ouvrages, les lui avait montrés et avait déclaré qu'elle en garderait deux : un rose et un bleu — pour un petit garçon ou une petite fille.

A onze heures, le représentant d'une firme de meubles de jardin s'était présenté. Madame avait reçu le jeune homme et choisi dans son catalogue deux larges fauteuils de jardin. Le maître d'hôtel le savait, car Lady Farren lui avait montré le catalogue, après le départ du représentant, quand il était venu demander s'il y avait des ordres pour le chauffeur, et madame avait dit :

« Non, je ne sortirai pas ce matin. J'attendrai Sir John qui m'emmènera faire une promenade en voiture après le déjeuner. »

Le maître d'hôtel était sorti de la pièce, laissant madame boire son verre de lait. Il était la dernière personne à avoir vu Lady Farren vivante.

« Nous aboutissons à ceci, dit Sir John : entre ce moment, c'est-à-dire onze heures vingt environ, et onze heures et demie, heure à laquelle elle s'est suicidée, Mary est devenue folle subitement. C'est impossible! Il *doit* y avoir une raison. Il faut que je la découvre, je n'aurai plus jamais l'esprit en repos avant d'y être parvenu. »

Le docteur fit de son mieux pour l'arracher à son idée fixe, mais il n'y eut rien à faire. Quant à lui, il était persuadé que Mary Farren avait été la proie d'une folie soudaine, provoquée par son état, et s'était suicidée sans savoir ce qu'elle faisait. Il fallait en rester là, ne pas chercher plus loin. Le temps seul aiderait John Farren à oublier.

John Farren ne fit rien pour oublier. Il se rendit à une agence de police privée et eut un entretien avec un détective nommé Black, qu'on lui avait recommandé comme étant particulièrement discret et compétent. Sir John lui raconta toute l'histoire. Black était un Ecossais avisé : il ne parlait pas beaucoup, mais il savait écouter. En son for intérieur, il se dit que la théorie du docteur était la bonne, et qu'une subite crise de folie due à la grossesse avait poussé la malheureuse au suicide. Néanmoins, comme c'était un détective fort consciencieux, il se rendit sur place, à la campagne, interroger les domestiques. Il posa de nombreuses questions que la police avait oubliées, bavarda avec le docteur, s'enquit du courrier que Lady Farren avait reçu au cours des dernières semaines, des conversations téléphoniques et des visites qu'elle avait eues; malgré tous ses efforts, il n'avait pas encore de solution à offrir au mari.

La raison la plus évidente qui s'était présentée

à son esprit blasé — à savoir que Lady Farren attendait l'enfant de son amant — s'était révélée invraisemblable. Enquête et contre-enquête en démontrèrent l'impossibilité. Le mari et la femme s'adoraient et ne s'étaient encore jamais séparés depuis trois ans que durait leur mariage. Tous les domestiques, sans exception, parlèrent du profond attachement qu'ils avaient l'un pour l'autre. D'autre part, ils n'avaient aucun souci d'ordre financier. Black ne réussit pas davantage à découvrir la moindre trace d'infidélité de la part de Sir John. Les domestiques, les amis, les voisins, tous chantèrent ses louanges. Sa femme ne pouvait donc s'être suicidée à cause d'une déception conjugale.

Pendant un certain temps, Black resta déconcerté, mais pas vaincu. Une fois qu'il était lancé sur une affaire, il aimait à la dénouer, et malgré son endurcissement professionnel, il ne pouvait s'empêcher de plaindre Sir John, qu'il voyait se débattre dans son désespoir.

« Vous savez, dit-il un jour, dans des affaires comme celle-ci, nous avons souvent à remonter dans le passé de la victime, beaucoup plus loin que dans les quelques semaines qui ont précédé sa mort. Avec votre permission, j'ai examiné le moindre papier se trouvant dans le bureau de votre femme, j'ai parcouru sa correspondance. et je n'ai pas trouvé la plus petite chose pouvant me révéler la cause de sa folie soudaine — si folie il y a eu. Vous m'avez dit avoir rencontré Lady Farren — Miss Marsh de son nom de jeune fille — lors d'un séjour en Suisse. Elle habitait alors avec une tante malade, Miss Vera Marsh, qui l'avait recueillie et élevée après la mort de ses parents.

— C'est exact, dit Sir John.

— Elles vivaient toutes les deux à Sierre, ainsi qu'à Lausanne, et vous avez fait la connaissance des deux Miss Marsh, la tante et la nièce, dans la maison d'amis communs, à Sierre. Vous vous êtes pris de sympathie pour la jeune Miss Marsh, et à la fin de vos vacances, vous vous êtes aperçu que vous étiez tombé amoureux d'elle. Elle vous aimait également et vous lui avez demandé de vous épouser.

— Oui.

— La tante ne fit aucune objection; en fait, elle était ravie. Il fut convenu entre vous que vous lui verseriez une pension destinée à couvrir les frais de la demoiselle de compagnie qui allait remplacer sa nièce, et deux mois plus tard, vous vous mariiez à Lausanne.

— Encore une fois, exact.

— Il ne fut jamais question que la tante viendrait vivre en Angleterre?

— Non, répondit Sir John. Mary le désirait, car elle était très attachée à sa tante, mais la vieille dame refusa. Elle vivait depuis très longtemps en Suisse et ne tenait pas à affronter à nouveau le climat anglais, ou la nourriture anglaise. A propos, nous sommes allés la voir deux fois depuis notre mariage. »

Black demanda si Sir John avait eu des nouvelles de la tante de sa femme depuis le drame. Oui. Il lui avait écrit aussitôt, bien entendu, et elle avait également lu la nouvelle dans les journaux. Elle était horrifiée et incapable de fournir une raison pour laquelle Mary aurait attenté à sa vie. Quelques jours seulement avant l'affreux événement, une lettre de sa nièce lui était parvenue à Sierre, emplie de la joie qu'elle éprouvait à mettre bientôt au monde son enfant. Miss Marsh avait envoyé la lettre à Sir John afin qu'il la lût. Et Sir John la remit à Black.

« Je crois comprendre, fit Black, que ces deux dames menaient une vie très tranquille quand vous avez fait leur connaissance, il y a trois ans?

— Elles vivaient dans une petite villa, comme je vous l'ai déjà dit, à Sierre, et deux fois par an, elles avaient l'habitude d'aller faire un séjour à Lausanne, où elles prenaient des chambres dans une pension. La vieille dame est un peu fragile des poumons, mais rien d'assez sérieux pour nécessiter un sanatorium ou quelque chose comme ça. Mary était une nièce extrêmement dévouée. C'est cette qualité qui m'a attirée vers elle en premier. La douceur et la bonne humeur qu'elle témoignait à sa tante, qui, comme beaucoup de vieilles personnes à demi impotentes, a plutôt tendance à se montrer revêche de temps en temps.

— Ainsi, votre femme, la jeune Miss Marsh, ne sortait pas beaucoup? Pas d'amis de son âge et tout ce qui s'ensuit?

— Je ne crois pas. Cela ne semblait pas la contrarier. Elle avait une nature si facile.

— Et elle avait vécu ainsi depuis sa plus tendre enfance?

— Oui. Miss Marsh était la seule parente de Mary. Elle l'avait adoptée quand les parents de Mary étaient morts. Mary était une enfant à ce moment-là.

— Et quel âge avait votre femme quand vous l'avez épousée?

— Trente et un ans.

— Vous n'avez jamais entendu parler de fiançailles précédentes, ou d'un amour contrarié?

— Jamais. Je taquinais souvent Mary à ce sujet. Elle répondait toujours qu'elle n'avait jamais rencontré un homme qui lui eût donné le moindre battement de cœur, avant moi. Et sa tante le confirmait également. Je me souviens que Miss Marsh m'a dit, quand je me suis fiancé avec sa nièce : « Il est rare de trouver une jeune fille « aussi intacte que Mary. Elle a le plus joli visage « du monde et ne semble même pas le savoir. « Elle a aussi une nature d'élite et ne s'en rend « pas compte, vous êtes un homme heureux », et c'est vrai, j'étais heureux! »

Sir John regarda Black avec une telle expression de souffrance dans les yeux que le petit Ecossais endurci osa à peine continuer son interrogatoire.

« C'était donc un véritable mariage d'amour, des deux côtés? demanda-t-il, vous êtes tout à fait sûr qu'elle n'a pas été influencée par votre titre ou votre fortune? Je veux dire que la tante aurait pu montrer à sa nièce que votre demande en mariage était une chance inespérée, qui pourrait ne plus se représenter. Après tout, les femmes pensent à ces choses-là.

— Il est possible que Miss Marsh ait pensé cela, dit-il, je l'ignore. Mais certainement pas Mary. Dès le début, c'est moi qui lui ai fait la cour, elle ne me fit jamais d'avances. Si Mary avait été en quête d'un mari, certains signes me l'auraient indiqué à notre première rencontre. Vous savez comme les femmes peuvent se montrer malignes quand elles le veulent. Les amis chez qui j'ai fait la connaissance de ma femme m'auraient d'ailleurs prévenu que c'était là une fille de trente ans à la recherche d'un mari. Mon hôtesse ne m'a jamais rien dit de semblable. Au contraire, elle m'a déclaré : « Je « veux vous faire connaître une jeune fille déli« cieuse, que nous adorons tous, et que nous « plaignons, car elle mène une vie terriblement « solitaire. »

— Pourtant, elle ne vous a pas paru souffrir de sa solitude?

— Nullement. Elle semblait parfaitement heureuse. »

Black rendit la lettre de Miss Marsh à Sir John.

« Vous voulez toujours que je continue cette enquête? demanda-t-il. Ne pensez-vous pas qu'il serait plus simple d'admettre une fois pour toutes que c'est votre docteur qui a raison et que Lady Farren a été victime d'une sorte de folie momentanée l'ayant poussée à se suicider?

— Non, dit Sir John, je vous l'assure, la clef de cette tragédie est quelque part et je n'aurai de cesse avant de l'avoir découverte. Ou plutôt, c'est vous qui la découvrirez pour moi. C'est la raison de votre mission. »

Black se leva de sa chaise.

« Très bien, dit-il, si c'est là ce que vous pensez, je continue l'affaire.

— Qu'allez-vous faire? interrogea Sir John.

— Je partirai demain pour la Suisse en avion. »

Black remit sa carte au chalet « Mon Repos » et fut introduit dans un petit salon éclairé par un balcon qui laissait entrevoir le magnifique paysage de la vallée du Rhône.

Une femme — la demoiselle de compagnie de Miss Marsh, pensa Black — le précéda à travers le salon jusqu'au balcon. Black eut le temps de remarquer que la pièce était meublée avec goût, mais sans rien de très original. En somme, la chambre d'une vieille demoiselle anglaise vivant à l'étranger et ennemie des dépenses superflues.

Au-dessus de la cheminée était suspendu un grand portrait de Lady Farren — un portrait récent, la réplique de celui que Black avait vu dans le bureau de Sir John. Sur un petit secrétaire, il aperçut une autre photo de Lady Farren, âgée cette fois d'une vingtaine d'années. Une jolie fille à l'air un peu timide, les cheveux un peu plus longs que sur ses plus récentes photos.

Black s'approcha du balcon et se présenta comme un ami de Sir John Farren à la vieille dame, qui était installée dans un fauteuil roulant.

Miss Marsh avait des cheveux très blancs, des yeux bleus et une bouche au dessin ferme. D'après la façon dont elle s'adressa à sa compagne, qui s'effaça presque aussitôt et les laissa seuls, Black déduisit qu'elle était dure envers les subalternes. Elle parut cependant sincèrement heureuse de faire la connaissance de Black et s'informa aussitôt de Sir John. Elle voulut savoir si quelque lumière s'était faite sur le douloureux mystère.

« Je suis navré de vous répondre non, dit Black. En fait, je suis ici pour vous demander ce que vous savez vous-même de la chose. Vous connaissiez Lady Farren mieux qu'aucun d'entre nous, mieux même que son mari. Sir John pense que vous pourriez avoir quelques idées sur ce drame. »

Miss Marsh sembla surprise.

« Mais j'ai écrit à Sir John que j'étais horrifiée et stupéfaite, dit-elle. Je lui ai même envoyé la dernière lettre de Mary. Ne vous l'a-t-il pas dit?

— Si, dit Black, j'ai vu la lettre. En avez-vous d'autres?

— J'ai gardé toute sa correspondance, fit Miss Marsh, elle m'écrivait régulièrement, chaque semaine, depuis son mariage. Si Sir John désire avoir ces lettres, je me ferai un plaisir de les lui envoyer. Il n'y en a pas une seule qui ne soit pleine de son amour pour son mari, et de la joie, de la fierté que lui procurait sa maison. Son seul regret était que je ne puisse me décider à aller les voir. Mais, vous comprenez, je suis une vieille femme impotente. »

« Elle paraît pourtant assez vigoureuse, pensa Black, mais peut-être n'avait-elle pas envie d'y aller? »

« J'imagine que votre nièce et vous étiez très attachées l'une à l'autre? dit-il.

— J'aimais profondément Mary, et j'aime à penser qu'elle me rendait mon affection, telle fut la prompte réplique. Dieu sait que je suis grognonne à certains moments, mais Mary ne semblait jamais s'en soucier. C'était la jeune fille la plus douce et la meilleure du monde.

— Vous avez dû regretter de vous séparer d'elle?

— Bien sûr, elle m'a terriblement manqué et elle me manque toujours. Mais son bonheur venait en premier, naturellement.

— Sir John m'a dit qu'il vous versait une pension pour couvrir les frais occasionnés par votre demoiselle de compagnie.

— Oui, c'était fort généreux à lui. Savez-vous s'il continuera à me la payer? »

Il y avait eu une inflexion tendue dans sa voix. Black décida qu'il avait probablement vu juste en estimant Miss Marsh, dès l'abord, comme une personne assez près de ses sous.

« Sir John ne me l'a pas dit. Mais je suis certain que s'il avait pris la décision de ne plus vous la verser, vous en eussiez été avertie par lui, ou par son homme d'affaires. »

Black baissa les yeux sur les mains de Miss Marsh; ses doigts tapotaient nerveusement les accoudoirs de son fauteuil roulant.

« Il n'y avait rien, dans le passé de votre nièce, qui pût expliquer son suicide? » demanda-t-il.

Elle le regarda, stupéfaite.

« Que diantre voulez-vous dire?

— Pas d'autres fiançailles, d'amour contrarié?

— Grands dieux, non! »

C'est curieux comme elle semblait soulagée par sa question.

« Sir John a été l'unique amour de Mary. Elle a mené à mes côtés une vie plutôt solitaire. Il n'y a pas beaucoup de jeunes gens dans le voisinage. Et même à Lausanne, elle ne semblait jamais rechercher la compagnie de jeunes de son âge. Ce n'est pas qu'elle fût particulièrement timide, elle était simplement réservée.

— Et ses amies d'école?

— C'est moi qui lui ai donné des leçons quand

elle était petite. Plus tard, elle a pris quelques cours à Lausanne, mais comme externe — nous vivions dans une pension tout près de l'école. Je crois me souvenir d'une ou deux jeunes filles qui venaient parfois prendre le thé avec nous. Mais elle n'avait pas d'amie intime.

— Avez-vous des photos d'elle à cet âge-là?

— Oui, plusieurs. Je les ai toutes mises dans un album. Aimeriez-vous les voir?

— Ma foi, oui. Sir John m'en a montré quelques-unes, mais il n'en avait pas datant d'avant son mariage. »

Miss Marsh indiqua du doigt le secrétaire dans le salon, et lui dit d'ouvrir le second tiroir et d'en sortir un album. Il l'apporta à la vieille dame, qui l'ouvrit, après avoir posé des lunettes sur son nez. Black rapprocha sa chaise.

Ils parcoururent l'album au hasard. Il y avait beaucoup d'instantanés, tous sans grand intérêt. Lady Farren toute seule. Miss Marsh toute seule. Lady Farren et Miss Marsh en compagnie d'un groupe d'autres personnes. Des photos du chalet, des vues de Lausanne. Black tournait les pages. Aucune piste ne s'amorçait là.

« Est-ce tout? demanda-t-il.

— Je le crains, répondit Miss Marsh; quelle jolie jeune fille c'était, n'est-ce pas? Des yeux bruns si doux! Quelle affreuse chose... Pauvre Sir John!

— Je remarque que vous n'avez aucune photo

d'elle enfant. Les plus anciennes la montrent à quinze ans environ. »

Il y eut un moment de silence, puis Miss Marsh répondit :

« Non... non. Je crois que je n'avais pas d'appareil en ce temps-là. »

Black avait une ouïe bien entraînée. Il fut facile pour lui de détecter une fausse note dans la voix de la vieille demoiselle. Miss Marsh mentait. Mais à quel sujet?

« Quel dommage, dit-il, c'est si intéressant de reconnaître l'enfant dans le visage de l'adulte. Je suis marié et pour rien au monde ma femme et moi ne voudrions perdre les premiers albums de notre petit.

— Oui, c'était vraiment stupide de ma part », fit Miss Marsh.

Elle posa l'album devant elle sur la petite table.

« Mais vous avez sans doute des photos prises en studio, comme tout le monde? reprit Black.

— Non. Ou si j'en ai eu, je les ai perdues. Dans le déménagement sans doute. Nous sommes arrivées ici quand Mary avait quinze ans. Avant cela, nous étions à Lausanne.

— Et vous avez adopté Mary à l'âge de cinq ans. C'est ce que Sir John m'a dit, je crois.

— Oui. Elle devait avoir environ cinq ans. »

De nouveau, la légère hésitation dans sa voix.

« Avez-vous des photos des parents de Mary?

— Non.

— Pourtant, son père était votre seul frère, si j'ai bien compris?

— Mon seul frère, oui.

— Qu'est-ce qui vous a décidée à adopter l'enfant?

— La mère était morte, et mon frère ne savait pas s'occuper d'elle. C'était une enfant délicate. Nous avons pensé tous deux que ce serait la meilleure solution.

— Naturellement, votre frère vous a versé une pension pour l'enfant?

— Naturellement, je n'aurais pu m'en sortir autrement. »

C'est alors que Miss Marsh commit une faute. Sans cette unique petite faute, Black aurait pu abandonner l'affaire.

« Vous posez vraiment d'étranges questions, monsieur Black, dit-elle avec un petit rire sec. Je ne vois pas en quoi la pension qui m'a été versée par le père de Mary peut vous intéresser. Ce que vous cherchez, c'est pourquoi la pauvre enfant s'est suicidée, et c'est ce que son mari et moi-même voudrions bien savoir aussi.

— Tout ce qui se rattache au passé de Lady Farren, même d'une façon très lointaine, m'intéresse, dit Black. Voyez-vous, Sir John m'a chargé de cette mission. Il est peut-être temps que je vous explique que je ne suis pas vraiment un de ses amis, mais un détective privé. »

Le visage de Miss Marsh vira au gris. Son maintien s'effondra. Soudain, elle ne fut plus qu'une vieille femme très effrayée.

« Que cherchez-vous ici? demanda-t-elle.

— Tout », répliqua Black.

L'Ecossais avait une théorie favorite, qu'il se plaisait à exposer souvent devant le directeur de son agence, selon laquelle il n'existait que très peu de gens sur terre n'ayant rien à cacher. Il avait maintes fois observé des hommes et des femmes à la barre des témoins, et rares étaient ceux qui n'étaient pas effrayés, non point par les questions qui leur étaient posées, mais par la crainte de commettre, en répondant à ces questions, quelque erreur, quelque inadvertance de langage susceptible de trahir un de leurs propres secrets.

Black était sûr que Miss Marsh se trouvait en ce moment dans une situation analogue. Peut-être ne savait-elle rien du suicide de Lady Farren, de ce qui l'avait causé, mais Miss Marsh elle-même était coupable de quelque chose qu'elle avait longuement cherché à dissimuler.

« Si Sir John a découvert que je touchais déjà une pension et pense que j'ai volé Mary, il pourrait tout de même avoir la courtoisie de me le dire lui-même sans envoyer un détective privé », déclara-t-elle.

« Ah! ah! nous y voici! pensa Black. Laissons-la s'enferrer. »

« Sir John n'a pas parlé de vol, dit-il, il a seulement pensé que les circonstances étaient un peu bizarres. »

C'était un trait lancé au hasard, mais Black sentait qu'il pourrait atteindre son but.

« Evidemment, elles étaient bizarres, répliqua Miss Marsh, j'ai essayé de faire pour le mieux, et je crois que j'y avais réussi. Je peux vous jurer, monsieur Black, que je n'ai guère utilisé cet argent pour moi-même, et que la plus grande partie a été employée pour l'entretien de Mary, suivant l'accord conclu avec le père de l'enfant. Quand Mary se maria — et même fit un beau mariage —, je n'ai pas pensé qu'il serait mal de garder le capital pour moi. Sir John était riche et cet argent ne faisait pas défaut à Mary.

— Je suppose, fit Black, que Lady Farren ignorait tout de la situation matérielle où vous vous trouviez?

— Tout, confirma Miss Marsh, elle ne s'est jamais intéressée aux questions d'argent et elle croyait dépendre de moi, financièrement. Vous ne pensez pas que Sir John va m'intenter un procès, monsieur Black? S'il le gagnait, comme c'est propable, je resterais sans aucune ressource. »

Black se frotta le menton, feignant de réfléchir.

« Miss Marsh, je ne pense pas que Sir John désire vous poursuivre en justice, dit-il, je crois qu'il voudrait simplement connaître la vérité. »

Miss Marsh se renversa dans son fauteuil roulant. Elle n'avait plus rien de raide ou de hautain, ce n'était plus qu'une vieille femme lasse.

« Maintenant que Mary est morte, la vérité ne peut plus la blesser, dit-elle. Le fait est, monsieur Black, qu'elle n'a jamais été ma nièce. On m'a versé une somme importante pour que je m'occupe d'elle. Le capital aurait dû lui revenir à sa majorité, mais au lieu de le lui donner, je l'ai gardé pour moi. Le père de Mary, avec lequel j'avais signé une sorte de contrat, était mort entre-temps. Ici, en Suisse, où je vivais, personne ne savait rien de cela. C'était si simple de garder cela secret, je ne croyais pas mal faire. »

« C'est toujours ainsi, se dit Black. La tentation vient vous assaillir, et on ne « pense » jamais mal faire. »

« Je comprends, fit-il à haute voix. Allons, Miss Marsh, je n'ai pas l'intention de vous demander en détail de quelle façon vous avez dépensé l'argent destiné à Lady Farren. Ce qui m'intéresse est ceci : puisqu'elle n'était pas votre nièce, qui était-elle?

— Elle était la fille unique d'un certain M. Henry Warner. Voilà tout ce que j'ai pu savoir. Il ne m'a jamais dit où il vivait, jamais donné son adresse. Je ne connaissais que celle de son banquier à Londres. C'est de là que me sont parvenus quatre chèques. Après que je me fus chargée de Mary, M. Warner partit pour le Canada. C'est là-bas qu'il mourut cinq ans plus tard. La banque m'informa de la nouvelle, et comme je n'eus plus aucune lettre des banquiers par la suite, j'ai cru que je ne risquais rien de faire ce que j'ai fait, je veux dire pour l'argent. »

Black prit note du nom : Henri Warner, et de l'adresse de la banque.

« M. Warner n'était pas l'un de vos amis? demanda-t-il.

— Oh, non! Je ne l'ai vu que deux fois. La première, quand j'ai répondu à son annonce demandant une personne qui prendrait en charge, sans limite de durée, une jeune fille de santé délicate. En ce temps-là, j'étais très pauvre — je venais de perdre ma place de gouvernante dans une famille qui retournait en Angleterre. Je ne voulais pas m'engager comme professeur dans une école, et cette annonce tomba sur moi comme un bienfait des dieux, d'autant plus que le père était disposé à verser une somme fort importante pour l'entretien de l'enfant. A parler franchement, je compris que je pourrais enfin mener la vie agréable que j'avais en vain désirée jusqu'alors. Vous ne pouvez m'en blâmer. »

Un peu de son assurance passée lui revenait. Elle lança un regard aigu à Black.

« Je ne vous blâme pas, dit-il, parlez-moi de Henry Warner.

— Il n'y a pas grand-chose à dire. Il me posa très peu de questions sur moi, sur mon passé. Le seul point sur lequel il insista est qu'il voulait que Mary restât avec moi pour de bon, il n'avait pas l'intention de la reprendre un jour avec lui, ni même de correspondre avec elle. Il projetait de partir pour le Canada, me dit-il, et de rompre complètement avec le passé. J'étais entièrement libre d'élever sa fille de la manière que je souhaitais. En d'autres termes, il ne voulait plus entendre parler d'elle.

— Un type plutôt dur? suggéra Black.

— Pas spécialement dur, répondit Miss Marsh. Il paraissait plutôt soucieux, inquiet, comme si la responsabilité de veiller sur l'enfant était trop lourde pour lui. Apparemment, sa femme était morte. Puis, je lui demandais en quoi sa fille était délicate, car je ne savais guère soigner les malades, et la perspective d'un enfant souffreteux ne m'enchantait pas. Il m'expliqua qu'elle n'était pas fragile physiquement, mais que, quelques mois auparavant, elle avait assisté à un effroyable accident de chemin de fer, et que le choc lui avait fait perdre la mémoire. Autrement, elle était parfaitement normale, en très bonne santé. Mais elle ne se souvenait de rien de ce qui avait précédé ce choc. Elle ne savait même pas qu'il était son père. C'était pour cette raison, conclut-il, qu'il désirait la voir commencer une vie nouvelle dans un autre pays. »

Black griffonna quelques notes sur son carnet. L'affaire commençait enfin à laisser entrevoir des possibilités.

« Ainsi, vous avez accepté le risque d'avoir sur

les bras, et peut-être pour toujours, cette enfant souffrant d'un choc nerveux? » demanda-t-il.

Il n'avait pas eu l'intention de paraître cynique, mais Miss Marsh perçut une critique dans sa question et rougit.

« J'avais l'habitude des enfants et l'habitude d'enseigner, dit-elle. De plus, je chérissais mon indépendance. J'acceptai l'offre de M. Warner, à condition que l'enfant me plaise et que je plaise à l'enfant. Il amena Mary avec lui à notre second rendez-vous. Il était impossible de ne pas se prendre immédiatement d'affection pour elle. Ce charmant petit visage, ces grands yeux pleins de douceur et ses manières aimables. Elle semblait parfaitement normale, un peu jeune pour son âge. Je bavardai avec elle et lui demandai si elle aimerait venir vivre avec moi. Elle répondit que oui et mit sa main dans la mienne d'un geste si confiant... Je donnai une réponse affirmative à M. Warner et le marché fut conclu. Il me laissa Mary ce soir-là et nous ne le revîmes jamais, ni l'une ni l'autre. Il était aisé de faire croire à l'enfant qu'elle était ma nièce, puisqu'elle ne se souvenait plus de rien. Elle accepta comme paroles d'Evangile tout ce que je lui racontai de son passé. C'était si facile.

— Et elle ne retrouva jamais la mémoire, Miss Marsh?

— Jamais. La vie commença pour elle le jour où son père me la confia dans cet hôtel de Lausanne, et elle commença vraiment pour moi aussi. Je n'aurais pu l'aimer davantage si elle avait réellement été ma nièce. »

Black parcourut ses notes, et les rangea dans sa poche.

« Ainsi, en dehors du fait qu'elle était la fille d'un certain M. Henry Warner, vous ignoriez tout d'elle?

— Absolument.

— Pour vous, c'était simplement une petite fille de cinq ans qui avait perdu la mémoire?

— Quinze ans, corrigea Miss Marsh.

— Quinze ans? Que voulez-vous dire? »

Miss Marsh rougit de nouveau.

« J'oubliais que je vous ai menti tout à l'heure, dit-elle. J'ai toujours dit à Mary, et à tout le monde, que j'avais adopté ma nièce quand elle avait cinq ans. Cela simplifiait beaucoup les choses pour moi, et pour Mary aussi, puisqu'elle ne se souvenait pas de la vie qu'elle avait menée avant notre première rencontre. En réalité, elle avait bel et bien quinze ans. Vous comprenez à présent pourquoi je n'ai pas de photos de Mary enfant?

— Oui, je comprends très bien, fit Black. Il ne me reste plus qu'à vous remercier, Miss Marsh, de votre aide. Je ne pense pas que Sir John me pose des questions embarrassantes au sujet de l'argent. De toute manière, pour le moment, je considère ce que vous m'avez raconté comme strictement confidentiel. Il faut que je découvre maintenant où Lady Farren — Mary Warner — a passé les quinze premières années de sa vie, et qu'elle fut cette vie. Peut-être y a-t-il là quelque rapport avec son suicide. »

Miss Marsh sonna la demoiselle de compagnie afin qu'elle raccompagnât Black. Elle n'avait pas encore complètement recouvré sa sérénité.

« Un fait m'a toujours beaucoup surpris, dit-elle. J'ai l'impression que son père, Henry Warner, ne m'a pas dit la vérité. Mary n'a jamais témoigné de la moindre frayeur quand elle se trouvait dans un train, et malgré toutes les enquêtes que j'ai entreprises auprès de nombreux amis, je n'ai jamais entendu parler d'un grave accident de chemin de fer qui se serait produit en Angleterre, ou ailleurs, durant les mois qui précédèrent l'arrivée de Mary chez moi. »

Black retourna à Londres, mais il n'alla pas voir Sir John, car il estima préférable d'attendre qu'il eût des nouvelles plus précises à lui communiquer.

Il lui parut inutile d'apprendre à Sir John que Mary n'était pas la nièce de Miss Marsh. Cette nouvelle ne ferait que le bouleverser, et il était peu probable que Mary eût été poussée au suicide par cette révélation — en admettant qu'elle ait été brusquement mise au courant.

Restait la possibilité qu'un choc soudain eût

déchiré, en un instant, le voile qui, depuis dix neuf ans, obscurcissait la mémoire de Lady Farren.

C'était à Black de découvrir quel avait pu être ce choc. Sa première visite, à son retour à Londres, fut pour la banque auprès de laquelle Henry Warner avait eu un compte. Il demanda à voir le directeur et lui expliqua sa mission.

Il apparut que Henry Warner était vraiment allé au Canada, où il s'était remarié, puis était mort. Sa veuve avait écrit pour retirer les fonds de la banque. Le directeur ignorait si Henry Warner avait laissé une seconde famille au Canada, et même jusqu'à l'adresse de la veuve. Sa première femme était morte de nombreuses années auparavant. Oui, il savait qu'il y avait eu une fille du premier mariage, elle avait été adoptée par une certaine Miss Marsh en Suisse. Plusieurs chèques avaient été versés à Miss Marsh, mais les paiements avaient cessé lors de son second mariage. La seule information pouvant s'avérer utile qu'il fût en mesure de donner à Black était l'ancienne adresse de Warner en Angleterre. Black apprit ainsi ce que Henry Warner avait caché à Miss Marsh, c'est-à-dire qu'il était d'homme d'Eglise, et qu'au moment de l'adoption de l'enfant par l'institutrice en Suisse, il était pasteur de All Saints, dans la paroisse de Long Common (Hampshire).

Black fit le voyage jusque dans le Hampshire, empli d'un délectable sentiment d'attente. Il commençait toujours à s'amuser quand la piste s'amorçait;

cela lui rappelait les jeux de cache-cache de son enfance. C'était d'ailleurs sa curiosité et son intérêt pour l'imprévu qui l'avaient poussé à se faire détective privé, et il n'avait jamais regretté cette vocation.

Il avait beau s'efforcer à l'objectivité, il lui était difficile de ne pas considérer le révérend Henry Warner comme le « vilain » de ce drame. Le brusque abandon — à une parfaite inconnue et dans un pays étranger — d'une jeune fille frappée d'amnésie, puis ce départ pour le Canada en coupant tous les ponts... Une telle conduite semblait étrangement cruelle de la part d'un pasteur.

Black flairait là un scandale, et si la souillure en avait encore laissé quelques traces à Long Common après dix-neuf ans, il ne serait pas difficile de le déterrer.

Il descendit à l'auberge du village, se donnant pour un écrivain passionné par les vieilles églises du Hampshire, et c'est également de ce prétexte qu'il se servit pour aller voir le prêtre en charge. Son désir fut exaucé, et le vicaire, un jeune homme également passionné d'architecture, lui fit admirer chaque coin de l'église, de la nef jusqu'au clocher, sans lui épargner un seul détail des sculptures, datant du XVe siècle.

Black écouta poliment, en tâchant de déguiser son ignorance, et réussit finalement à amener le vicaire à parler de ses prédécesseurs.

Malheureusement, le vicaire n'était à Long

Common que depuis six ans, et il ne connaissait que très peu de chose au sujet de Warner, qui avait été remplacé par un autre pasteur avant lui, mais il était bien exact que Warner avait été pasteur de la paroisse pendant douze ans et que sa femme était enterrée dans le cimetière du village.

Black alla voir la tombe et nota l'épitaphe : « Ci-gît Emily Warner, épouse bien-aimée de Henry Warner, qui repose dans la paix du Christ. »

Il inscrivit la date sur son carnet. Mary devait avoir dix ans quand sa mère était morte.

Oui, le vicaire avait entendu dire que Warner avait quitté la paroisse de façon assez précipitée et était parti pour les Dominions, au Canada, croyait-il. Certains habitants du village se souviendraient sans doute de lui, surtout les vieux. Son ancien jardinier tout particulièrement. Il avait travaillé au presbytère pendant trente ans.

En tout cas, le vicaire pouvait assurer à son visiteur que Warner n'avait été ni un historien ni un collectionneur, et n'avait contribué en rien aux recherches historiques et architecturales de l'église.

Si M. Black consentait à l'accompagner au presbytère, il pourrait lui montrer des ouvrages fort intéressants sur le passé historique de Long Common.

M. Black s'excusa. Il avait tiré tout ce qu'il pouvait du présent titulaire et sentait qu'une soirée passée au bar de l'auberge serait plus profitable; il ne se trompait pas.

Ses connaissances sur l'art sculptural au xve siècle ne s'enrichirent pas, mais, par contre, il apprit pas mal de choses sur le révérend Henry Warner.

Le pasteur avait été respecté dans la paroisse, mais peu aimé à cause de ses conceptions rigides et de son intolérance. Ce n'était pas l'espèce d'homme auquel ses paroissiens pouvaient se confier quand ils avaient des ennuis; il condamnait plus volontiers qu'il ne consolait. Jamais il n'avait franchi le seuil de l'auberge, jamais il ne s'était commis avec les humbles, les pauvres.

On savait dans le pays qu'il avait une fortune personnelle et n'avait pas besoin de son traitement pour vivre. Il aimait à être invité dans les riches propriétés du voisinage, car il plaçait bien haut les valeurs sociales; mais dans ce milieu bourgeois non plus, il n'avait pas été très populaire.

Bref, le révérend Henry Warner avait été un snob à l'esprit étroit et intolérant, bien peu qualifié, en somme, pour l'état de pasteur. Sa femme, au contraire, avait été aimée de tous et profondément regrettée quand elle était morte à la suite de l'opération d'un cancer. C'était une femme charmante et douce, pleine de bonté; sa petite fille lui ressemblait beaucoup.

L'enfant avait-elle été très frappée par la mort de sa mère?

Nul n'aurait su le dire. Pensionnaire dans un collège, elle n'était à la maison que pendant les vacances. Une ou deux personnes se souvenaient d'elle, se promenant à bicyclette, une jolie petite fille, gentille avec tout le monde. Le jardinier, qui était encore maintenant au presbytère, avait servi avec sa femme du temps du révérend Warner. Le vieux Harris. Non, il ne venait jamais à l'auberge — il ne buvait jamais d'alcool. Il vivait dans un petit cottage, près de l'église. Non, sa femme était morte. Sa fille mariée habitait avec lui. Il avait la passion des belles roses et chaque année il gagnait un prix à l'exposition d'horticulture du pays.

Black finit sa bière et prit congé. Il n'était pas tard encore. Black changea de rôle : cessant de s'intéresser à l'architecture sacrée, il devint amateur de roses du Hampshire. Il trouva le vieux Harris fumant la pipe devant sa maison. Des roses grimpaient tout le long des barrières de son jardinet. Black s'arrêta pour les admirer. La conversation s'engagea.

Il lui fallut près d'une heure pour amener Harris des roses aux anciens pasteurs, des anciens pasteurs à Warner, de Warner à Mme Warner et de Mme Warner à sa fille, mais le tableau se déroulait devant ses yeux, et il ne comportait rien de remarquable. C'était la même histoire que celle qu'on avait racontée au village.

Le révérend Warner avait été un homme dur, peu amical, avare de louanges. Il ne s'intéressait guère au jardin. Plutôt prétentieux. Si quelque chose ne lui plaisait pas, il ne vous mâchait pas ses mots. Ah! sa dame, c'était pas pareil! Dommage qu'elle soit morte. Miss Mary était aussi une bien gentille petite. Pas prétentieuse, celle-là, et pas fière pour un sou!

« Je suppose que le révérend Warner a abandonné sa cure parce qu'il se sentait seul après la mort de Mme Warner? demanda Black en offrant du tabac à Harris.

— Non, rien à faire avec la mort de sa femme. C'était à cause de la santé de Miss Mary. Il fallait qu'elle vive à l'étranger après sa longue maladie : une fièvre rhumatismale. Ils sont partis au Canada et on n'en a plus jamais entendu parler.

— Une fièvre rhumatismale? s'enquit Black. Quelle sale maladie!

— Elle l'a pas attrapée ici, répliqua le vieil homme, ma femme aérait toujours bien la maison et veillait à tout, comme du vivant de Mme Warner. C'est à l'école que Miss Mary a attrapé ça, et je me souviens avoir dit à ma femme que le révérend devrait leur faire un procès pour négligence. La petite en est presque morte. »

Black tourmenta la tige de la rose que Harris avait cueillie pour lui et la glissa finalement dans sa boutonnière.

« Et pourquoi le pasteur n'a-t-il pas intenté ce procès à l'école?

— Il nous a jamais dit s'il l'a fait ou pas, répondit le jardinier. Tout ce qu'on nous a dit, c'est d'emballer les affaires de Miss Mary et de les envoyer quelque part en Cornouailles. Puis il nous a dit de faire ses valises à lui et de mettre des housses partout. Avant qu'on ait le temps de se retourner, des camions de déménagement sont venus chercher les meubles pour qu'ils soient vendus, comme on l'a appris plus tard. Alors, on nous a dit que le révérend abandonnait la cure et qu'ils partaient au Canada. Ma femme était sens dessus dessous, à cause de Miss Mary. Jamais elle a reçu un mot d'elle ou du révérend, après toutes ces années de service. »

Black convint que c'était un piètre remerciement pour leurs années de dévouement.

« Ainsi, l'école était en Cornouailles? fit-il. Ça ne m'étonne pas, c'est une région très humide.

— Oh! non, monsieur. Miss Mary est allée en Cornouailles en convalescence, à un endroit appelé Carnleath, je crois. Elle allait à l'école à Hythe, dans le Kent...

— J'ai une fille en pension dans le Kent, mentit Black avec une extrême aisance. J'espère que ce n'est pas la même école. Comment s'appelait celle où allait Miss Mary?

— Je ne pourrais pas vous dire, monsieur, déclara le vieux Harris en secouant la tête, c'est trop loin. Mais je me souviens que Miss Mary disait que c'était bien joli, tout au bord de la mer, et qu'elle était très heureuse là-bas, qu'elle s'amusait bien.

— Ah! fit Black, alors, ce n'est pas la même école, celle de ma fille est à l'intérieur du pays. C'est curieux, les histoires qu'on peut entendre. Figurez-vous que ce soir, au village — c'est drôle, on entend souvent parler de la même personne plusieurs fois dans la même journée —, quelqu'un a prononcé le nom de M. Warner et a dit que s'ils étaient partis au Canada, c'est parce que sa fille avait été grièvement blessée dans un accident de chemin de fer. »

Le vieux se mit à rire dédaigneusement.

« Les gars, à l'auberge, disent n'importe quoi quand ils ont un verre dans le nez, fit-il. Un accident de chemin de fer! Tout le monde, au village, savait que c'était une fièvre rhumatismale et que le pasteur en était à moitié fou de souci, même qu'on l'a appelé d'urgence à l'école. J'ai jamais vu un homme perdre la tête comme ça. Pour vous dire la vérité, jusqu'à ce que ça arrive, ma femme et moi, on aurait jamais cru qu'il tenait autant à la petite. On disait toujours qu'il s'occupait pas d'elle — elle était tout le temps avec sa mère. Mais quand il est revenu de l'école, après qu'on l'avait eu envoyé chercher, il avait une figure terrible et il a dit à ma femme que Dieu punirait le directeur de l'école pour sa négligence criminelle. C'est comme ça qu'il a dit. Négligence criminelle.

— Peut-être qu'il avait lui-même des remords, dit Black, et qu'il rejetait ses propres fautes sur l'école.

— P't-être bien, p't-être bien, fit Harris. Il était toujours prêt à blâmer tout le monde. »

Black pensa qu'il était temps d'abandonner les Warner et de revenir aux roses. Il s'attarda encore cinq minutes, nota les plants recommandés à un amateur tel que lui, dit bonsoir au vieux et retourna à l'auberge. Il dormit profondément et, le lendemain matin, prit le premier train pour Londres. Il ne pensait plus récolter de renseignements à Long Common. Dans l'après-midi, il partit pour Hythe. Cette fois, il n'alla pas voir le pasteur, mais s'adressa à la directrice de son hôtel.

« Je cherche une bonne école pour ma fille, au bord de la mer, dit-il. On m'a dit qu'il y en avait de très bonnes dans la région. Ne connaîtriez-vous pas par hasard un collège que vous pourriez me recommander?

— Mais si, répondit la directrice, il y a deux très bonnes écoles à Hythe. Celle de Miss Braddock, au sommet de la colline, et évidemment nous avons Saint-Bees, le grand collège mixte, juste au bord de la mer. Ici, à l'hôtel, nos clients sont presque toujours des parents d'élèves de Saint-Bees.

— Une école mixte? s'étonna Black. L'a-t-elle toujours été?

— Depuis qu'elle a été fondée, dit la directrice,

il y a trente ans. M. et Mme Johnson la dirigent toujours, bien qu'évidemment ils soient assez âgés maintenant. C'est une école très bien menée et qui a une excellente réputation. Je sais qu'il existe des préjugés contre les écoles mixtes, les gens disent que cela rend les filles trop masculines et les garçons efféminés, mais je ne m'en suis jamais aperçue. Les enfants y paraissent très heureux et ne diffèrent en rien des autres. De toute manière, on ne prend les élèves que jusqu'à quinze ans. Aimeriez-vous que je demande un rendez-vous pour vous à M. ou Mme Johnson? Je les connais très bien. »

M. Black se demanda si elle touchait une commission sur les élèves qu'elle envoyait à l'école.

« Merci beaucoup, dit-il, j'en serais enchanté. »

Rendez-vous fut pris pour le lendemain matin, à onze heures trente.

Black était fort surpris d'apprendre que Saint-Bees était mixte. Il n'eût pas imaginé Henry Warner d'idées assez avancées pour envoyer sa fille dans une telle école. Pourtant, d'après la description du jardinier, ce ne pouvait être que Saint-Bees, car l'école faisait bien face à la mer. L'autre école, celle de Miss Braddock, était retirée tout en haut de la ville, derrière la colline, sans aucun terrain de jeu. Black s'en était assuré avant d'aller à son rendez-vous à Saint-Bees.

Une odeur de linoléum bien propre et de parquets astiqués l'accueillit à l'entrée de l'école, en haut du perron. Une femme de chambre répondit à son coup de sonnette et l'introduisit dans un grand bureau, à droite dans le hall.

Un homme assez âgé, chauve et portant des lunettes à monture d'écaille, se leva pour le recevoir, un cordial sourire aux lèvres.

« Très heureux de faire votre connaissance, monsieur Black, dit-il. Ainsi, vous cherchez une école pour votre fille? J'espère que vous quitterez Saint-Bees persuadé d'avoir trouvé le collège qu'il vous faut. »

Black le définit en un mot : « Vendeur. » A haute voix, il se lança dans la description de sa fille Phyllis, qui, dit-il, venait d'arriver à l'âge ingrat.

« L'âge ingrat? s'exclama M. Johnson. Alors, Saint-Bees est l'école idéale pour Phyllis. Ici, il n'y a pas d'âge ingrat. Nous sommes fiers de la santé et de la gaieté de nos garçons et de nos filles. Venez les voir. »

Il appliqua une vigoureuse claque dans le dos de Black et lui fit visiter l'école. Black ne s'intéressait guère aux écoles, mixtes ou pas. Il ne pensait qu'à la fièvre rhumatismale de Mary, dix-neuf ans auparavant. Mais c'était un homme très patient, et il accepta qu'on lui montrât chaque salle de classe, chaque dortoir — garçons et filles dormaient dans des ailes séparées —, le gymnase, la piscine, le salon de lecture, les terrains de jeux, et finalement la cuisine.

Il retourna enfin au bureau directorial, toujours accompagné d'un M. Johnson triomphant.

« Eh bien, monsieur Black, dit le directeur souriant derrière ses lunettes, aurons-nous le plaisir d'avoir Phyllis avec nous? »

Black se renversa dans son fauteuil, les mains croisées, le portrait même d'un père affectionné.

« Votre école est charmante, dit-il, mais je dois vous dire que nous sommes obligés de veiller soigneusement sur la santé de Phyllis. Ce n'est pas une enfant très vigoureuse et elle attrape froid très facilement. Je me demande si l'air d'ici n'est pas trop vif pour elle. »

M. Johnson se mit à rire et, ouvrant un tiroir de son bureau, en sortit un registre.

« Mon cher monsieur, dit-il, Saint-Bees remporte le palmarès de la meilleure santé parmi toutes les écoles d'Angleterre. Un enfant commence-t-il un rhume? Immédiatement on l'isole. Il n'y a jamais contagion. Durant les mois d'hiver, nous faisons chaque matin, à titre préventif, des pulvérisations dans les nez et les gorges. En été, les enfants font des exercices respiratoires devant les fenêtres ouvertes. Nous n'avons pas eu d'épidémie de grippe depuis cinq ans. Une seule rougeole il y a trois ans, une seule coqueluche il y a deux ans. J'ai ici la liste des maladies que nous avons eues depuis l'ouverture de cette école, et c'est une liste que je suis fier de montrer aux parents. »

Il tendit le registre à M. Black, qui s'en empara avec un plaisir évident. C'est exactement la preuve qu'il recherchait.

« C'est remarquable, dit-il en tournant les pages. Naturellement, les méthodes modernes d'hygiène vous ont aidé. Il n'a pu en être ainsi autrefois.

— Il en a toujours été ainsi, dit M. Johnson en se levant et en allant chercher un autre registre sur un rayon. Choisissez l'année que vous voudrez. Vous ne me prendrez pas en faute. »

Sans hésitation, Black choisit l'année au cours de laquelle Mary Warner avait été retirée de l'école par son père.

M. Johnson chercha sur le rayon et produisit l'année en question. Black parcourut le registre, à la recherche d'une fièvre rhumatismale. Il trouva des rhumes, une jambe brisée, une rougeole, une cheville foulée, une otite, mais pas la maladie qu'il chérchait.

« Avez-vous déjà eu des cas de fièvre rhumatismale? interrogea-t-il, ma femme les craint tout particulièrement pour Phyllis.

— Jamais, dit M. Jonhson fermement, nous faisons trop attention. Les garçons et les filles sont toujours frictionnés au gant de crin après les sports, et nous aérons très soigneusement les draps et les couvertures. »

Black referma le registre. Il décida d'attaquer de front.

« Ce que j'ai vu de Saint-Bees me plaît beaucoup, dit-il, mais j'aime mieux être franc avec vous. On a donné à ma femme une liste d'écoles, et elle a immédiatement barré la vôtre, car elle se souvenait d'en avoir entendu dire du mal par une amie il y a longtemps. Cette amie avait une amie — vous savez ce que c'est — qui, etc. Bref, cette amie a été obligée d'enlever sa fille de Saint-Bees et a même failli intenter un procès à l'école pour négligence criminelle. »

Le sourire de M. Johnson s'était évanoui. Ses yeux, derrière les lunettes à monture d'écaille, s'étaient rétrécis.

« Je vous serais très obligé de me donner le nom de la personne en question, fit-il froidement.

— Si vous voulez, fit Black, il s'agit d'un monsieur qui a quitté le pays et est parti au Canada. Un pasteur. Le révérend Henry Warner. »

Les lunettes d'écaille ne purent dissimuler l'étrange expression de réserve dans les yeux de M. Johnson. Il passa sa langue sur ses lèvres.

« Le révérend Henry Warner? dit-il. Attendez un peu. »

Il se renversa sur sa chaise et parut réfléchir. L'œil exercé de Black décela aussitôt que le directeur de Saint-Bees était sur ses gardes et cherchait à gagner du temps.

« Négligence criminelle a été l'expression employée, monsieur Johnson, dit-il, et c'est curieux, l'autre jour, je suis tombé sur un parent de Warner, qui m'en a reparlé. Il paraît que Mary Warner a failli en mourir. »

M. Johnson enleva ses lunettes d'écaille et les polit lentement. Son expression avait changé. Le maître d'école indulgent s'était transformé en homme d'affaires avisé.

« Evidemment, vous ne connaissez l'histoire que du point de vue de la famille, dit-il. S'il y a eu négligence criminelle, c'est au père qu'il faut l'imputer. A Henry Warner et non pas à nous. »

Black haussa les épaules.

« C'est vous qui le dites, mais comment le père pouvait-il en être sûr? » murmura-t-il.

Ses paroles étaient destinées à faire parler le directeur.

« Comment pouvait-il en être sûr? s'écria violemment M. Johnson, son amabilité envolée, en frappant du poing le bureau, mais parce que le cas de Mary Warner, je tiens à ce que vous le sachiez, monsieur, a été un accident unique et ne s'est jamais produit ni avant, ni depuis. Nous avons toujours pris les plus extrêmes précautions et nous continuons à le faire. J'ai dit au père que la chose avait dû arriver durant les vacances, et certainement pas à l'école. Il refusa de me croire et persista à dire que c'était de la faute de mes garçons, qui avaient été mal surveillés. Je fis comparaître chacun des garçons, au-dessus d'un certain âge, un par un dans mon bureau, et je les interrogeai. Ils me dirent la vérité : aucun d'eux n'était coupable. Il était inutile d'essayer de raisonner la jeune fille et de lui demander des explications, car elle ne comprenait même pas ce que nous lui demandions et ce qui lui était arrivé. Je n'ai pas besoin de vous dire, monsieur Black, que ce fut le plus terrible choc éprouvé dans ma carrière. Ainsi que pour ma femme et tout notre personnel enseignant. Heureusement, nous avons réussi à faire oublier cette triste affaire. »

Son visage était marqué par la fatigue et l'effort. L'affaire avait peut-être été oubliée, mais pas par le directeur.

« Qu'arriva-t-il? demanda Black. Warner vous a-t-il dit qu'il allait retirer sa fille de l'école?

— S'il nous l'a dit? fit Johnson. C'est plutôt nous qui le lui avons dit. Comment aurions-nous pu garder Mary Warner quand nous avons découvert qu'elle était enceinte de cinq mois? »

« Le puzzle s'assemblait parfaitement », pensa Black. C'est curieux comme les morceaux venaient l'un après l'autre quand on se concentrait sur la chose. C'était stimulant de découvrir la vérité à travers les mensonges des gens. D'abord Miss Marsh, qu'il avait fallu pousser dans ses derniers retranchements. Puis le révérend Henry Warner et sa barricade protectrice. Un accident de chemin de fer pour l'une, la fièvre rhumatismale pour l'autre. Pauvre diable, quel choc cela avait dû être pour lui. Pas étonnant qu'il ait expédié sa fille en Cornouailles pour garder le secret, et qu'il ait quitté le pays.

C'était cruel tout de même de se débarrasser d'elle comme il l'avait fait ensuite. La perte de mémoire était sans doute réelle. Mais Black se demanda quelle en avait été la cause. Le monde de l'enfance était-il soudain devenu un monde de cauchemar pour cette écolière de quatorze ou quinze ans, et la nature clémente s'était-elle chargée d'effacer l'horreur de cette situation?

Black pensait que les choses s'étaient ainsi passées, mais c'était un homme consciencieux, il était bien payé pour faire un travail honnête et il n'avait pas l'intention de raconter à son client une histoire à demi vérifiée. Il lui fallait tout savoir. Il se rappela que l'endroit où Mary avait passé sa convalescence, après sa prétendue fièvre rhumatismale, s'appelait Carnleath. Black décida de s'y rendre.

L'agence pour laquelle il travaillait lui procura une voiture, et il se mit en route. La pensée lui vint tout d'un coup qu'une seconde conversation avec Harris, le jardinier, pourrait se révéler fructueuse, et comme c'était sur son chemin, il s'arrêta à Long Common, apportant comme prétexte des boutures qu'il avait achetées à un jardinier sur la route. Il dirait à Harris que ces boutures venaient de son propre jardin et qu'il les lui offrait en remerciement des conseils qu'il lui avait prodigués lors de sa première visite.

Black descendit de voiture devant la maison de Harris à midi, heure à laquelle il jugeait que le vieil homme rentrerait chez lui pour déjeuner.

Malheureusement, Harris n'était pas chez lui. Il était allé à une exposition de fleurs à Alton. Sa fille vint à la porte, son bébé dans les bras, et dit à Black qu'elle ne savait pas quand son père rentrerait. Elle avait un air aimable et sympathique. Black alluma une cigarette, lui remit les boutures et admira le bébé.

« J'ai un jeune homme de cet âge-là à peu près, dit-il avec l'aisance particulière qu'il possédait dans ses rôles de composition.

— Vraiment, monsieur? dit la jeune femme. J'en ai deux autres, mais Roy est le bébé de la famille. »

Ils échangèrent quelques réflexions sur les enfants tandis que Black fumait sa cigarette.

« Dites à votre père, fit-il, que je suis allé à Hythe il y a quelques jours voir ma fille, qui est à l'école là-bas. Et tout à fait par hasard, j'ai rencontré le directeur de Saint-Bees, le collège où Miss Warner a été élevée. Votre père m'en avait parlé et m'avait raconté combien le pasteur était furieux quand sa fille avait attrapé la fièvre rhumatismale. Le directeur se souvenait très bien de Miss Warner. Après toutes ces années, il a répété avec insistance que ce n'était pas des rhumatismes, mais un microbe que l'enfant avait attrapé à la maison.

— Oh! fit la femme, il faut bien qu'il dise quelque chose pour défendre son école. Oui, c'est bien ce nom-là, Saint-Bees. Je me rappelle que Miss Mary m'en parlait souvent. Nous étions à peu près du même âge, et quand elle était à la maison, elle me laissait monter sur sa bicyclette. C'était un plaisir immense pour moi en ce temps-là.

— Elle était plus aimable que le pasteur, alors. J'ai l'impression que votre père n'aimait pas beaucoup ce dernier. »

La femme se mit à rire.

« Non, dit-elle, je crois que personne ne tenait beaucoup à lui, tout homme de bien qu'il était. Miss Mary était différente, tout le monde l'aimait, elle était si gentille.

— Vous avez dû avoir de la peine quand elle est partie pour la Cornouailles et n'est jamais revenue vous dire adieu.

— Oh oui! Je n'ai jamais pu comprendre ça. Je lui ai écrit là-bas, mais je n'ai pas reçu de réponse. Cela m'a beaucoup chagrinée, et maman aussi. Ça ressemblait si peu à Miss Mary. »

Black joua avec les pompons des chaussons du bébé, car ce dernier avait visiblement envie de pleurer et Black espérait ainsi le distraire. Il ne tenait pas à ce que la fille de Harris s'en allât.

« Elle a dû se sentir bien seule à la cure, dit Black. J'imagine qu'elle était heureuse de votre compagnie durant les vacances.

— Je ne pense pas que Miss Mary ait jamais été solitaire. Elle était toujours si gentille, avec un mot aimable pour tout le monde, pas prétentieuse comme le pasteur. Nous nous amusions bien toutes les deux, nous jouions aux Indiens et à des jeux comme ça; vous savez comment sont les gosses.

— Pas de flirts, pas de cinéma?

— Oh non! Miss Mary n'avait pas ce genre-là. De nos jours, les jeunes filles sont épouvantables, vous ne trouvez pas? C'est elles qui courent après les hommes.

— Je parierais tout de même que vous aviez toutes deux des admirateurs.

— Non, vraiment, monsieur. Miss Mary était tellement habituée aux garçons dans son école qu'elle ne leur trouvait rien d'extraordinaire. D'ailleurs, le pasteur n'aurait pas permis qu'elle ait des « admirateurs », comme vous dites.

— Oui, évidemment. Miss Mary avait-elle peur de lui?

— Je ne sais pas si elle en avait peur, mais elle s'efforçait de ne pas lui déplaire.

— J'imagine qu'elle devait toujours rentrer à la maison avant la nuit.

— Oh oui! Miss Mary ne restait dehors que tant qu'il faisait jour.

— Si seulement ma fille pouvait en faire autant, dit Black. Par les soirs d'été, elle n'est parfois pas à la maison avant onze heures du soir. Je n'aime pas ça. Quand on lit tout ce qui arrive dans les journaux!

— C'est affreux, n'est-ce pas? acquiesça la jeune femme.

— Evidemment, ici, le pays est bien calme. Je ne crois pas que vous ayez jamais eu de mauvais sujets maraudant par ici.

— Non, dit la femme, sauf quand arrivent les moissonneurs... »

Black jeta sa cigarette, elle commençait à lui brûler le bout des doigts.

« Les moissonneurs?

— Oui. Il y a beaucoup de houblon par ici. Et l'été, des hommes arrivent de toutes parts, de Londres souvent, pour faire la moisson. Ils campent dans les champs; je vous assure que ce sont rarement des prix de vertu.

— C'est fort intéressant Je ne savais pas qu'on faisait pousser du houblon dans le Hampshire.

— Oh! mais si, monsieur. C'est la spécialité de la région depuis bien longtemps. »

Black agita une fleur devant les yeux du bébé.

« Mais quand vous étiez jeunes, Miss Mary et vous, on ne devait pas vous autoriser à vous approcher d'eux », dit-il

La femme sourit.

« On avait pas la permission, mais on le faisait quand même. Qu'est-ce que nous aurions pris si on nous avait vues! Je me souviens une fois... Qu'y a-t-il, Roy, c'est l'heure de ta sieste? Il commence à avoir sommeil.

— Vous disiez qu'une fois?... dit Black.

— Oh! les moissonneurs, oui. Je me souviens qu'une fois, nous sommes allées les voir après le dîner, il faisait encore jour. Nous nous étions liées avec une des familles et ils avaient une petite fête, je ne me rappelle plus en quel honneur, un anniversaire, je crois. Ils nous ont donné à boire de la bière à toutes les deux; nous n'en avions jamais goûté et nous sommes devenues plutôt ivres. Miss Mary encore bien plus que moi. Elle m'a dit après qu'elle ne se souvenait plus du tout de ce qui s'était passé durant cette soirée; nous étions assis en rond autour des tentes, là où ces gens-là campaient, et quand nous sommes rentrées, nos têtes ne pouvaient plus s'arrêter de tourner. Nous avions une peur bleue. Je me suis souvent demandé depuis ce que le pasteur aurait dit s'il l'avait su, et mon père aussi. Il m'aurait donné une bonne correction et Miss Mary aurait pris un sermon par-dessus le marché.

— Vous l'auriez bien mérité, dit Black. Quel âge aviez-vous à ce moment-là?

— Oh! je crois que j'avais treize ans, et Miss Mary quatorze à peu près. C'était pendant les dernières vacances qu'elle a passées à la cure. Pauvre Miss Mary. Je me suis souvent demandé ce qu'elle était devenue. Elle est sûrement mariée, là-bas, au Canada. Il paraît que c'est un beau pays.

— Oui, très beau, à tous les points de vue. Mais, il ne faut pas que je reste là à vous retenir avec mes bavardages. N'oubliez pas de donner les boutures à votre père, et mettez-moi ce marmot au lit avant qu'il ne tombe de vos bras.

— N'ayez crainte, monsieur. Au revoir et merci. »

« Merci à toi », se dit Black. La visite avait été profitable. La fille du vieux Harris s'était révélée encore plus utile que son père. Ainsi, des moissonneurs et de la bière. Pas mal, pas mal. M. Johnson, de Saint-Bees, dirait même tout à fait concluant. Le facteur temps concordait également. Les garçons de Saint-Bees étaient réhabilités. Quelle chose affreuse tout de même! Black monta dans sa voiture et se dirigea vers l'ouest. Il sentait qu'il était important de découvrir à quel moment exactement Mary Warner avait perdu la mémoire. De toute évidence, elle ne se rappelait rien de ce qui s'était passé lors de la petite fête avec les moissonneurs. La tête qui tourne, puis le « blackout », et enfin deux fillettes effrayées qui rentrent à la maison à toute vitesse pour que leurs parents ne s'aperçoivent pas de leur absence.

Johnson de Saint-Bees, encore plein du feu de l'indignation et de la défense de son école, avait dit à Black que la jeune Mary Warner était absolument ignorante de son état. Quand le docteur, stupéfait, s'était aperçu de la chose et avait accusé l'enfant, Mary Warner l'avait regardé les yeux écarquillés. Elle pensait qu'il était devenu fou.

« Que voulez-vous dire? avait-elle demandé. Je ne suis pas une grande personne, je ne suis pas mariée. Vous voulez dire que je suis comme Marie dans la Bible? »

Elle n'avait pas la moindre notion de la vie. Le docteur de l'école avait conseillé de ne pas questionner l'enfant davantage. On avait envoyé chercher le père. Et Mary Warner avait été retirée de l'école. Pour M. Johnson et le personnel enseignant de Saint-Bees, l'affaire s'arrêtait là.

Black se demanda ce que le vicaire avait dit à sa fille. Il le soupçonnait d'avoir tellement torturé la fillette avec ses questions qu'elle en était tombée malade; une fièvre cérébrale peut-être. Il faut avouer qu'il y avait de quoi assombrir l'esprit d'une enfant pour la vie. Peut-être la solution se présenterait-elle à lui à Carnleath. L'ennui était que Black ne savait pas du tout ce qu'il devait y chercher. Du reste, le révérend Henry Warner avait dû changer de nom pendant son séjour dans la petite ville.

Carnleath se révéla être un petit village de pêcheurs situé sur la côte sud. Durant les dix-neuf ans qui s'étaient écoulés, il avait sans doute subi maints agrandissements, car il possédait trois ou quatre hôtels de dimensions honorables, des rangées de villas. Il était évident que les gens du pays se consacraient devantage à la pêche aux touristes qu'à la pêche aux poissons.

La petite famille de Black : Phyllis et le bébé, retournèrent au pays imaginaire où ils étaient nés. Black s'était maintenant transformé en jeune époux dont la femme, une jeunesse de dix-huit ans, attendait son premier enfant. Black se sentait empli de doutes tandis qu'il se renseignait sur les cliniques de la région. Mais il n'eut pas de déceptions. Il y avait bien une clinique à Carnleath, et qui mieux est, spécialisée dans les accouchements. Sea View était son nom. Tout en haut de la falaise, au-dessus du port.

Black rangea sa voiture le long d'un mur et alla sonner à la porte de la Maternité. Il demanda à voir la directrice. Oui, c'était pour retenir une chambre pour un accouchement.

Il fut introduit dans le bureau de la directrice. C'était une petite femme rondelette et éclatante de bonne humeur. Black décida soudain de confier sa prétendue femme — qu'il baptisa Pearl — à la garde expérimentée de la directrice.

« Et pour quand attendez-vous l'heureux événement? »

Elle n'était pas de la région, celle-là! C'était bel et bien une Londonienne, une « cockney » de la plus belle espèce. Black se sentit tout de suite à l'aise avec elle.

« En mai, dit-il. Ma femme est chez mes beaux-parents en ce moment, aussi suis-je venu retenir une chambre tout seul. Elle s'est mis dans la tête de mettre l'enfant au monde près de la mer, et comme c'est dans la région que nous avons passé notre lune de miel, elle y attache une valeur sentimentale, moi aussi d'ailleurs. »

Black esquissa ce qu'il pensait être le sourire timide et radieux d'un futur père.

« Comme c'est charmant, monsieur Black, fit la directrice, on revient toujours sur le lieu du crime, hein? »

Elle éclata d'un grand rire cordial.

« Tous mes clients n'aiment pas tellement se rappeler ces préliminaires. Si vous saviez tout ce que j'ai entendu! »

Black offrit une cigarette à la directrice. Elle exhala la fumée avec délices.

« J'espère que vous n'allez pas détruire mes illusions, fit Black.

— Des illusions? s'exclama la directrice. Nous n'en avons guère ici. Elles s'envolent toutes dans la salle d'accouchement. »

Black commença à plaindre sincèrement la pauvre Pearl.

« Oh! ma femme est courageuse, elle n'a pas peur. Evidemment, elle est beaucoup plus jeune que moi. Elle vient juste d'avoir dix-huit ans. C'est la seule chose qui m'inquiète. Croyez-vous que ça soit trop jeune pour avoir ún enfant, madame?

— On n'est jamais trop jeune, fit la directrice,

soufflant une bouffée de fumée au plafond; plus on est jeune, mieux c'est : les muscles ne sont pas noués. C'est les vieilles qui me donnent la migraine. Elles viennent accoucher à trente-cinq ans et s'imaginent que ça va se passer tout seul. Elles s'aperçoivent vite du contraire. Votre femme joue au tennis?

— Non, pas du tout.

— Tant mieux. Nous avons eu ici une jeune femme la semaine dernière, la championne de Newquay. Eh bien, elle avait les muscles si durs qu'elle est restée dans les douleurs pendant trente-six heures. L'infirmière et moi, nous étions complètement lessivées à la fin.

— Et la jeune femme?

— Oh! on lui a fait quelques points de suture, et elle allait très bien au bout d'un moment.

— Vous avez déjà eu des accouchées de dix-huit ans? demanda-t-il.

— Plus jeunes même, répliqua-t-elle. Ici, nous nous occupons de tous les âges, de quatorze à quarante-cinq ans. Et elles n'ont pas toutes eu des lunes de miel agréables. Aimeriez-vous voir mes bébés? J'ai un petit jeune homme né il y a une heure. L'infirmière est justement en train de le faire beau pour le montrer à maman. »

Black s'efforça de s'endurcir. Si la sage-femme était aussi directe après une seule cigarette, que serait-ce après deux doubles gins? Il se dit qu'il lui faudrait l'inviter à dîner. Il visita la Maternité, vit une ou deux futures mères, plusieurs autres dont les illusions s'étaient apparemment déjà évanouies, et quand il eut inspecté les bébés, la salle d'accouchement et la lingerie, il fit le vœu muet de rester toute sa vie sans enfants.

Il retint une chambre, avec vue sur la mer, pour Pearl, donna la date prévue en mai; il déposa même des arrhes. Puis il invita la sage-femme à dîner.

« C'est très gentil de votre part, dit-elle, ça me fera un grand plaisir. L'hôtel Bellevue n'est pas un endroit très chic à regarder du dehors, mais son bar est le mieux approvisionné de tout Carnleath.

— Alors, d'accord pour l'hôtel Bellevue », dit Black.

Et ils convinrent de se rencontrer à sept heures.

A neuf heures et demie, après deux doubles gins, de la langouste accompagnée d'une bouteille de chablis et suivie de cognac, la difficulté ne consistait plus à faire parler la sage-femme, mais plutôt à la faire taire.

Elle se lançait dans la description d'accouchements ardus avec un luxe de détails qui faillit rendre Black malade. Il lui dit qu'elle devrait écrire ses mémoires. Elle lui répondit qu'elle le ferait quand elle aurait pris sa retraite.

« Sans les noms, bien entendu, fit-il. Surtout, ne me dites pas que toutes vos accouchées étaient des femmes mariées, je ne vous croirai pas. »

La sage-femme avala d'un trait son premier verre de cognac.

« Je vous ai déjà dit que nous en avons vu de toutes les couleurs à Sea View, dit-elle, mais ne vous effarouchez pas, nous savons être discrets.

— Je ne me choque jamais, dit Black, et Pearl non plus. »

La sage-femme sourit.

« Vous êtes un homme intelligent, fit-elle, dommage que tous les maris ne soient pas comme vous. Il y aurait moins de larmes à Sea View. »

Elle se pencha vers lui d'un air confidentiel.

« Vous n'en reviendrez pas de savoir combien certaines gens sont prêts à payer. Oh! pas les couples honnêtement mariés comme vous, mais celles qui ont commis une faute. Elles viennent ici pour faire leur petite affaire et font semblant d'être au-dessus de tout ça, et tout ce qui s'ensuit. Mais moi, on me la fait pas! Il y a trop longtemps que je suis dans le métier. Nous avons eu à Sea View des femmes de la plus haute aristocratie qui se faisaient appeler Mme Smith tout court, tandis que leurs maris les croyaient en vacances dans le Midi de la France. Et elles, pendant ce temps-là, hein? Eh bien, elles avaient ce qu'elles n'auraient pas dû avoir. ici même, à Sea View. »

Black commanda un autre cognac.

« Et que fait-on du bébé en pareils cas? demanda-t-il.

— Oh! j'ai des relations, dit la sage-femme. Il ne

manque pas de nourrices dans la région qui ne refuseront pas vingt-cinq shillings par semaine jusqu'à ce que l'enfant ait l'âge d'aller à l'école. On pose pas de questions. Quelquefois, ça arrive que je voie après le portrait de la mère véritable dans les journaux. Je le montre à l'infirmière et on rigole bien toutes les deux. « Elle avait pas ce « joli sourire dans la salle d'accouchement », que je lui dis, à l'infirmière. Oui, j'écrirai mes mémoires un de ces jours. Ça, ce sera quelque chose, je suis sûre que ça se vendra comme des petits pains. »

La sage-femme accepta une autre cigarette.

« Je me fais toujours du souci à cause de l'âge de ma femme, dit Black. Quel âge avait votre plus jeune mère? »

Elle s'arrêta un instant pour réfléchir.

« Seize, quinze ans, dit-elle. Oui, nous en avons eu une d'à peine quinze ans, dit-elle. Si je me souviens bien, c'était une triste histoire. Il y a bien longtemps.

— Racontez-moi ça », demanda Black.

La sage-femme sirota son cognac.

« Elle était d'une très bonne famille, dit-elle. Son père aurait payé tout ce que j'aurais demandé, mais je ne suis pas une profiteuse. Je lui ai indiqué un prix qui me semblait raisonnable, et il a été si content de se décharger de sa fille sur moi qu'il m'a même donné un supplément. Je l'ai gardée ici cinq mois, ce que je ne fais jamais en général, mais le père m'a dit que ou bien elle restait ici, ou sans ça c'était la maison de correction. J'avais tellement pitié de la petite que je l'ai prise.

— Comment est-ce arrivé? demanda Black.

— Dans une école mixte, d'après le père. Mais j'ai jamais gobé ce bobard. Le plus étonnant, c'est que la petite était incapable de nous dire comment c'était arrivé. D'habitude, je parviens toujours à savoir la vérité, mais il n'y avait rien à tirer de la gosse. Elle nous a raconté que son père lui avait dit que c'était la plus grande disgrâce qui pouvait arriver à une fille, et elle n'y comprenait rien, disait-elle, parce que son père était pasteur et qu'il faisait toujours des sermons comme quoi ce qui était arrivé à la Vierge Marie était la plus belle chose du monde. »

Le garçon s'approcha avec l'addition, mais Black lui fit signe de s'éloigner.

« Vous voulez dire que la jeune fille croyait que ce qui lui arrivait était surnaturel? demanda-t-il.

— C'est exactement ce qu'elle pensait, et rien ne pouvait la faire changer d'avis. Nous avons bien essayé de lui expliquer la vie, mais elle ne voulait pas nous croire. Elle a dit à l'infirmière que quelque chose d'aussi affreux arrivait peut-être aux autres, mais pas à elle. Elle disait qu'elle rêvait souvent aux anges et que l'un d'eux avait dû venir la visiter la nuit, durant son sommeil, et que son père serait le premier à regretter tout ce qu'il lui avait dit quand le bébé serait né, parce que, bien entendu, ce serait le nouveau Messie. Vous savez, ça déchirait le cœur de l'entendre parler, elle était si sûre d'elle-même. Elle nous disait qu'elle adorait les enfants et qu'elle n'avait pas peur du tout. Elle espérait seulement qu'elle méritait d'être sa mère, elle était tellement certaine que cette fois il sauverait le monde.

— Quelle épouvantable histoire », fit Black.

Il commanda du café.

La sage-femme devenait plus humaine, plus douce. Elle en oubliait de faire claquer sa langue en buvant.

« Bientôt, l'infirmière et moi, nous étions folles de cette gosse, dit-elle, il n'y avait pas moyen de s'en empêcher. Elle était si douce. On finissait presque par y croire, nous aussi, à sa théorie. Elle nous disait toujours que Marie avait seulement un an de moins qu'elle quand Jésus était né, et que Joseph avait essayé de la dissimuler aux yeux des autres parce que lui aussi avait honte qu'elle ait un enfant si jeune. « Vous verrez, insistait-elle, la « nuit où mon enfant naîtra, il y aura une grande « étoile au firmament. » Et croyez-le si vous voulez, il y en a eu une. Evidemment, c'était seulement Vénus, mais l'infirmière et moi, on était contentes tout de même, parce que ça lui changeait les idées et que, comme ça, elle ne pensait pas à ses douleurs. »

La sage-femme finit son café, et jeta un coup d'œil sur sa montre.

« Il faut que je parte, dit-elle, nous avons une césarienne demain matin à huit heures, et il faut que je me repose.

— Finissez d'abord votre histoire, demanda Black; comment s'est-elle terminée?

— Elle a eu son enfant, un petit garçon. Je n'ai jamais rien vu de plus mignon que cette petite dans son lit, son bébé dans les bras; on aurait dit une poupée qu'on lui aurait donné pour son anniversaire. Elle était si contente qu'elle ne pouvait plus dire un mot. Elle répétait seulement : « Oh! « madame! Oh! madame! » Dieu sait que je ne suis pas une petite nature, mais j'en avais les larmes aux yeux, et l'infirmière aussi. En tout cas, je peux vous dire une chose : celui qui était responsable de ce beau travail était un rouquin. Je me souviens que j'ai dit à la petite, en parlant du mioche : « Ça, c'est un vrai petit Poil de Carotte, il y a pas « à s'y tromper. » Et après, on l'a tous appelé Poil de Carotte, la mère y compris. Pour rien au monde, je ne voudrais recommencer ce qu'on a eu quand on les a séparés.

— Vous les avez séparés?

— Il a bien fallu. Le père emmenait la petite, pour commencer une nouvelle vie, comme il disait. Bien sûr, à son âge, elle ne pouvait pas s'embarrasser d'un bébé. Nous les avons gardés, elle et son Poil de Carotte, pendant quatre semaines. Et alors, c'était trop tard, car elle avait eu le temps de s'y attacher. Tout était arrangé, le père devait venir la chercher et le bébé devait être porté à l'orphelinat. L'infirmière et moi, on en a discuté longuement et on a décidé que la seule façon possible de le faire, c'était de raconter à la pauvre gosse que Poil de Carotte était mort dans la nuit. C'est ce que nous lui avons dit, mais ça été encore pire qu'on le croyait. Elle est devenue blanche comme une morte, et tout d'un coup elle s'est mise à hurler... Je crois que j'entendrai ces cris à mes oreilles jusqu'à la fin de ma vie. C'était épouvantable, ces cris étranges. Puis, elle s'est évanouie et on a cru qu'on n'arriverait jamais à la ranimer, qu'elle allait mourir. Nous avons appelé le docteur — ce que nous ne faisons jamais; d'habitude, nous soignons nos malades nous-mêmes —, et il a dit que c'était monstrueux, que le choc de perdre son enfant pouvait la rendre folle. Finalement, elle est revenue à elle, mais savez-vous ce qui était arrivé? Elle avait perdu la mémoire. Elle ne nous reconnaissait plus, ni son père quand il est arrivé, ni personne. Sa mémoire était complètement morte. A part ça, elle allait très bien. Le docteur a dit que c'est ce qui pouvait lui arriver de mieux. Mais que si la mémoire lui revenait un jour, pauvre petite, ce serait comme si elle se réveillait en enfer. »

Black appela le garçon et régla l'addition.

« Je suis désolé que nous ayons terminé la soirée sur une note aussi tragique, dit-il, mais merci quand même pour l'histoire. Je crois que vous feriez bien de l'inclure dans vos mémoires quand vous les écrirez. A propos, qu'est devenu l'enfant? »

La sage-femme prit son sac et ses gants.

« Il a été admis à l'orphelinat de Saint-Edmund, à Newquay, dit-elle, j'ai un ami là-bas, au Conseil d'administration, et on a pu arranger ça, mais ça n'a pas été facile. Nous l'avons appelé Tom Smith, mais pour moi il sera toujours Poil de Carotte. Pauvre gosse, il ne saura jamais qu'aux yeux de sa mère il était destiné à sauver le monde. »

Black ramena la sage-femme à Sea View et promit d'écrire dès qu'il serait rentré chez lui pour confirmer la réservation de la chambre. Puis il la raya, elle et Carnleath, de son carnet, et au-dessous inscrivit : Orphelinat de Saint-Edmund, Newquay. C'eût été dommage d'être venu jusque-là et de ne pas faire les quelques kilomètres qui le séparaient de Newquay; ne serait-ce que pour une simple vérification. La vérification fut plus difficile à faire qu'il ne le pensait.

Les directeurs d'institutions pour progéniture indésirable n'ont pas l'habitude de discuter du sort des enfants confiés à leur garde avec le premier venu, et celui de Saint-Edmund ne fit pas exception à la règle.

« C'est impossible, expliqua-t-il à Black, les enfants ne connaissent que l'institution qui les a élevés. Cela détruirait leur équilibre si leurs parents essayaient d'entrer en contact avec eux quand ils sont devenus grands. Cela créerait toutes sortes de complications.

— Je le comprends très bien, dit Black, mais dans le cas présent, il ne peut y avoir de difficultés. L'enfant est de père inconnu et la mère est morte.

— Je n'ai que votre parole pour en faire foi, répliqua le directeur. Je suis désolé, mais c'est strictement à l'encontre de nos règles. Je ne peux vous dire qu'une seule chose. Aux dernières nouvelles que nous avons eues de ce jeune homme, il travaillait très sérieusement comme représentant. Je regrette de ne pouvoir vous en dire plus.

— C'est suffisant », fit Black.

Il retourna à sa voiture et parcourut ses notes. Les paroles du directeur avaient éveillé quelque chose dans sa mémoire.

La dernière personne qui avait vu Lady Farren vivante, à l'exception du maître d'hôtel, était un représentant de commerce — le représentant d'une firme de meubles de jardin.

Black repartit vers le nord, en direction de Londres.

La firme qui fabriquait les meubles de jardin avait son siège social à Norwood, dans le Middlesex. Black s'en procura l'adresse en téléphonant à Sir John. Son catalogue était resté parmi les autres papiers et correspondance de Lady Farren.

« Pourquoi voulez-vous cette adresse? demanda

Sir John au téléphone. Avez-vous découvert quelque chose? »

Black répondit prudemment :

« Il s'agit d'une dernière vérification, dit-il. Je suis très consciencieux. Je me mettrai en rapport avec vous dès que possible. »

Il alla voir le directeur de la firme, et cette fois il ne déguisa pas son identité. Il lui donna sa carte et lui expliqua qu'il était chargé par Sir John Farren d'enquêter sur les dernières heures de feu Lady Farren, qui — comme M. le directeur l'avait certainement lu dans les journaux — s'était suicidée une semaine auparavant. Le matin de sa mort, elle avait commandé à un représentant de sa maison deux fauteuils de jardin. Serait-il possible, demanda Black, de voir l'homme en question?

Le directeur se déclara navré, mais étant donné que trois de ses représentants étaient en tournée et que leurs secteurs étaient vastes, il n'était pas possible d'entrer en rapport avec eux immédiatement. M. Black pouvait-il lui donner le nom du représentant qu'il désirait interroger?

« Oui, Tom Smith. »

Le directeur consulta son registre.

Tom Smith était un tout jeune homme, c'était sa première tournée. Il ne serait pas de retour à Norwood avant quatre jours. Si M. Black était très pressé de voir ce jeune Smith, la meilleure chose à faire était d'essayer de le toucher à son domicile, dans quatre jours, à son retour. Il donna l'adresse à Black.

« Pourriez-vous me dire, demanda Black, si par hasard ce jeune homme a les cheveux roux? »

Le directeur sourit.

« Sherlock Holmes? dit-il. Oui, Tom Smith a les cheveux d'un roux flamboyant. On pourrait s'y chauffer les mains. »

Black le remercia et prit congé.

Il se demanda s'il serait préférable d'aller voir Sir John tout de suite. Etait-il nécessaire d'attendre quatre ou cinq jours pour interroger le jeune Smith? Les pièces du puzzle s'emboîtaient. L'histoire était facile à reconstituer désormais. Lady Farren avait dû reconnaître son fils, et voilà tout. Et pourtant... Après le départ du représentant, le maître d'hôtel avait apporté un verre de lait à Lady Farren dans le salon, et l'avait trouvée dans son état normal. Les pièces s'emboîtaient, mais il manquait toujours un tout petit élément aux contours bizarres. Black décida d'attendre.

Quatre jours après, dans la soirée, vers sept heures et demie, il se rendit à Norwood dans l'espoir que Tom Smith serait revenu. La chance était avec lui. La femme qui lui ouvrit la porte — la logeuse sans doute — lui dit que M. Smith était en train de dîner, et l'invita à entrer dans la maison. Elle l'introduisit dans un petit salon où un jeune homme, presque un adolescent, était assis à table, occupé à manger un hareng.

« Y a un monsieur pour vous, monsieur Smith », dit-elle en quittant la pièce.

Smith reposa son couteau et sa fourchette, et s'essuya la bouche. Il avait un visage étroit et pincé, un peu comme celui d'un furet, et ses yeux bleu pâle étaient rapprochés. Ses cheveux rouges se dressaient sur sa tête comme une brosse. Il était de petite taille.

« Qu'est-ce qu'il y a? » demanda-t-il d'un ton agressif.

Avant que Black ait ouvert la bouche, il était déjà sur la défensive.

« Je m'appelle Black, dit le détective aimablement, j'appartiens à une agence de police privée, et je voudrais vous poser quelques questions, si vous n'y voyez pas d'inconvénients. »

Smith se leva. Ses yeux s'étaient rétrécis.

« Qu'est-ce que vous voulez? dit-il. Je n'ai rien fait. »

Black alluma une cigarette et s'assit.

« Je n'ai pas dit que vous aviez fait quelque chose de mal, dit-il, je ne suis pas ici pour examiner votre livre de commandes, si c'est ça qui vous inquiète. Je sais cependant que vous êtes passé voir Lady Farren lors de votre récente tournée, et qu'elle vous a commandé deux fauteuils de jardin.

— Et alors?

— C'est tout. Dites-moi comment s'est déroulé votre entretien avec Lady Farren. »

Tom Smith continuait à regarder Black avec méfiance.

« D'accord, dit-il, admettons que je sois allé voir cette Lady Farren. Admettons qu'elle m'ait passé une commande. Je me mettrai en règle avec la boîte quand j'irai les voir demain. Je peux toujours dire que j'ai demandé que le chèque soit établi à mon nom par erreur, et que ça n'arrivera plus. »

Black se souvint brusquement de Miss Marsh et du révérend Henry Warner. De M. Johnson aussi et de sa susceptibilité agressive. Pourquoi les gens mentaient-ils toujours en répondant aux questions qu'on ne leur posait pas?

« Je crois, dit Black, que ce serait beaucoup plus simple pour vous et pour vos rapports avec votre maison que vous me disiez toute la vérité. Si vous êtes franc, je ne ferai aucun rapport sur vous, ni à votre maison, ni au directeur de Saint-Edmund. »

Le jeune homme s'agita nerveusement.

« Ah! c'est eux qui vous ont envoyé? dit-il, j'aurais dû m'en douter. Ils ont toujours été après moi, dès le début. J'ai jamais eu de veine. »

Sa voix se fit geignarde. « L'enfant destiné à sauver le monde ne s'était pas très bien sorti de sa mission », pensa Black.

« Votre enfance ne m'intéresse pas, dit-il à haute voix. Je veux seulement savoir comment s'est passée votre entrevue avec Lady Farren. Vous ne le savez peut-être pas, mais cette dame est morte. »

L'adolescent hocha la tête.

« Je l'ai vu dans le journal, dit-il, c'est ça qui m'a décidé! elle pouvait pas me cafarder.

— Vous a décidé à quoi? demanda Black.

— A dépenser l'argent, et à barrer la commande dans mon livre. C'était facile. »

Black tira sur sa cigarette. La rapide vision de tentes encombrées, de roulottes, de matelas installés en pleins champs au milieu des houblons s'imposa à lui. Il entendit les rires bruyants, il sentit l'odeur de la bière et vit caché derrière une roulotte un petit homme roux aux yeux rapprochés, comme ce garçon.

« Oui, fit Black, c'était facile, comme vous dites. Racontez-moi tout. »

Tom Smith parut soulagé. Allons, tout allait bien, le détective ne répéterait rien, s'il disait la vérité.

« Lady Farren était sur la liste des grosses huiles du coin, reprit-il. On m'a dit qu'elle était pleine aux as et qu'elle me passerait sûrement une commande. Alors, je suis allé la voir et le maître d'hôtel m'a fait entrer. J'ai montré mon catalogue à la dame et elle a choisi deux fauteuils. J'ai demandé un chèque, elle en a rempli un et je l'ai pris. J'en sais pas plus.

— Attends une minute, fit Black. Lady Farren

a-t-elle été aimable avec toi? A-t-elle eu l'air de te remarquer spécialement? »

Le jeune homme parut surpris.

« Si elle a eu l'air de me remarquer? demanda-t-il. Non, pourquoi l'aurait-elle fait? J'étais juste un type qui essayait de lui vendre quelque chose.

— Que t'a-t-elle dit? insista Black.

— Elle a juste regardé dans le catalogue pendant que je restais debout, à côté d'elle à attendre. Elle a souligné deux articles d'un trait de crayon, et quand je lui ai demandé si elle voulait bien faire le chèque au porteur — histoire d'essayer, quoi! Elle avait tout à fait le genre poire —, ça n'a pas fait un pli. Elle s'est assise à son bureau et m'a signé le chèque. Ça faisait vingt sacs, dix billets par fauteuil. Je lui ai dit au revoir, et elle a sonné le maître d'hôtel pour qu'il me reconduise. Je suis parti et j'ai été tout de suite toucher le chèque. J'ai mis l'argent dans mon portefeuille, mais j'étais pas sûr si je pouvais le dépenser. C'est seulement quand j'ai vu dans le journal que la dame était morte que je me suis dit : « Vas-y, mon vieux. » On peut pas m'en vouloir pour ça, c'est bien la première occasion que j'ai de me faire un peu de fric sans que personne le sache. »

Black éteignit sa cigarette.

« Ta première occasion, et tu t'en sers pour voler, dit-il. Enfin, c'est toi qui choisis et c'est ton avenir. Tu n'as pas honte de toi?

— Personne n'a honte jusqu'à ce qu'il soit pris », fit Tom Smith.

Et soudain, il sourit. Le sourire illumina le pâle visage de furet, rendit plus profonds les yeux bleu clair. La ruse déserta ses traits et à sa place une étrange et attirante innocence brilla dans le regard du jeune garçon.

« Je vois bien que ce truc ne vaut rien! dit-il. La prochaine fois, j'essaierai autre chose.

— Essaie plutôt de sauver le monde, fit Black.

— Quoi? » fit l'adolescent.

Black lui dit au revoir en lui souhaitant bonne chance. Tandis qu'il descendait la rue, il sentit sur son dos le regard du jeune homme.

L'après-midi du même jour, Black se rendit chez Sir John Farren pour lui faire son rapport, mais avant d'être introduit dans la bibliothèque, il demanda au maître d'hôtel s'il pouvait lui dire un mot en particulier. Ils entrèrent tous deux dans le salon.

« Vous avez introduit le représentant dans cette pièce, et vous l'avez laissé avec Lady Farren. Puis, environ cinq minutes plus tard, Lady Farren sonna et vous avez reconduit le représentant. Après cela, vous êtes revenu apporter le verre de lait de Lady Farren. C'est bien ça?

— Tout à fait exact, monsieur, dit le maître d'hôtel.

— Quand vous êtes revenu avec le verre de lait, que faisait madame?

— Elle était debout, à peu près à la même place que vous, monsieur, elle regardait le catalogue.

— Elle vous a paru dans son état normal?

— Oui, monsieur.

— Qu'est-il arrivé alors? Je vous l'ai déjà demandé, mais je procède à une dernière vérification avant de faire mon rapport à Sir John. »

Le maître d'hôtel réfléchit un instant.

« J'ai porté le verre à madame et je lui ai demandé s'il y avait des ordres à donner au chauffeur. Elle m'a répondu que non et que Sir John l'emmènerait faire une promenade en voiture dans l'après-midi. Elle me raconta qu'elle avait commandé deux fauteuils de jardin, et elle me les montra dans le catalogue. Je lui ai dit qu'ils seraient très utiles. Je l'ai vue reposer le catalogue sur le secrétaire et s'approcher de la fenêtre pour boire son lait.

— Elle n'a rien dit d'autre? Elle n'a pas parlé du représentant?

— Non, monsieur. Sa Grâce n'a fait aucune remarque sur lui, mais je me souviens que moi, j'en ai fait une. Madame n'a pas dû entendre, cependant — c'était au moment où je quittai la pièce —, car elle n'a pas répondu.

— Qu'aviez-vous dit?

— J'ai dit, en plaisantant — madame aimait volontiers plaisanter —, que si le représentant revenait, je saurais qui il était à cause de ses cheveux : « Un vrai Poil de Carotte, il n'y a pas à

« s'y tromper », ai-je dit. Puis, j'ai refermé la porte et je suis allé à l'office.

— Merci, dit Black, ce sera tout. »

Il resta un moment à regarder le jardin par la porte-fenêtre. Sir John vint bientôt le rejoindre.

« Je vous attendais dans la bibliothèque, dit-il, êtes-vous ici depuis longtemps?

— Quelques minutes seulement.

— Bien. Et quelle est votre conclusion?

— La même qu'auparavant, Sir John.

— Vous voulez dire que nous en sommes toujours au même point? Vous ne pouvez me donner aucune raison pour laquelle ma femme se serait suicidée?

— Aucune. Je suis arrivé à la conclusion que le docteur avait raison. Une folie subite, due à son état, l'a poussée à se rendre dans la salle d'armes et à se tirer une balle avec votre revolver. Elle était heureuse, gâtée à tous points de vue, et comme vous le savez, Sir John, sa vie a toujours été parfaitement irréprochable. Son acte n'a été motivé par rien.

— Dieu merci », fit Sir John.

Black ne s'était jamais pris pour un sentimental. Mais maintenant, il n'en était plus aussi certain.

LE PETIT PHOTOGRAPHE

Traduction de Florence Glass

La marquise était étendue sur une chaise longue sur le balcon de sa chambre d'hôtel. Elle n'était vêtue que d'un kimono; ses longs cheveux d'or scintillants, enroulés sur des épingles-neige, étaient serrés autour de sa tête par un turban turquoise, dont la teinte s'harmonisait avec celle de ses yeux. A côté de la chaise longue se dressait un petit guéridon portant trois flacons de vernis de couleur différente.

Elle venait d'appliquer une touche de couleur sur trois de ses ongles et elle étendit la main devant ses yeux pour juger de l'effet. Non, décidément, le vernis de son pouce était trop rouge, trop vif; il prêtait à sa main brune aux doigts effilés quelque chose de trop exotique, cela ressemblait trop à une goutte de sang toute fraîchement tombée de quelque blessure.

Par contre, l'ongle de son index était d'un rose ravissant, mais cela aussi lui parut artificiel, mal adapté à son humeur présente. C'était là le rose élégant des grands salons, des robes de bal, de son image reflétée par le miroir au cours d'une réception, tandis qu'elle agitait doucement son éventail en plumes d'autruche au son lointain des violons.

Le troisième doigt était recouvert d'une couche de vernis lustré, ni écarlate, ni vermillon, mais plus doux en quelque sorte, plus subtil; l'éclat d'une pivoine en bouton, pas offerte encore à la chaleur du jour et gardant sur elle la rosée du matin. Une pivoine fraîche et secrète, qui se dresserait dans l'herbe luxuriante d'une pelouse, attendant que le soleil fût au zénith pour lui offrir ses pétales.

Oui, c'était là la teinte rêvée. Elle se munit de petits tampons de coton et effaça les couleurs choquantes de ses autres doigts; puis, lentement, soigneusement, elle trempa le pinceau dans le flacon choisi et se vernit les ongles à petits coups précis, rapides.

Quand elle eut terminé, elle se rejeta contre le dossier de sa chaise longue, épuisée, agitant ses mains devant elle pour permettre au vernis de sécher plus vite — un geste étrange, semblable à celui de quelque prêtresse. Elle jeta un coup d'œil à ses orteils nus et décida qu'elle les vernirait également dans quelques minutes; ses fines mains brunes, ses petits pieds bruns aussi, tranquilles et soumis à sa volonté.

Mais pas tout de suite. D'abord, elle devait se reposer, se détendre. Il faisait trop chaud pour abandonner le support du dossier et se pencher en avant, même pour l'embellissement de ses pieds. Elle avait bien le temps. En fait, le temps s'offrait à elle tout au long de cette longue et paresseuse journée au tracé uniforme.

Elle ferma les yeux.

Les bruits lointains de l'hôtel lui parvenaient comme en un rêve, vagues et agréables comme sa vie à l'hôtel, lui rappelant sa liberté, puisqu'elle n'avait plus à subir la tyrannie de sa maison. Quelqu'un, sur le balcon de l'étage au-dessus, tira une chaise. En bas, sur la terrasse, les garçons installaient des parasols aux vives rayures au-dessus des tables du déjeuner; elle pouvait entendre le maître d'hôtel lancer des ordres depuis la salle à manger. Dans l'appartement à côté, la femme de chambre faisait le ménage. Des meubles furent déplacés, un lit grinça, le valet de chambre sortit sur le balcon voisin et balaya à l'aide d'un balai de crins. Leurs voix murmuraient, protestaient; puis se turent. Le silence de nouveau. Rien que le clapotis de la mer qui léchait avec langueur le sable brûlant; et quelque part, loin, trop loin pour que cela fût irritant, des rires d'enfants qui jouaient, les siens parmi eux.

Sur la terrasse, un homme commanda du café. L'odeur de son cigare monta jusqu'au balcon. La marquise soupira et ses jolies mains retombèrent comme deux lis de chaque côté de la chaise longue. Quelle paix, quelle plénitude! Si seulement elle pouvait prolonger ce moment pendant une heure encore. Mais un pressentiment l'avertit que cette heure passée, le vieux démon de l'ennui, du vide, reviendrait, même ici où elle était libre enfin, en vacances.

Une abeille apparut sur le balcon, voleta un instant au-dessus du flacon de vernis, puis disparut dans la fleur entrouverte cueillie par l'un des enfants et posée sur le guéridon. Son bourdonnement cessa de se faire entendre. La marquise ouvrit les yeux et vit l'abeille s'efforçant de s'échapper des pétales, intoxiquée. Un instant éperdue, elle réussit à reprendre son vol en bourdonnant. Le charme était rompu. La marquise ramassa la lettre d'Edouard, son mari, qui était tombée à terre.

« ... C'est pourquoi, ma très chère, il me sera malgré tout impossible de me rendre auprès de vous et des enfants. Il y a tant d'affaires dont je dois m'occuper ici, et vous savez que je ne peux me reposer sur personne. Naturellement, je ferai l'impossible pour venir vous chercher à la fin du mois. En attendant, amusez-vous et reposez-vous. Je sais que l'air de la mer vous fera du bien. Je suis allé voir maman et Madeleine hier. Je crois que le vieux curé... »

La marquise laissa retomber la lettre. La petite ride au coin de sa bouche, la seule qui déparât ce ravissant et doux visage, s'accentua. Ainsi, c'était de nouveau arrivé. Toujours les affaires. Le domaines, les fermes, les forêts, les hommes de loi qu'il devait voir, les voyages décidés en hâte, tout cela faisait qu'en dépit de son amour pour elle, Edouard, son mari, n'avait pas de temps à lui consacrer.

Avant son mariage, on le lui avait bien dit. « Vous comprenez, M. le marquis est un homme très sérieux. » Comme cela lui avait été indifférent, avec quelle joie elle avait accepté, car que pouvait-on avoir de mieux dans la vie qu'un marquis qui était en même temps « un homme sérieux »? Quoi de plus merveilleux que ce château, ce vaste domaine? Quoi de plus imposant que l'hôtel particulier à Paris, la suite de domestiques, humbles, inclinés sur son passage, avec des « oui, madame la marquise », « non, madame la marquise »? Un monde féerique pour une petite bourgeoise de Lyon, fille d'un médecin besogneux et d'une mère maladive. Si M. le marquis n'était pas soudain apparu dans sa vie, elle serait sans doute aujourd'hui mariée au jeune assistant de son père, poursuivant à jamais le petit train-train de sa vie de provinciale.

Un mariage très romanesque, bien sûr. Un peu critiqué par la famille de M. le marquis au début, mais après tout, le marquis avait quarante ans passés et il savait ce qu'il faisait. Et puis, elle était très belle. Il n'y eut pas de discussions. Ils se marièrent et eurent deux petites filles. Ils étaient heureux. Et pourtant, quelquefois... La marquise se leva de la chaise longue et alla s'asseoir devant la coiffeuse de sa chambre. Elle enleva les épingles de ses cheveux. Même ce léger effort l'épuisa. Elle rejeta son kimono et contempla son image nue dans le miroir. Parfois, elle se surprenait à regretter le train-train de sa vie passée à Lyon Elle se rappelait les rires, les plaisanteries échangées avec ses amies, les chuchotements dans la rue quand un passant les regardait, les confidences et les lettres glissées de la main à la main quand on allait goûter chez l'une ou chez l'autre.

A présent, elle était Mme la marquise et il n'y avait plus personne pour partager ses confidences, ses rires. Tout le monde autour d'elle était d'âge mûr, et si ennuyeux! Ces visites interminables de parents d'Edouard au château! Sa mère, ses sœurs, ses frères, ses belles-sœurs. Et l'hiver, à Paris, c'était encore la même chose. Jamais de visage nouveau, jamais d'inconnus. Parfois peut-être l'émotion provoquée par l'apparition au déjeuner d'une relation d'affaires d'Edouard qui, surpris par sa beauté quand elle arrivait au salon, lui lançait un audacieux regard d'admiration, puis s'inclinait en lui baisant la main.

Observant l'hôte inattendu pendant le repas, elle s'amusait à échafauder une intrigue secrète entre eux, imaginant le taxi qui l'emporterait vers lui, le petit ascenseur obscur menant à son appartement, la sonnette qu'elle presserait avant de disparaître dans une pièce inconnue. Mais, le long repas terminé, l'invité s'inclinait de nouveau et partait. Et par la suite, elle se disait qu'il n'était même pas agréable à regarder; que ses dents étaient fausses, que... Mais ce regard d'admiration, vite baissé — comme elle désirait le voir.

Elle peignait à présent ses longs cheveux devant le miroir, essayant une nouvelle coiffure : une raie sur le côté avec un ruban de la même teinte que ses ongles passé dans l'or de la chevelure. Oui, ainsi... Puis elle mettrait la robe blanche et cette écharpe de tulle, négligemment nouée autour de ses épaules. Quand elle apparaîtrait sur la terrasse, suivie des enfants et de la gouvernante anglaise, tandis que le maître d'hôtel courbé devant elle la mènerait à sa table, dans le coin, sous le parasol rayé, les gens lèveraient la tête et la suivraient des yeux. Elle s'arrêterait peut-être alors un instant pour se pencher sur l'un des enfants et caresser ses boucles, en un geste d'affection maternelle plein de grâce.

Mais pour le moment, il n'y avait devant le miroir qu'un corps nu et une bouche triste et boudeuse. Les autres femmes avaient des amants. Même au cours de ces longs et pesants dîners, avec Edouard à l'autre bout de la table, des échos scandaleux parvenaient jusqu'à elle. Ces choses-là arrivaient aussi dans le milieu de vieille noblesse auquel elle appartenait maintenant. « Vous savez, on dit que... », et le sous-entendu, le chuchotement passait d'une oreille à l'autre, accompagné d'un léger haussement d'épaules, d'un sourcil relevé.

Quelquefois, après un thé, il arrivait qu'une invitée partît de bonne heure, avant six heures, prétextant qu'elle était attendue à une autre réception, et la marquise, l'accompagnant jusqu'à la porte avec des paroles de regret, se demandait : « Va-t-elle à un rendez-vous? Etait-il possible que dans vingt minutes, moins peut-être, cette petite comtesse effacée sourît mystérieusement tandis que ses vêtements glisseraient à terre? »

Jusqu'à son amie de lycée, Elise, mariée à Lyon depuis six ans, qui avait un amant. Quand elle écrivait à la marquise, elle ne le désignait jamais par son nom. Elle disait simplement « mon ami ». Ils s'arrangeaient pour se voir deux fois par semaine, le lundi et le jeudi. Il possédait une voiture et l'emmenait à la campagne, même en hiver. Et Elise écrivait à la marquise : « Comme ma petite aventure doit te sembler plébéienne, à toi qui vis dans la haute société. Qu'est-ce que tu dois avoir comme soupirants, et quelles aventures! Parle-moi de Paris, et des réceptions. Quel homme as-tu choisi cet hiver? » La marquise répondait par des sous-entendus, écartant les questions par des plaisanteries. Elle se lançait dans la description de telle ou telle robe portée lors d'un dîner, d'un bal. Mais elle ne disait pas que la réception s'était terminée à minuit, qu'elle avait été mortellement ennuyeuse, et que, elle, la marquise, ne connaissait de Paris que les courses en voiture avec les enfants, chez les couturiers ou chez le coiffeur. Quant à sa vie de châtelaine, elle pouvait décrire les chambres, les nombreux invités, la solennelle avenue bordée d'arbres, les longues étendues de bois; mais elle ne parlait pas de la pluie qui, au printemps, tombait jour après jour, ni de la chaleur étouffante de l'été précoce, quand le grand silence enveloppait la propriété accablée.

« Ah! Pardon, je croyais que madame était sortie... »

Le valet de chambre était entré sans frapper, son balai à la main, et maintenant il se retirait discrètement, mais non sans l'avoir regardée, nue devant le miroir. Il ne pouvait ignorer qu'elle était là, puisque. quelques instants auparavant, elle était encore sur son balcon? Etait-ce de la pitié qu'elle avait lue, mêlée à l'admiration de son regard? Comme s'il disait : « Si belle et pourtant toute seule, nous ne sommes pas habitués à voir cela dans cet hôtel, où les gens viennent pour s'amuser... »

Dieu, qu'il faisait chaud! Pas la moindre brise en provenance de la mer. Des petites gouttes de transpiration glissaient sur son corps.

Elle s'habilla languissamment, revêtant la fraîche robe blanche. Puis, passant une fois de plus sur le balcon, elle leva le store, s'exposant pleinement à la chaleur du jour. Des lunettes noires dissimulaient ses yeux. Seuls sa bouche, ses ongles et l'écharpe jetée sur ses épaules brillaient de l'éclat de leurs vives couleurs. Les verres foncés de ses lunettes assombrissaient le paysage. La mer, naturellement d'un bleu de pervenche, lui paraissait presque pourpre, et le sable pâle s'était transformé en un brun verdâtre. Les fleurs luxuriantes, dans leurs pots, avaient quelque chose d'exotique. Tandis qu'elle se penchait au-dessus du balcon, la chaleur du bois brûla ses mains. A nouveau, la fumée d'un cigare flotta jusqu'à elle, de quelque provenance inconnue. Un garçon apporta des verres d'apéritif à une table, sur la terrasse, et elle entendit un tintement de bouteilles. Quelque part, une voix de femme s'éleva et un rire d'homme se joignit au sien.

Un berger d'Alsace, la langue pendante. traversa la terrasse, à la recherche d'un coin ombragé où il pourrait s'étendre. Un groupe de jeunes gens, nus et bronzés, le sel de la mer tiède à peine séché sur leurs corps, accourut de la plage, en réclamant des Martini. Des Américains sans doute. Ils lancèrent leurs serviettes sur des chaises; l'un d'eux siffla le chien, qui ne se donna pas la peine de répondre. La marquise les regarda avec un dédain mêlé d'envie. Ils étaient libres d'aller et de venir, de grimper subitement dans une voiture et de partir ailleurs. Ils semblaient vivre constamment dans une gaieté sans mesure. féroce. Toujours en groupe de six, huit. Ils formaient des couples, bien entendu, mais — et là elle se laissa pleinement aller à son mépris — leur joie de vivre excluait tout mystère. Dans leurs existences étalées au grand jour, il n'y avait pas place pour un instant d'émotion. Aucun d'entre eux n'avait sans doute jamais attendu derrière une porte à demi close.

« Ce n'était pas cela, la saveur d'une aventure amoureuse », pensa la marquise, et brisant la tige d'une rose qui grimpait le long de son balcon, elle la glissa dans l'échancrure de sa robe. L'amour, elle l'imaginait comme une chose silencieuse, douce, muette. Pas de voix bruyantes, d'éclats de rire soudains, mais plutôt la curiosité furtive qu'accompagne la peur; et puis, quand la peur a disparu, la confiance téméraire. Ce ne devait pas être un accord entre amis, mais la passion entre inconnus...

Les estivants revenaient un par un à l'hôtel. Les tables étaient presque toutes occupées. La terrasse déserte et torride durant la matinée s'anima. Un car amena des gens venus seulement pour le déjeuner et qui se mêlèrent aux pensionnaires de l'hôtel. Dans le coin à droite, un groupe de six. Plus loin, une table de trois. Et du remue-ménage, des bavardages, des tintements de verres et d'assiettes, à tel point que le clapotis des vagues, qui avait bercé la matinée jusqu'alors, passa au second plan, ne fut plus qu'une sorte de fond sonore. La marée descendait, l'eau formait des petites rides sur le sable en se retirant.

Les enfants arrivèrent, accompagnées de leur

gouvernante. Elles se frayèrent un chemin sur la terrasse encombrée, semblables à d'adorables poupées. Miss Clay les suivait, dans sa robe de coton rayée, ses cheveux frisés encore humides du bain. Soudain, elles levèrent la tête vers le balcon et la virent. Elles agitèrent leurs mains vers elle : « Maman... maman... » Elle se pencha en avant, souriante; et comme à l'habitude, cette petite scène attira l'attention générale. Quelqu'un regarda les enfants, puis elle, et sourit. Un homme, attablé dans le coin à gauche, se mit à rire et la fit remarquer à ses compagnons, et la première vague d'admiration monta jusqu'à elle — cette admiration qui atteindrait son plein quand la marquise descendrait, la belle marquise et ses petits anges. Et les murmures voleraient à elle comme la fumée des cigarettes, comme la conversation des pensionnaires aux tables qui entouraient la sienne. Voilà ce que le déjeuner sur la terrasse lui apportait jour après jour : l'encens de l'admiration, le respect, et puis l'oubli. Chacun allait ensuite de son côté, nager, jouer au golf, au tennis, faire une promenade en voiture, et elle restait, belle et immaculée, avec ses enfants et Miss Clay.

« Regardez, maman, j'ai trouvé une petite étoile de mer sur le sable, je la rapporterai à la maison quand nous partirons.

— Non, non, ce n'est pas juste, elle est à moi. C'est moi qui l'ai vue la première. »

Les petites filles, le visage enflammé, s'élancèrent l'une sur l'autre.

« Céleste, Hélène! Cessez et taisez-vous. Vous me donnez mal à la tête. »

« Madame est fatiguée? Vous devriez vous reposer après le déjeuner. Par cette chaleur, cela vous fera du bien. »

Miss Clay, avec tact, se pencha sur les enfants pour les gronder. « Nous sommes tous fatigués. Le repos nous fera du bien », fit-elle.

« Me reposer... Mais je ne fais que cela, pensa la marquise. Ma vie n'est qu'un long repos. Il faut vous reposer. Repose-toi, ma chérie, tu as mauvaise mine. »

Hiver comme été, c'était l'éternelle rengaine, cent fois redite par son mari, la gouvernante, les belles-sœurs, et tous ces amis ternes et tellement plus vieux qu'elle. Son mode de vie pouvait se résumer à cela : se lever, se reposer encore et encore. A cause de son teint pâle, de sa réserve, ils la tenaient pour délicate. Dieu du ciel, combien d'heures de sa vie de femme elle avait ainsi passées dans son lit, les persiennes closes. Dans la maison de Paris, dans le château à la campagne. Repos de deux à quatre.

« Je ne suis pas le moins du monde fatiguée », dit-elle à Miss Clay, et pour une fois, sa voix à l'habitude mélodieuse et douce, retentit sèche, un peu criarde. « J'irai faire une promenade après le déjeuner, j'irai en ville. »

Les enfants la regardèrent, les yeux ronds, et Miss Clay, la surprise clairement peinte sur son visage de chèvre, ouvrit la bouche en signe de protestation.

« Vous allez vous épuiser, par cette chaleur. D'ailleurs, les quelques magasins qu'il y a sont tous fermés entre une heure et trois heures. Pourquoi ne pas attendre le moment du goûter? Cela serait certainement plus sage. Vous pourriez emmener les enfants, et moi je ferais un peu de repassage. »

La marquise ne répondit pas. Elle se leva de table. Le déjeuner s'était un peu prolongé à cause des enfants — Céleste était toujours lente à manger — et maintenant la terrasse était presque vide. Personne d'important ne verrait le petit groupe revenir à l'hôtel.

La marquise remonta dans sa chambre, et une fois de plus poudra son visage. Elle refit soigneusement au pinceau le contour de sa bouche et appliqua une goutte de parfum sur les lobes de ses oreilles. Dans la chambre à côté, elle entendait les voix des enfants, et celle de Miss Clay qui les couchait, baissait le store. La marquise saisit son sac de raphia tressé, y fourra sa bourse, un rouleau de pellicules, et passant sur la pointe des pieds devant la porte de la chambre de ses enfants, descendit et sortit sur la route poudreuse.

Presque immédiatement, des petits cailloux s'introduisirent dans ses sandales découpées et le soleil darda son éclat sur sa tête. Ce qui lui avait semblé, dans l'entraînement d'un moment, une action originale et inhabituelle, lui parut tout d'un coup sot et inutile. La route était déserte, ainsi que la plage. Les estivants qui les avaient animées ce matin, tandis qu'elle était restée étendue sur son balcon, faisaient maintenant la sieste dans leur chambre, comme Miss Clay et les enfants. Seule la marquise cheminait sur la route brûlante de soleil qui menait à la petite ville.

Et quand elle fut dans la ville, la prédiction de Miss Clay se trouva réalisée. Les magasins étaient fermés, les volets clos. L'heure de la sieste, inviolable et toute puissante, régnait sur la petite ville et ses habitants.

La marquise flânait dans la grand-rue, son sac de raphia se balançant au rythme de sa marche, seul être animé dans un monde ensommeillé. Même le café du coin était désert et un chien, couleur de sable, les yeux fermés, tentait de chasser de sa patte les mouches qui le harcelaient. Les mouches étaient partout. Elles bourdonnaient autour de la vitre de la pharmacie, où des flacons de verre foncé, emplis de mystérieuses médecines, voisinaient avec des huiles solaires, des éponges et des crèmes de beauté. Elles dansaient un ballet devant le bazar bourré de lunettes de soleil, de poupées et d'espadrilles. Elles se traînaient sur le marbre taché de sang de l'éventaire du boucher, derrière le rideau de fer. De la boutique filtraient les vibrations d'une radio, qu'on ferma brusquement, puis le bâillement de quelqu'un qui veut dormir et n'entend pas se laisser déranger. Même le bureau de postes était fermé. La marquise, qui avait pensé y acheter des timbes, secoua la poignée, sans résultat.

La sueur ruisselait sous sa robe, et ses pieds, dans leurs fines sandales, lui faisaient mal. Le soleil était trop fort, trop cruel. Dans la rue désertée, les maisons étroitement fermées semblaient un royaume inaccessible, retiré dans la paix bénie de la sieste, et soudain elle ressentit la nostalgie aiguë d'une petite place fraîche, sombre — une cave peut-être —, où un robinet mal fermé laisserait échapper de l'eau goutte à goutte. Le bruit de l'eau tombant sur le sol de pierre calmerait ses nerfs éprouvés par le soleil.

Désappointée, presque en larmes, elle tourna dans une impasse blottie entre deux boutiques. Elle arriva à quelques marches qui descendaient vers une petite cour sombre, et elle s'arrêta là un moment, sa tête pressée contre le mur de pierre si fraîche. Soudain, le volet à côté d'elle fut écarté et un visage se leva vers elle, de quelque pièce obscure au sous-sol.

« Je suis désolée... » commença-t-elle, confuse par l'absurdité qui l'amenait à être découverte ici, comme si elle cherchait à épier les gens qui vivaient dans ce sous-sol de magasin. Puis elle baissa la voix et se tut stupidement, car le visage qui lui apparaissait dans l'encadrement de la fenêtre ouverte était si inattendu, si doux qu'il eût pu être l'incarnation d'un saint descendu d'un vitrail de cathédrale. Un nuage de boucles sombres entourait ce visage au nez fin et droit, à la bouche aux lèvres douces. Ses yeux, à l'expression curieusement solennelle, bruns et tendres, étaient ceux d'une gazelle.

« Vous désirez, madame la marquise? » dit-il, en réponse à la phrase inachevée.

« Il sait qui je suis, pensa-t-elle étonnée, il m'a déjà vue. »

Mais ceci était moins inattendu que la qualité de sa voix. Une voix ni rude, ni rauque, pas du tout la voix d'un homme habitant le sous-sol d'une boutique, mais au contraire douce, cultivée, liquide en quelque sorte, une voix qui allait bien avec les yeux de gazelle.

« Il fait si chaud dans la rue, fit-elle. Les magasins sont tous fermés, et je me suis sentie mal. J'ai descendu les marches. Je m'excuse d'être entrée dans une cour privée. »

Le visage s'effaça de la fenêtre. Il ouvrit une porte quelque part, qu'elle n'avait pas aperçue, et tout d'un coup elle se trouva assise sur une chaise à l'entrée de la pièce sombre et fraîche, en tous points semblable à la cave qu'elle avait imaginée, un bol de faïence empli d'eau à la main.

« Merci, dit-elle, merci beaucoup. »

Levant les yeux, elle vit l'humilité, le respect de

son regard tandis qu'il la regardait, la cruche à la main.

« Puis-je autre chose pour vous, madame? » demanda-t-il de sa voix douce.

Elle fit non de la tête. Elle sentait en elle cet émoi qu'elle connaissait si bien : le plaisir secret qu'un admirateur lui procurait, et consciente de sa personne pour la première fois depuis qu'il avait ouvert la fenêtre, elle ramena plus étroitement autour de ses épaules l'écharpe de gaze en un geste gracieux. Les yeux de gazelle s'abaissèrent jusqu'à la rose piquée dans le décolleté de la robe.

« Comment savez-vous qui je suis? interrogea-t-elle.

— Vous êtes venue dans mon magasin il y a trois jours, répondit-il. Vos enfants étaient avec vous. Vous avez acheté des pellicules pour votre appareil photographique. »

Elle le regarda, stupéfaite. Elle se rappelait avoir acheté les pellicules dans une petite boutique où il y avait des réclames Kodak en vitrine, et elle se souvenait aussi de la petite bonne femme infirme et laide qui l'avait servie derrière le comptoir. La femme boitait, et craignant que les enfants ne s'en aperçoivent et rient, et qu'elle-même, par simple nervosité, ne soit amenée à partager leur rire cruel, elle avait commandé quelques objets à livrer à son hôtel, et était vite partie.

« C'est ma sœur qui vous a servie, expliqua-t-il.

Je vous ai vue de l'arrière-boutique. Je ne sers pas souvent les clients. Je photographie les gens de la campagne et nous vendons ensuite les photos aux estivants.

— Ah! fit-elle, je comprends. »

Elle but encore un peu de l'eau du bol, et but aussi l'adoration qui se lisait dans ses yeux.

« J'ai apporté un rouleau de pellicules, dit-elle. Je l'ai là dans mon sac. Voudriez-vous le développer pour moi?

— Bien sûr, madame la marquise. Je ferai n'importe quoi pour vous, tout ce que vous demanderez. Depuis le jour où vous êtes entrée dans mon magasin, je... »

Puis il s'arrêta, le visage enflammé, et il détourna son regard embarrassé.

La marquise réprima une envie de rire. Cette admiration, c'était tout à fait absurde. Pourtant, c'est curieux, cela lui donnait une sensation de puissance.

« Depuis le jour où je suis entrée dans votre magasin, vous... quoi? » demanda-t-elle.

Il la regarda à nouveau.

« Je ne peux plus penser qu'à vous, rien qu'à vous », dit-il avec une telle intensité qu'elle en fut presque effrayée.

Elle sourit et lui tendit le bol.

« Je suis une femme très ordinaire, dit-elle. Si vous me connaissiez mieux, vous seriez déçu. »

« Comme c'est étrange, se dit-elle, à quel point

je suis maîtresse de cette situation. Je ne suis pas du tout choquée ou outragée. Voilà, je suis là, dans le sous-sol d'une boutique, en train de parler à un photographe qui vient de m'exprimer son admiration. C'est vraiment très amusant. Pauvre homme, il parle sérieusement, il pense réellement ce qu'il dit. »

« Eh bien, fit-elle, prenez-vous mon rouleau? »

C'était comme s'il ne pouvait arracher ses yeux d'elle, et à son tour elle le dévisagea hardiment, si bien qu'il ne tarda pas à baisser les yeux et à rougir de nouveau.

« Si vous voulez bien ressortir par le même chemin, je vais aller ouvrir le magasin pour vous », dit-il.

C'est elle maintenant qui le regardait, laissant ses yeux errer sur le torse nu, les cheveux bouclés.

« Pourquoi ne puis-je vous donner les pellicules ici? demanda-t-elle.

— Ce ne serait pas correct, madame », lui répondit-il.

Elle lui tourna le dos en riant et remonta les marches jusqu'à la rue torride. Elle attendit sur le trottoir jusqu'à ce que la clef remuât dans la serrure de la porte et que celle-ci s'ouvrît. Délibérément, elle s'attarda alors un moment dans la rue, afin de le faire attendre, puis entra dans la boutique, qui, après la fraîcheur du sous-sol, lui sembla chaude, avec une odeur d'air confiné.

Il se tenait derrière le comptoir, et elle vit avec

désappointement qu'il avait mis une chemise, beaucoup trop raide et trop bleue, ainsi qu'une veste. Ce n'était plus qu'un petit boutiquier, tout ordinaire.

« Quand les photos seront-elles prêtes? demanda-t-elle.

— Demain », dit-il, et à nouveau il la contempla de ses doux yeux bruns.

Instantanément, elle oublia la veste étriquée, la chemise trop bleue, et revit le torse nu.

« Puisque vous êtes photographe, pourquoi ne viendriez-vous pas à l'hôtel prendre quelques photos de mes enfants et de moi?

— Vous voudriez bien?

— Pourquoi pas? » fit-elle.

Un éclair secret illumina son regard, puis disparut tandis qu'il se baissait derrière le comptoir, feignant de chercher de la ficelle. Mais elle pensa, avec un sourire intérieur, que ses mains tremblaient et qu'il était violemment ému; et pour cette même raison son cœur se mit à battre plus fort.

« Très bien, madame la marquise, dit-il, je me rendrai à votre hôtel quand il vous conviendra.

— Le matin serait préférable, dit-elle, vers onze heures. »

Elle sortit nonchalamment du magasin. Elle n'avait même pas dit au revoir.

Elle traversa la rue, et regardant dans la vitrine en face, elle vit qu'il s'était approché de la porte et la regardait. Il avait enlevé sa chemise et sa veste. Le magasin était fermé à nouveau; la sieste n'était pas terminée. C'est alors qu'elle remarqua pour la première fois que lui aussi était infirme, comme sa sœur. Son pied droit était enfermé dans une haute bottine à semelle très épaisse. Et pourtant, la vue de son infirmité ne lui répugna pas, elle ne lui donna pas non plus envie de rire nerveusement, comme l'avait fait celle de sa sœur. Son pied bot exerçait sur elle une fascination inconnue, étrange.

Le lendemain matin, à onze heures, le concierge de l'hôtel envoya la femme de chambre prévenir que M. Paul, le photographe, était dans le hall et attendait les instructions de Mme la marquise.

La domestique redescendit en disant que Mme la marquise demandait que M. Paul veuille bien monter à son appartement. Bientôt, elle entendit frapper timidement à la porte.

« Entrez », cria-t-elle.

Debout sur le balcon, les bras autour de ses petites filles, elle formait un tableau charmant.

Ce jour-là, elle était vêtue de soie chartreuse, et sa coiffure n'était plus celle de la petite fille d'hier, cheveux flottants dans le dos avec le ruban. Aujourd'hui, une raie séparait les cheveux tirés en arrière pour montrer les petites oreilles ornées de clips d'or.

Il resta un moment sur le seuil sans bouger. Les

fillettes, intimidées, regardaient le pied bot avec étonnement, mais elles ne dirent rien. Leur mère les avait prévenues.

« Voici mes petites filles, dit la marquise. Maintenant, dites-nous où nous mettre et quelle pose prendre. »

Les enfants ne firent pas la révérence qu'elles destinaient habituellement aux visiteurs. Leur mère leur avait dit que cela n'était pas nécessaire. M. Paul était un photographe, celui du magasin de la petite ville.

« Si c'était possible, madame, dit-il, j'aimerais vous prendre telles que vous êtes maintenant. C'est une pose si naturelle, si pleine de grâce.

— Mais bien sûr, si vous le désirez. Tiens-toi tranquille, Hélène.

— Je vous prie de m'excuser. Il me faudra quelques instants pour ajuster l'objectif. »

Sa nervosité s'était évanouie. Il était absorbé dans la préparation technique de son travail. Elle le regarda installer le trépied, arranger le voile noir, et elle remarqua ses mains fines et habiles. Ce n'étaient pas les mains d'un artisan, d'un boutiquier, mais les mains d'un artiste.

Ses yeux tombèrent sur le pied bot. Sa boiterie n'était pas aussi prononcée que celle de sa sœur, sa démarche n'avait pas ce déhanchement accentué qui incite au rire. Il marchait lentement, traînant un peu la jambe, et la marquise ressentit une sorte de compassion pour son infirmité, car son pied déformé devait sans doute le faire souffrir, et la haute bottine devait presser, blesser sa chair, surtout par les temps de chaleur.

« Maintenant, madame », fit-il.

Et avec un sentiment de culpabilité, elle leva les yeux de ses pieds et reprit sa pose, un sourire gracieux aux lèvres, ses bras entourant affectueusement ses enfants.

« Oui, fit-il, restez ainsi. C'est ravissant. »

Les doux yeux bruns étaient plongés dans les siens. Sa voix était basse, tendre. Comme la veille, un sentiment de plaisir l'envahit. Il appuya sur la poire, il y eut un petit déclic.

« Encore une fois », dit-il.

Elle continua la pose, le sourire aux lèvres, et elle sut que s'il s'était arrêté un moment avant d'appuyer sur la poire, ce n'était pas pour vérifier la pose, mais parce qu'il ne pouvait détacher son regard d'elle.

« Là », fit-elle, et interrompant la pose, elle se dirigea vers le balcon, fredonnant un petit air. Le charme était rompu.

Au bout d'une demi-heure, les enfants s'agitèrent, fatiguées.

La marquise s'excusa.

« Il fait si chaud, fit-elle, il faut leur pardonner. Céleste. Hélène, prenez vos affaires et allez jouer à l'autre bout du balcon. »

Elles coururent joyeuses vers leur chambre. La marquise tourna le dos au photographe. Il était en train d'introduire de nouvelles plaques dans son appareil.

« Vous savez comment sont les enfants, dit-elle. Les premiers instants, c'est nouveau pour eux, puis ils en ont assez et veulent autre chose. Vous avez été très patient, monsieur Paul. »

Elle arracha une rose du balcon, et l'entourant de ses deux mains, appliqua ses lèvres contre les pétales.

« Je vous en prie, dit-il avec ardeur, si vous voulez bien me permettre, j'ose à peine vous le demander...

— Que désirez-vous? demanda-t-elle.

— M'autoriseriez-vous à prendre une ou deux photos de vous seule, sans vos enfants? »

Elle se mit à rire, rejetant la rose sur la terrasse, en bas.

« Mais certainement, fit-elle. Je suis à votre disposition, je n'ai rien d'autre à faire. »

Elle s'assit sur sa chaise longue et, se renversant contre les coussins, appuya sa tête sur son bras.

« Comme cela? » demanda-t-elle.

Il disparut sous le voile noir, puis après avoir centré son objectif, s'approcha d'elle en boitant.

« Si vous voulez bien me permettre, fit-il, la main un peu plus haut, comme cela... Et la tête, un peu penchée sur le côté. »

Il prit sa main et la plaça à l'endroit choisi; puis timidement, avec hésitation, il mit sa main sous son menton et le releva légèrement. Elle ferma les yeux. Il ne retira pas sa main. Presque imperceptiblement, son pouce glissa sur la peau, suivant la longue ligne du cou. C'était léger comme le frôlement d'une aile d'oiseau.

« Comme cela, dit-il, c'est parfait. »

Elle releva les paupières et le vit retourner à son appareil.

La marquise ne se fatigua pas aussi vite que les enfants l'avaient fait. Elle permit à M. Paul de prendre une photo, puis une autre, puis encore une autre. Les enfants revinrent, comme elle le leur avait ordonné, et se mirent à jouer sur le balcon. Leurs cris et bavardages formaient une espèce de fond sonore à la pose, de telle sorte que bientôt une intimité d'adultes naquit entre la marquise et le photographe et allégea l'atmosphère tendue.

Il s'enhardit, rendu plus confiant. Il suggéra des poses et elle acquiesça. Une fois ou deux, elle prit une mauvaise pose et il la corrigea.

« Non, madame. Pas comme cela, comme ceci. »

Il venait alors à sa chaise, et s'agenouillant près d'elle, déplaçait légèrement son pied, ou tournait son épaule, et à chaque fois ses attouchements se faisaient plus fermes, plus sûrs. Pourtant, quand elle voulut le forcer à rencontrer son regard, il détourna les yeux, humble et gêné comme s'il était honteux de ce qu'il faisait, et ses yeux pleins de douceur contredisaient la hardiesse de ses mains. Elle sentit une lutte en lui et s'en réjouit.

Enfin, après qu'il eut arrangé sa robe pour la seconde fois, elle s'aperçut qu'il était très pâle et que des gouttes de sueur coulaient sur son front.

« Il fait très chaud, dit-elle, nous en avons peut-être fait assez pour aujourd'hui.

— Comme vous voudrez, madame, répondit-il. Il fait en effet très chaud. Il vaut mieux nous arrêter. »

Elle se leva, fraîche et reposée. Elle ne se sentait ni troublée ni lasse. Pleine de force au contraire, emplie d'une énergie nouvelle. Quand il serait parti, elle irait jusqu'à la plage et se baignerait. Il n'en était pas de même pour le photographe. Elle le vit s'essuyer le visage avec son mouchoir tandis qu'il rangeait son trépied et son appareil dans une mallette. Il paraissait épuisé et traînait son pied bot plus qu'il ne l'avait fait à son arrivée.

Elle feignit d'examiner les instantanés qu'il avait développés pour elle.

« Ces photos sont très mauvaises, dit-elle avec légèreté. Je ne dois pas bien savoir les prendre. Vous devriez me donner des leçons.

— Il ne vous faut qu'un peu d'expérience, madame, dit-il. Quand j'ai débuté, j'avais un appareil à peu près semblable au vôtre. Encore maintenant, quand je prends des extérieurs, je vais sur les falaises au-dessus de la mer, avec un tout petit appareil, et les effets sont aussi bons qu'avec un grand appareil. »

Elle posa les instantanés sur la table. Il était prêt à prendre congé, la mallette à la main.

« Vous devez être très occupé pendant la saison, dit-elle. Comment faites-vous pour avoir le temps de prendre des extérieurs?

— Je le trouve, madame, dit-il. A dire vrai, j'aime mieux cela que faire des photos en studio. Il est rare que j'éprouve de la satisfaction à photographier les gens. Comme aujourd'hui par exemple. »

Elle le regarda et vit à nouveau la dévotion, l'humilité de son regard. Elle le fixa dans les yeux jusqu'à ce qu'il les baissât, déconcerté.

« Le paysage est très beau le long de la côte, fit-il. Vous l'avez sans doute remarqué au cours de vos promenades. Presque tous les après-midi, je prends mon appareil et je vais sur les dunes, au-dessus des grands rochers, à droite de la plage. »

Sur le balcon, il indiqua du doigt l'endroit, et elle suivit la direction de sa main. Le promontoire verdoyant brillait au loin, derrière la brume causée pas l'intense chaleur.

« C'est par hasard que vous m'avez trouvé chez moi, hier, dit-il. J'étais en train de développer dans la cave des clichés pour des clients qui partaient aujourd'hui. Mais d'habitude, à cette heure-ci, je me promène sur les falaises.

— Il doit faire très chaud, dit-elle.

— Peut-être, mais au-dessus de la mer, il y a un peu d'air. Et surtout, ce qui est agréable, c'est qu'entre une heure et quatre heures, il y a si peu de gens. Tout le monde fait la sieste. Ce merveilleux paysage est pour moi tout seul.

— Oui, fit la marquise, je comprends. »

Pendant un moment, ils restèrent silencieux. Quelque chose d'inexprimé passa entre eux. La marquise joua un instant avec son mouchoir de dentelle, puis le noua autour de son poignet, d'un geste lent, paresseux.

« Il faudra que j'essaie un jour de me promener en pleine chaleur », dit-elle enfin.

Miss Clay apparut sur le balcon, appelant les enfants et leur ordonnant d'aller faire toilette avant de passer à table. Le photographe fit un pas de côté, s'excusant avec déférence. Et la marquise, jetant un coup d'œil à sa montre, vit qu'il était déjà midi, et que les tables en bas, sur la terrasse, étaient déjà occupées, et que l'habituel murmure de voix, les tintements de vaisselle, résonnaient à ses oreilles comme les autres jours. Jusqu'à ce moment, elle n'avait rien remarqué de tout cela. Elle se détourna du photographe, le renvoyant, froide et indifférente, maintenant que la séance était terminée et que Miss Clay était venue chercher les enfants.

« Merci, dit-elle. Je viendrai voir les épreuves au magasin dans quelques jours. Au revoir. »

Il s'inclina et sortit. Un employé qui avait rempli sa tâche.

« J'espère qu'il a pris de bonnes photos, dit

Miss Clay. M. le marquis sera très content d'en avoir. »

La marquise ne répondit pas. Elle enlevait les clips d'or qui, pour une raison indéfinissable, ne convenaient plus à son humeur présente. Elle descendrait déjeuner sans bijoux, sans même une bague; aujourd'hui, sa beauté suffirait.

Trois jours s'écoulèrent sans que la marquise se rendît en ville. Le premier jour, elle alla nager, et l'après-midi, elle assista à un match de tennis. Elle passa le deuxième jour en compagnie de ses filles, car elle avait donné à Miss Clay la permission d'aller visiter en car les vieilles villes fortifiées, le long de la côte. Le troisième jour, elle envoya Miss Clay et les enfants en ville chercher les épreuves. Elles les rapportèrent, soigneusement enveloppées en un petit paquet. La marquise les examina. Elles étaient vraiment excellentes, surtout celles où elle était seule — les meilleures photos qu'on eût jamais prises d'elle.

Miss Clay était dans l'enchantement. Elle implora le don d'une photo qu'elle enverrait en Angleterre, chez elle.

« Qui pourrait croire, s'exclama-t-elle, qu'un photographe de petite plage sait faire de si magnifiques photos? Vous paieriez les yeux de la tête pour en avoir de semblables à Paris.

— Elles ne sont pas mal, fit la marquise en bâillant. Il a fait de son mieux. Celles où je suis seule sont mieux que celles des enfants. »

Elle refit le paquet et le mit dans un tiroir.

« M. Paul en paraissait-il satisfait? demanda-t-elle à la gouvernante.

— Il ne me l'a pas dit, répondit Miss Clay. Il semblait déçu que vous ne soyez pas venue vous-même; il a dit qu'elles étaient prêtes depuis hier. Il a demandé si vous alliez bien et les enfants lui ont dit que maman était allée se baigner.

— Il fait beaucoup trop chaud et poussiéreux en ville », dit la marquise.

Le lendemain après-midi, quand Miss Clay et les enfants furent endormis, tandis que l'hôtel tout entier semblait assoupi sous l'éclat brutal du soleil, la marquise revêtit une courte robe sans manches, très simple, et à pas de loup, pour ne pas déranger les fillettes, descendit de sa chambre, son appareil photographique accroché à son épaule par une bandoulière de cuir. S'éloignant de la plage, elle escalada un petit sentier qui menait au promontoire. Le soleil brillait sans merci. Mais elle ne s'en souciait pas. Elle avait atteint l'herbe verte et fraîche, et à l'extrémité de la falaise les fougères caressaient ses jambes nues.

Le petit sentier serpentait parmi les fougères, si près du bord de la falaise qu'un faux pas, un geste maladroit pouvait devenir dangereux. Mais la marquise, avançant lentement, avec cette démarche paresseusement balancée qui lui était propre, ne se sentait ni lasse ni effrayée, désireuse qu'elle était d'atteindre le promontoire qui dominait les rochers, au milieu de la baie. Elle était complètement seule. Personne en vue. Loin derrière elle, beaucoup plus bas, les murs blancs de l'hôtel et les rangées de cabines sur la plage semblaient des cubes servant aux constructions d'enfants. La mer était très calme, presque immobile. Même là où l'eau caressait les rochers dans la baie, il n'y avait pas la moindre petite vague.

Soudain, la marquise vit étinceler quelque chose dans les fougères devant elle. C'étaient les lentilles d'une camera. Elle n'y prêta aucune attention. Tournant le dos, elle feignit d'être absorbée par son propre appareil photographique, et se mit en posture de photographier le paysage. Elle prit une photo, puis une autre. Elle entendit alors des pas crisser dans les fougères et se rapprocher d'elle.

Elle se retourna, surprise.

« Tiens, bonjour, monsieur Paul », fit-elle.

Il avait négligé de mettre la veste étriquée et la raide chemise bleue. Après tout, c'était l'heure de la sieste, l'heure où il se promenait à sa guise. Il était seulement vêtu d'un pantalon de toile bleue et d'une chemisette sport. Elle remarqua qu'il ne portait pas non plus le chapeau gris qui lui avait tant déplu quand il était venu à l'hôtel. Ses boucles sombres et épaisses formaient un halo autour de son fin visage. Ses yeux eurent une telle expression de ravissement quand ils la virent qu'elle dut se détourner pour cacher son sourire.

« Vous voyez, dit-elle avec légèreté, j'ai suivi votre conseil et je me suis promenée jusqu'ici pour admirer la vue. Mais je suis sûre que je ne tiens pas mon appareil correctement. Montrez-moi comment je dois faire. »

Il s'approcha d'elle et, saisissant l'appareil et ses mains, les plaça dans la bonne position.

« Oui, comme cela, bien sûr », fit la marquise.

Et elle s'éloigna de lui, car il lui avait semblé entendre battre son cœur quand il était près d'elle, et elle désirait cacher l'excitation que lui procurait cette pensée.

« Avez-vous votre appareil? demanda-t-elle.

— Oui, madame. Je l'ai laissé dans les fougères, là-bas. C'est l'un de mes endroits préférés, tout près du bord de la falaise. Au printemps, je viens ici regarder les oiseaux et les photographier.

— Oh! faites-moi voir », demanda-t-elle.

Il la précéda, murmurant des excuses, et le petit sentier, qu'il s'était frayé pour lui tout seul, les mena à une petite clairière, semblable à un nid, blottie au milieu de fougères hautes presque d'un mètre. Seul, l'avant de la clairière était ouvert sur le versant abrupt de la falaise, ouvert à la mer.

« Mais c'est charmant », fit-elle, et écartant les fougères pour pénétrer dans l'abri secret, elle regarda autour d'elle en souriant.

Elle s'assit à terre avec grâce, d'un air naturel, comme une enfant à un pique-nique. Elle s'empara du livre posé sur l'appareil, à côté de sa veste.

« Vous lisez beaucoup? demanda-t-elle.

— Oui, madame. J'aime beaucoup lire. »

Elle jeta un coup d'œil à la couverture et lut le titre. C'était un roman d'amour bon marché, le genre de livre que ses amies et elle dévoraient clandestinement dans les cours, autrefois, au lycée. Depuis des années, elle n'en avait plus lu. Une fois de plus, elle s'efforça de cacher son sourire. Elle reposa le livre.

« Est-ce une intrigue intéressante? »

Il la regarda solennellement, avec ses grands yeux de gazelle.

« C'est très sentimental, madame », dit-il.

Sentimental... Quelle drôle d'expression. Elle se mit à parler photographie et lui dit quelles étaient ses photos préférées parmi celles qu'il avait prises d'elle, et pendant tout le temps, elle ne pouvait se défendre d'un sentiment de triomphe, car elle avait conscience de dominer la situation. Elle savait exactement ce qu'elle devait faire, ce qu'elle devait dire, à quel moment il fallait sourire, ou au contraire rester sérieuse. Ce jeu lui rappelait étrangement celui qu'elle pratiquait dans son enfance avec ses petites amies, quand elles mettaient le chapeau de leur mère et disaient : « Faisons semblant d'être des dames. » Elle faisait semblant maintenant, non pas d'être une dame, mais d'être... — quoi? Elle n'en savait rien. Mais en tout cas quelqu'un différent d'elle-même, de la dame qui si longtemps avait pris le thé dans un salon, entourée de tant de vieilles choses et de tant de vieilles gens.

Le photographe ne parlait pas beaucoup. Il écoutait la marquise. Il acquiesçait, hochait la tête, ou tout simplement se taisait, et elle écoutait avec une sorte de surprise sa propre voix dire des phrases spirituelles ou charmantes. Il n'était plus que le témoin muet et sans importance de la femme brillante qu'elle était soudain devenue.

Il y eut enfin une pause dans cette conversation unilatérale, et il lui dit, timidement :

« Oserai-je vous demander quelque chose?

— Naturellement, fit-elle.

— Me permettriez-vous de vous photographier ici, toute seule, devant ce paysage? »

Etait-ce là tout? Comme il était timide! Elle se mit à rire.

« Prenez autant de photos que vous le voudrez, dit-elle. Il est très agréable d'être assise ici. Qui sait, je pourrais même m'endormir.

— La Belle au bois dormant », répliqua-t-il vivement.

Puis, comme honteux de sa familiarité, il murmura : « Pardon », et prit son appareil.

Cette fois, il ne lui demanda pas de poser, de changer d'attitude. Il la photographia telle qu'elle était assise, un brin d'herbe à la bouche, et ce fut lui qui se déplaça, recherchant tel ou tel jeu de lumière pour la photographier de face, de profil, de trois quarts.

Elle commença à avoir sommeil. Le soleil tapait sur sa tête et les libellules vert et or dansaient devant ses yeux. Elle bâilla et se coucha sur les fougères.

« Madame, voulez-vous accepter ma veste comme oreiller? » demanda-t-il.

Avant qu'elle ait pu répondre, il avait enlevé sa veste et l'avait soigneusement roulée sous sa tête. Elle s'appuya, et la veste tant méprisée adoucit le contact de la terre et des herbes.

Il s'agenouilla à côté d'elle, absorbé par les manipulations de son appareil, et elle le regarda entre ses cils à demi clos. Elle remarqua qu'il s'appuyait sur un genou seulement et avait allongé sa jambe au pied déformé. Elle se demanda machinalement si cela le ferait souffrir de s'appuyer sur la jambe malade. La bottine était soigneusement cirée, plus brillante sous le soleil que la chaussure normale qu'il portait au pied gauche. Elle l'imagina soudain s'habillant le matin, et cirant tout particulièrement la bottine, la frottant longuement, avec une peau de chamois peut-être.

Une libellule s'installa sur sa main, comme en attente, les ailes étincelantes. Que voulait-elle? Elle souffla sur l'insecte, et il s'envola. Puis il revint, hésitant mais obstiné.

M. Paul avait mis de côté son appareil photographique et elle sentait sur elle son regard. Elle pensa : « Si je bouge, il se lèvera et tout sera fini. »

Elle continua d'observer l'insecte brillant, mais elle savait que dans un moment il lui faudrait détourner son regard. L'insecte s'envolerait, ou bien le silence présent deviendrait si dense, si tendu qu'elle serait obligée de le briser par un rire, et alors tout serait gâché. A regret, elle se tourna vers le photographe, dont les grands yeux humbles et dévoués étaient fixés sur elle avec toute la dépendance d'un esclave.

« Pourquoi ne m'embrassez-vous pas? » dit-elle, et ses paroles la stupéfièrent, lui donnèrent un soudain sentiment de crainte.

Il ne répondit rien, ne bougea pas. Il continua simplement à la regarder. Elle ferma les yeux et l'insecte s'envola.

Quand le photographe se pencha vers elle, ce ne fut pas du tout ce qu'elle avait attendu. Il n'y eut pas d'étreinte violente et brusque. Elle eut l'impression que l'insecte était revenu et que ses ailes soyeuses glissaient, caressantes, sur sa peau douce.

Quand il la quitta, ce fut avec tact et délicatesse. Il la laissa seule, afin qu'il n'y eut pas entre eux de silence gauche et embarrassé, ni de conversation forcée.

La marquise resta étendue dans les fougères, les mains sur les yeux, la pensée fixée sur ce qui venait d'arriver. Elle n'éprouvait aucun sentiment de honte ou de culpabilité. Elle était très calme et lucide. Dans un petit moment, pensa-t-elle, elle retournerait à l'hôtel, mais elle lui laisserait d'abord une bonne avance pour regagner la plage, de telle sorte que si des gens de l'hôtel le voyaient, ils n'auraient pas l'idée de le relier à elle.

Elle se leva, arrangea sa robe et sortit son poudrier et son bâton de rouge. Le soleil était moins fort et une fraîche brise en provenance de la mer soufflait sur le promontoire.

« Si le temps se maintient au beau, pensa la marquise en se repeignant, je peux venir ici tous les jours, à la même heure. Personne ne le saura. Miss Clay et les enfants font toujours la sieste. Si nous arrivons et partons séparément, comme aujourd'hui, et si nous nous retrouvons dans cette clairière dissimulée par les fougères, on ne peut nous voir ensemble. Il y a encore trois semaines de vacances. Le principal, c'est qu'il continue à faire beau. Si jamais il pleuvait... »

En rentrant à l'hôtel, elle réfléchit à ce qu'ils pourraient faire si le temps se gâtait. Elle ne pourrait tout de même pas grimper sur les falaises en imperméable et s'allonger par terre sous la pluie et le vent. Il y avait bien la cave sous le magasin. Mais on pourrait la voir en ville, ce serait dangereux. Non, à moins qu'il ne pleuve à torrents, la falaise était plus sûre.

Ce soir-là, elle écrivit à son amie Elise.

« ... cet endroit est merveilleux, disait-elle, et je m'amuse follement, sans mon mari bien entendu! »

Mais elle ne donna aucun détail sur sa conquête, bien qu'elle parlât des fougères et du chaud après-midi. Elle savait qu'à condition de laisser l'aventure dans le vague, Elise imaginerait quelque riche Américain, en voyage d'agrément.

Le lendemain matin, elle s'habilla avec soin; elle demeura un long moment devant son miroir avant de choisir une robe, peut-être un peu trop habillée pour le bord de mer, mais elle l'avait revêtue délibérément. Puis elle descendit en ville, accompagnée de Miss Clay et des fillettes.

La démarche indolente, faisant tourner son ombrelle, la marquise formait un tableau frappant de beauté et d'élégance, dans sa jolie robe, les petites filles à ses côtés. Les gens se retournaient sur elle, ou même s'écartaient sur son passage, en un inconscient hommage à sa beauté. C'était jour de marché et les petites rues mal pavées étaient encombrées de monde. Beaucoup de ces gens venaient de la campagne, mais il y avait aussi de nombreux touristes anglais et américains flânant dans la petite ville, cherchant des cartes postales et des souvenirs, ou simplement assis à la terrasse du petit café.

La marquise s'arrêta sur la place du marché et fit quelques emplettes, que Miss Clay fourra dans le cabas qu'elle portait à la main. Puis, très naturellement, tout en répondant gaiement aux enfants, elle se dirigea vers le petit magasin où étaient exhibés des Kodak en vitrine.

La boutique était pleine de clients qui attendaient leur tour, et la marquise feignit d'examiner des cartes postales locales, sans rien perdre toutefois de ce qui se passait autour d'elle. Ils étaient là tous deux, M. Paul et sa sœur. Lui, dans une affreuse chemise rose cette fois, plus laide encore si possible que la bleue, et sa petite veste, tandis que sa sœur, comme toutes les boutiquières de la petite ville, était en noir, un châle sur les épaules.

Il avait dû la voir entrer dans la boutique, car presque aussitôt, il sortit du comptoir et vint à elle, abandonnant à sa sœur la file de clients. Bientôt il fut à ses côtés, humble, poli, désireux de savoir en quelle façon il pouvait la servir. Il n'y avait nulle trace de familiarité dans ses yeux, nul air de connivence. Elle prit soin de s'en assurer en le regardant droit dans les yeux. Entraînant délibérément Miss Clay et les enfants dans la conversation, elle demanda à la gouvernante de faire le choix des cartes postales qu'elle désirait envoyer en Angleterre. Puis elle critiqua les photos qu'il avait prises des enfants, elle ne pouvait vraiment pas les envoyer à son mari, dit-elle. Le photographe semblait trouver naturelle la façon condescendante, hautaine, dont elle le traitait. Il s'excusa. C'est vrai, les photos ne rendaient pas justice aux fillettes. Naturellement, il viendrait à l'hôtel en prendre d'autres, sans aucun supplément, bien entendu. Peut-être les résultats seraient-ils meilleurs si les photos étaient prises sur la terrasse ou dans les jardins.

Quelques personnes se retournèrent pour regarder la marquise. Elle sentait leurs yeux sur elle, absorbant sa beauté. Froidement, presque brièvement, elle demanda au photographe de lui montrer certains articles du magasin. Il s'empressa, anxieux de la satisfaire.

Les autres clients s'impatientaient d'attendre. La sœur, bousculée par eux, boitait d'un côté du comptoir à l'autre. De temps en temps, elle jetait un coup d'œil à son frère pour voir s'il allait bientôt venir à sa rescousse.

La marquise s'adoucit enfin. Elle avait pleinement savouré le délicieux sentiment d'excitation qui l'avait envahie à son entrée dans le magasin. Elle était maintenant apaisée.

« Je vous ferai signe un de ces matins, dit-elle à M. Paul, et vous viendrez photographier une seconde fois les enfants. En attendant, je désire vous payer ce que je vous dois. Miss Clay, voulez-vous vous occuper de cela, je vous prie? »

Et elle sortit nonchalamment du magasin sans le saluer, tenant ses deux filles par la main.

Elle ne se changea pas pour le déjeuner. Elle garda la même robe élégante que le matin, et il lui sembla que la terrasse entière, plus bondée que jamais, résonnait d'un murmure de conversation centré sur elle, sur sa beauté, son allure. Le maître d'hôtel, les garçons, le directeur lui-même, semblaient attirés par sa table, obséquieux, souriants, et elle pouvait entendre son nom passer de bouche en bouche.

Tout contribuait à son triomphe : la proximité des gens, l'odeur des mets, des vins, des cigarettes, le parfum des fleurs luxuriantes dans leurs pots, le clapotis tout proche de la mer. Quand elle quitta enfin la table avec les enfants, et monta dans sa chambre, un sentiment de bonheur indicible l'envahit — cette plénitude que seule — pensa-t-elle — peut ressentir une prima donna quand elle sort de scène après les clameurs et les applaudissements.

Les petites filles allèrent dans leur chambre avec Miss Clay, et rapidement, la marquise changea de robe et de chaussures. Elle descendit l'escalier sur la pointe des pieds et s'engagea dans le petit sentier qui menait au promontoire des fougères.

Ainsi qu'elle le pensait, il l'attendait. Ni l'un ni l'autre ne firent allusion à la visite dans le magasin le matin, ni au but de sa promenade sur la falaise cet après-midi. D'un tacite accord, ils se dirigèrent immédiatement vers la petite clairière et s'assirent. La marquise décrivit en plaisantant le déjeuner, la foule, le bruit qui régnait sur la terrasse, et dit comme il était délicieux de fuir tout cela pour se réfugier dans le calme et la fraîcheur du promontoire, au-dessus de la mer.

Il acquiesçait humblement à tout ce qu'elle disait, la regardant avec intensité, comme si tout l'esprit du monde se dégageait de ses paroles. Puis, exactement comme la veille, il la supplia de lui laisser prendre une photo d'elle. Elle y consentit et se rejeta en arrière, les yeux clos.

Dans ce long et langoureux après-midi, toute notion du temps s'envola. Comme la veille, l'insecte scintillant revint caresser son corps et le soleil darda ses rayons sur sa tête. Elle sentit à nouveau le plaisir de l'aventure, curieusement mêlé à la satisfaction de savoir que ce plaisir n'était entaché d'aucune émotion. Son esprit et ses affections restaient intacts. C'était un peu comme aller à l'institut de beauté à Paris et se faire faire un massage facial pour éloigner les premières petites rides — sauf que cela ne lui procurait pas vraiment du plaisir, juste un bien-être voluptueux.

Une fois de plus, il la laissa sans dire mot, plein de tact et de discrétion, afin qu'elle pût arranger sa toilette à sa guise. Et une fois de plus, quand elle jugea qu'il avait assez d'avance, elle se leva et prit le chemin du retour.

Sa chance se maintint avec le beau temps. Chaque après-midi, dès que le déjeuner était terminé et les enfants couchés, la marquise allait en promenade, revenant vers quatre heures et demie, à temps pour le thé. Miss Clay, qui s'était d'abord exclamé sur son courage, en vint à considérer la promenade comme une habitude. Après tout, si la marquise voulait marcher en pleine chaleur, c'était son affaire; d'ailleurs, ces marches semblaient lui faire du bien. Elle se montrait plus humaine envers elle et moins tyrannique envers les enfants. Les migraines constantes étaient oubliées, et la marquise semblait passer agréablement ces vacances dans un petit trou au bord de la mer, en la seule compagnie de ses deux petites filles et de leur gouvernante.

Après quinze jours, la marquise s'aperçut que les premiers plaisirs et enchantements de l'aventure s'évanouissaient lentement. Ce n'est pas que M. Paul eût changé, mais plutôt qu'elle-même s'accoutumait à la routine journalière. Ainsi qu'un médicament qui « prend » au début avec succès, puis a de moins en moins d'effet avec l'accoutumance, de même la marquise comprit que pour retrouver le plaisir des premiers jours, il ne lui fallait plus traiter le photographe comme un simple témoin, un coiffeur par exemple, mais comme un être de chair et de sang dont on pouvait blesser les sentiments. Elle se plut à critiquer sa tenue, à se plaindre que ses cheveux étaient trop longs, ses vêtements mal coupés, ou même que son petit magasin en ville était mal géré, que le papier qu'il utilisait pour ses photos était de mauvaise qualité.

Elle tirait une joie à l'observer tandis qu'elle lui faisait ces reproches, et elle voyait l'anxiété et le chagrin envahir ses grands yeux, son visage pâlir, son corps tout entier prendre une attitude de découragement intense, comme s'il se rendait compte à quel point il était indigne d'elle, inférieur en tous points. Et ce n'est qu'à ce moment-là que l'ancienne excitation renaissait en elle.

Elle commença à réduire le temps qu'ils passaient ensemble, arrivant tard au rendez-vous dans les fougères pour le trouver l'attendant avec cette expression inquiète sur le visage qu'elle connaissait. Puis, si son humeur ce jour-là ne se prêtait pas à l'amour, elle se livrait rapidement, avec mauvaise grâce, à son étreinte, et le renvoyait bien vite, le voyant dans son imagination traîner la jambe jusqu'à la petite ville et son magasin, las et malheureux.

Elle lui permit de la photographier en poses. Cela encore faisait partie de l'aventure, car elle savait qu'il était troublé de la voir immobile dans sa perfection. Parfois, elle lui demandait de venir à l'hôtel le matin, et là elle posait pour lui dans les jardins, vêtue de robes élégantes, ses enfants auprès d'elle, avec pour témoins admiratifs Miss Clay et les pensionnaires de l'hôtel, qui la regardaient de leurs chambres ou de la terrasse.

Durant cette troisième semaine, la différence entre les matinées où il était son employé, boitillant entre son trépied et elle, selon ses ordres, et la soudaine intimité des après-midi dans les fougères, sous l'éclat du chaud soleil, fut son seul stimulant.

Un jour vint enfin où un vent froid souffla de la mer et où elle n'alla pas au rendez-vous habituel. Elle demeura sur le balcon à lire un roman, et ce changement dans la routine établie vint comme un soulagement.

Le lendemain, il faisait beau, et elle décida de se rendre au promontoire. Pour la première fois depuis leur rencontre dans le sous-sol, il lui fit des reproches, la voix tendue par l'inquiétude.

« Je vous ai attendue tout l'après-midi, hier, dit-il, qu'est-il arrivé? »

Elle se tourna vers lui, stupéfaite.

« Il ne faisait pas très beau, répliqua-t-elle. J'ai préféré rester à lire sur mon balcon.

— J'ai eu peur que vous ne soyez malade, poursuivit-il. J'ai presque été sur le point de téléphoner à l'hôtel pour demander de vos nouvelles. Je n'ai pas dormi de la nuit, j'étais si bouleversé. »

Il la suivit dans la clairière, l'inquiétude encore visible dans ses yeux, des rides de détresse sur son front; et bien qu'en un sens, elle trouvât un stimulant dans son désespoir, elle était irritée en même temps qu'il pût s'oublier au point de lui faire des reproches. C'était comme si son coiffeur à Paris, ou bien son masseur, lui en voulaient d'avoir manqué un rendez-vous.

« Si vous croyez que je suis dans l'obligation de

venir ici chaque après-midi, vous vous trompez, dit-elle. J'ai beaucoup d'autres choses à faire. »

Aussitôt, il s'excusa, plein d'humilité. Il la supplia de lui pardonner.

« Vous ne pouvez comprendre ce que cela signifie pour moi, dit-il. Depuis que je vous connais, toute ma vie est changée. Je ne vis que pour les après-midi où je vous vois. »

Sa soumission lui plut, faisant naître en elle un regain d'intérêt, de pitié aussi pour cette pauvre créature si aimante, si accrochée à elle, comme un enfant aux jupes de sa mère. Elle caressa ses cheveux, l'âme emplie de bons sentiments pendant un moment, presque maternelle. Pauvre garçon, qui avait fait tout ce chemin en boitant, à cause d'elle, et était resté tout l'après-midi de la veille sous le vent glacial, seul et misérable. Elle pensa à la lettre qu'elle écrirait à son amie Elise.

« J'ai grand-peur d'avoir brisé le cœur de Paul. Il a pris notre petite aventure de vacances très au sérieux. Mais que puis-je faire? Après tout, ces choses-là ont une fin. Je ne peux quand même pas bouleverser toute ma vie à cause de lui. Enfin, c'est un homme. Cela lui passera. »

Elise imaginerait un bel Américain blond et athlétique monter tristement dans sa Packard et, dans son désespoir, rouler à toute allure vers l'inconnu.

Le photographe ne partit pas ce jour-là après

leur étreinte. Il resta assis dans les fougères, le regard perdu dans l'immensité des rochers qui surplombaient la mer.

« J'ai pris une décision pour l'avenir », annonça-t-il tranquillement.

La marquise sentit le drame dans l'air. Voulait-il dire par là qu'il allait se suicider? Mais c'était épouvantable! Naturellement, il fallait qu'il attende qu'elle ait quitté l'hôtel et soit retournée chez elle. Ainsi, elle ne serait pas obligée de le savoir.

« De quoi s'agit-il? demanda-t-elle d'une voix douce.

— Ma sœur s'occupera du magasin, dit-il. Je le laisserai à son nom. Elle est très capable. Quant à moi, je vous suivrai partout où vous irez, que ce soit à Paris ou à la campagne. Je serai tout près de vous; dès que vous souhaiterez ma présence, j'accourrai. »

La marquise avala sa salive, il lui semblait que son cœur s'arrêtait de battre.

« Mais c'est impossible, fit-elle. De quoi vivriez-vous?

— Je ne suis pas fier, dit-il. Je sais que votre générosité y pourvoira, mes besoins sont très modestes. Il m'est impossible de vivre sans vous; aussi la seule solution est que je vous suive, toujours. Je louerai une chambre à Paris tout près de votre maison : à la campagne aussi. Nous trouverons toujours le moyen d'être ensemble. Quand un amour est aussi fort que le nôtre, il ne connaît pas d'obstacles. »

Il s'exprimait avec son humilité coutumière, mais il y avait une énergie inattendue dans ses paroles, et elle comprit que pour lui ce n'était pas du mélo joué mal à propros, mais qu'il parlait du fond de son cœur, avec la plus grande sincérité. Il était tout prêt à abandonner son magasin et à la suivre à Paris, et même à son château à la campagne.

« Vous êtes fou! s'écria-t-elle avec violence en se levant, insoucieuse à présent de sa tenue, de ses cheveux épars. Dès que j'aurai quitté cet endroit, je ne serai plus libre. Je ne pourrai plus vous rencontrer nulle part — nous risquerions d'être surpris, ce serait trop dangereux. Vous ne comprenez donc pas quelle est ma position? Ce que cela signifierait pour moi? »

Il hocha la tête. Son visage était triste, mais parfaitement décidé.

« J'ai pensé à tout, dit-il, mais comme vous le savez, je suis très discret, vous n'aurez jamais rien à craindre à ce point de vue. J'ai pensé que vous pourriez peut-être m'engager comme valet de chambre. Il m'est indifférent de devenir domestique, je ne suis pas fier, je vous l'ai dit. De cette manière, notre vie pourrait se poursuivre à peu près comme ici. Votre mari, le marquis, est sans doute un homme très occupé, absent la plus grande partie de la journée, et vos enfants vont probablement se promener l'après-midi avec la miss anglaise. Vous voyez, si nous en avons le courage, tout sera très simple. »

La marquise avait reçu un tel choc qu'elle fut incapable de répondre. Elle ne pouvait imaginer chose plus terrible que d'avoir le photographe chez elle en tant que valet de chambre. Sans parler de son infirmité — elle frissonna à la pensée de le voir boitiller autour de la table dans la grande salle à manger —, quelle horreur serait la sienne de savoir qu'il attendait qu'elle monte à sa chambre, après le déjeuner, pour venir timidement frapper à sa porte. Quel avilissement! Cette pauvre créature — il n'y avait pas d'autre mot vraiment pour le désigner — dans la maison, la guettant, chuchotant des supplications sur son passage, l'espoir dans ses yeux!

« Je crains, dit-elle fermement, que tout ce que vous suggérez ne soit impossible. Non seulement votre idée d'être engagé comme domestique chez moi, mais que nous puissions nous revoir quand je serai partie d'ici, et de retour chez moi. Votre bon sens aurait dû vous le dire. Ces après-midi ont été... ont été agréables, mais mes vacances sont presque terminées. Dans quelques jours, mon mari vient me chercher avec les enfants, et un point c'est tout. »

Pour bien indiquer la finalité de cet entretien, elle se leva, lissa sa jupe froissée, passa le peigne dans ses cheveux, et se poudra le nez. Puis, saisissant son sac, elle y chercha son portefeuille.

« Tenez, prenez ceci pour le magasin, dit-elle en sortant quelques billets de dix mille francs, vous pourrez y pratiquer des aménagements. Achetez aussi quelque chose pour votre sœur. Et rappelez-vous que je penserai toujours à vous avec tendresse. »

A sa grande consternation, elle vit son visage pâlir atrocement et sa bouche se mettre à trembler. Il se redressa avec violence.

« Non, non, fit-il, je ne les prendrai pas. C'est mal, c'est cruel de votre part de m'offrir de l'argent. »

Tout d'un coup, il éclata en lourds sanglots, le visage enfoui dans ses mains, les épaules houleuses.

La marquise le regarda, désemparée, ne sachant si elle devait partir ou rester. Il pleurait avec une telle violence qu'elle craignait une crise de nerfs et se demanda ce qui allait arriver. Elle regrettait beaucoup cet incident pour lui, mais encore plus pour elle-même, car voilà que maintenant, quand le moment était venu de se séparer, il se rendait ridicule devant elle. Un homme capable de se laisser aller ainsi, c'était pitoyable! La clairière, qui lui avait paru si charmante et secrète, lui sembla tout d'un coup sordide. Sa chemise, accrochée à une fougère, ressemblait à du vieux linge étendu à sécher au soleil. A côté de la chemise, étaient posés la cravate de rayonne et le chapeau ridicule.

Il ne manquait plus que les pelures d'orange et les papiers gras pour compléter le décor.

« Assez! cria-t-elle, soudain furieuse. Pour l'amour de Dieu, maîtrisez-vous! »

Il cessa de pleurer, ses mains découvrirent son visage ravagé par les larmes et il la regarda, tremblant, ses yeux bruns emplis de désespoir.

« Je me suis trompé sur vous, dit-il. Maintenant, je sais ce que vous êtes. Vous êtes une mauvaise femme. Vous prenez plaisir à briser la vie d'hommes innocents comme moi. Je raconterai tout à votre mari. »

La marquise ne répondit pas. Il ne savait ce qu'il disait, il était fou...

« Oui, dit le photographe, reprenant son souffle, voilà ce que je ferai. Dès que votre mari sera venu vous chercher, je lui raconterai tout. Je lui montrerai les photos que j'ai prises, ici. Je lui prouverai que vous le trompez, que vous êtes une mauvaise femme. Il me croira. Il ne pourra pas faire autrement. Quant à moi, je ne le crains pas, je ne peux souffrir plus que je ne le fais en ce moment. Mais je vous promets que votre vie à vous aussi sera brisée. Il saura tout, la miss anglaise aussi, le directeur de l'hôtel. Je dirai à tout le monde comment vous passiez vos après-midi. »

Il prit sa veste et son chapeau, accrocha son appareil photographique sur son épaule. La panique s'empara de la marquise, monta de son cœur vers sa gorge. Oui, il mettrait ses menaces à exécution, il attendrait dans le hall de l'hôtel, près du bureau, il attendrait Edouard.

« Ecoutez-moi, dit-elle, nous allons convenir de quelque chose, nous pourrons peut-être nous arranger... »

Mais il l'ignora. Son visage était pâle et décidé. Il s'arrêta au bord de la falaise et se pencha pour ramasser sa canne. En le voyant faire, une impulsion terrible naquit en la marquise, envahit son être sans qu'elle pût s'en délivrer. Avançant, les bras tendus, elle poussa le corps incliné. Il ne jeta pas un cri. Il tomba dans le vide et disparut.

La marquise s'affala sur les genoux. Incapable de bouger, elle attendit. Elle sentait la sueur rouler sur son visage, sa gorge... Ses mains étaient moites. Elle attendit ainsi dans la clairière, à genoux, et quand les bouffées de chaleur eurent décru, elle s'essuya le front et les mains avec son mouchoir.

L'air lui parut subitement froid. Elle frissonna. Elle se redressa, ses jambes étaient fermes et ne se dérobèrent pas sous elle, comme elle le craignait. Elle regarda autour d'elle, parmi les fougères. Il n'y avait personne en vue. Elle était seule sur le promontoire, comme toujours. Cinq minutes s'écoulèrent; elle se força à avancer jusqu'au bord de la falaise et à regarder. La mer était haute. Les vagues s'enflaient, balayaient les roches, se retiraient pour revenir encore. Il n'y avait nulle trace du corps sur le flanc de la falaise — il ne pouvait d'ailleurs y en avoir, car le versant était parfaitement lisse. Nulle trace non plus du corps dans la mer — il eût été immédiatement visible à la surface de l'eau bleue. Il avait dû couler tout de suite.

La marquise se détourna du versant abrupt. Elle ramassa ses affaires. Elle tenta de redresser les fougères aplaties qui formaient la clairière, et d'effacer ainsi toute trace de passage, mais la petite retraite était agencée depuis si longtemps que cela n'était plus possible. Après tout, peu importait. On croirait naturellement que le promontoire était le refuge des amoureux.

Ses genoux se mirent soudain à trembler, et elle dut s'asseoir. Elle attendit quelques instants et regarda sa montre. Elle savait qu'il lui faudrait peut-être se souvenir de l'heure. Trois heures et demie à peine passées. Si on le lui demandait, elle dirait : « Oui, j'étais sur le promontoire vers trois heures et demie, mais je n'ai rien entendu. » Ce qui serait d'ailleurs vrai. Elle ne mentirait pas, c'était la vérité.

Elle se rappela avec soulagement qu'elle avait apporté un petit miroir dans son sac. Elle s'y regarda avec crainte. Son visage était d'un blanc crayeux, marqué de taches, étrange. Elle le poudra lentement, soigneusement; mais cela ne semblait servir à rien. Miss Clay remarquerait que quelque chose n'allait pas. Elle appliqua du fard sec sur ses joues, mais le rouge ressortit sur sa pâleur comme un maquillage de clown.

« Il n'y a qu'une chose à faire, pensa-t-elle. Aller directement à ma cabine sur la plage, mettre mon maillot de bain et me baigner. De la sorte, si je reviens à l'hôtel, les cheveux et la figure mouillés, ce sera normal, et si je dis que je suis allée nager, ce sera vrai aussi. »

Elle se mit à descendre le sentier, mais ses jambes étaient faibles, comme si elle relevait de maladie, et quand elle atteignit enfin la plage, elle tremblait à un tel point qu'elle pensa défaillir. Elle n'avait qu'un désir en tête : retourner dans sa chambre d'hôtel, baisser le store et se coucher dans le noir, se cacher là aux yeux de tous. Pourtant, elle devait jouer le rôle qu'elle s'était assigné.

Elle s'enferma dans sa cabine et se déshabilla. Il y avait déjà des gens sur la plage, occupés à lire ou à dormir — l'heure de la sieste tirait à sa fin. Elle s'avança jusqu'à l'eau, se débarrassa de ses espadrilles à semelles de corde et mit son bonnet. Tandis qu'elle nageait dans l'eau calme et tiède, plongeant sa tête dans l'eau bleue, elle se demanda combien de gens, sur la plage, avaient pu la voir, la remarquer, et pourraient dire ensuite : « Mais vous ne vous rappelez pas? Nous avons vu une femme descendre du promontoire au milieu de l'après-midi? »

Elle eut bientôt très froid, mais s'obligea à continuer sa nage, en avant, puis en arrière, à petites brasses sèches, mécaniques, jusqu'à ce qu'un enfant, qui jouait avec un chien, indiquât à ce dernier quelque objet noir dans la mer, un morceau de bois peut-être, qu'il alla chercher en jappant. La terreur et une soudaine nausée la firent à demi s'évanouir, et elle regagna sa cabine en chancelant. Là, elle resta un moment, accroupie sur le plancher de bois, le visage enfoui dans ses mains. « Si elle avait continué à nager, pensa-t-elle, elle aurait pu, peut-être, toucher de ses pieds son cadavre flottant vers elle parmi les vagues. »

Le marquis devait venir chercher en voiture sa femme, ses enfants et la gouvernante dans cinq jours. La marquise demanda le château au téléphone et pria son époux de venir plus tôt. « Oui, le temps était toujours beau, dit-elle, mais elle ne savait pourquoi, elle en avait assez de rester là. Il y avait maintenant trop de monde, trop de bruit, la nourriture n'était plus aussi bonne. Non, vraiment, elle se déplaisait ici. Et puis, expliqua-t-elle à son mari, elle avait hâte de se retrouver chez elle; les jardins devaient être merveilleux. »

Le marquis était désolé qu'elle s'ennuyât, mais ne pouvait-elle faire un effort, et attendre encore trois jours? Ses dispositions étaient prises, dit-il, et il ne pouvait venir plus tôt. Il fallait absolument qu'il passât par Paris pour un très important rendez-vous d'affaires. Il promettait de la rejoindre le jeudi matin, et ils pourraient partir tout de suite après le déjeuner.

« J'espérais, dit-il, que vous accepteriez de rester encore pendant le week-end, pour pouvoir un peu me baigner. Il y a sûrement moyen de garder les chambres jusqu'à lundi? »

Mais non, justement, elle avait averti le directeur de leur départ jeudi, et il avait déjà loué les chambres à de nouveaux pensionnaires. L'hôtel était bondé, sans aucun attrait désormais, l'assura-t-elle. Edouard ne s'y plairait pas du tout, surtout durant le week-end. Voudrait-il être gentil et faire tout son possible pour arriver jeudi dans la matinée, afin qu'ils pussent partir après avoir déjeuné de bonne heure?

La marquise reposa le récepteur et alla s'allonger sur la chaise longue, sur le balcon. Elle prit un livre et feignit de lire, mais en réalité elle avait l'oreille tendue, guettant des pas, des voix à la porte de l'hôtel. Puis le téléphone sonnerait, et le directeur la prierait, avec maintes excuses, de descendre au bureau. Le fait était que la chose était délicate... Bref, la police était là.

Les gendarmes avaient, on ne sait pourquoi, l'impression qu'elle était en mesure de les aider.

Le téléphone ne sonna pas. Il n'y eut ni bruits de pas, ni voix. La vie poursuivait son cours habituel. Les longues heures se traînèrent durant l'interminable journée. Le déjeuner sur la terrasse, avec les garçons obséquieux empressés autour d'elle. Les gens aux tables — les mêmes ou d'autres ayant pris leur place. Les bavardages des enfants et Miss Clay qui les réprimandait. Et pendant tout ce temps-là, la marquise attendait, écoutait...

Elle se forçait à manger, mais la nourriture qu'elle portait à la bouche avait un goût de cendre et de carton. Le déjeuner terminé. elle montait à sa chambre, et tandis que les enfants se reposaient dans la leur, elle s'étendait sur le balcon. Elles descendaient ensuite ensemble prendre le thé sur la terrasse, mais quand les petites filles allaient sur la plage pour leur deuxième bain de la journée, elle ne les accompagnait pas. Elle était un peu enrhumée, dit-elle à Miss Clay; elle n'avait pas envie de se baigner. Et elle restait là, sur le balcon, encore et encore.

La nuit, quand elle fermait les yeux et tentait de dormir, elle retrouvait dans ses mains une fois de plus ses épaules un peu voûtées, et la sensation éprouvée quand elle l'avait poussé l'envahissait à nouveau. Avec quelle facilité il était tombé et avait disparu. Là, devant elle, tangible, et un instant plus tard, évaporé, plus rien! Sans un trébuchement, sans un cri.

Tout le long du jour, elle s'épuisait à regarder en direction du promontoire, fouillant des yeux les fougères à la recherche de silhouettes humaines — comment appelait-on cela, un cordon de police? Mais le promontoire continuait à verdoyer sous le soleil implacable, et elle ne vit personne.

A deux reprises, Miss Clay proposa de se rendre en ville, le matin, afin d'effectuer des achats, et chaque fois, la marquise trouva un prétexte.

« Il y a toujours tant de monde, dit-elle, et il fait si chaud. Je ne pense pas que cela soit bon pour les enfants. Le jardin est plus agréable, la pelouse derrière l'hôtel est si ombragée, si tranquille. »

Elle-même, ne quittait pas l'hôtel. Rien que de penser à la plage, la douleur dans le dos et les nausées venaient la reprendre. Elle ne se promenait plus jamais.

« J'irai tout à fait bien, disait-elle à Miss Clay, quand je me serais débarrassée de ce fâcheux rhume. »

Elle demeurait étendue sur le balcon, tournant les pages des magazines qu'elle avait déjà parcourus une douzaine de fois.

Le matin du troisième jour, juste avant le déjeuner, les petites filles accoururent sur le balcon, brandissant de petits drapeaux de papier.

« Regardez, maman, s'écria Hélène, le mien est rouge et celui de Céleste est bleu. Nous allons les planter dans nos châteaux de sable après le goûter.

— Où les avez-vous pris? demanda la marquise.

— Sur la place du marché, répondit l'enfant. Miss Clay nous a emmenées en ville, au lieu de rester dans le jardin. Elle voulait aller chercher ses photos, qui devaient être prêtes aujourd'hui. »

La marquise ressentit un choc soudain. Elle resta assise, figée.

« Allez, dépêchez-vous, fit-elle, préparez-vous pour le déjeuner. »

Elle entendit les enfants bavarder avec Miss Clay dans la salle de bain. Quelques minutes plus tard, la gouvernante entra. Elle ferma la porte derrière elle. La marquise se força à relever la tête; le long visage, un peu stupide, de Miss Clay, semblait grave et attristé.

« Il est arrivé une chose affreuse, dit-elle à voix basse. Je ne voulais pas vous en parler devant les enfants, je suis sûre que cela vous fera beaucoup de peine. C'est ce pauvre M. Paul.

— M. Paul? » dit la marquise.

Sa voix était parfaitement calme, mais son ton exprimait juste l'intérêt de rigueur.

« Je suis allée au magasin chercher mes photos, poursuivit Miss Clay, mais il était fermé. La porte était verrouillée et le rideau de fer baissé. J'ai trouvé cela assez drôle, et je suis allée demander à la pharmacie à côté s'ils pensaient que le magasin serait ouvert dans l'après-midi. On m'a répondu que non, que Mlle Paul était encore trop bouleversée, qu'elle restait chez des parentes pour le moment. J'ai alors demandé ce qui était arrivé, et il paraît qu'il y a eu un accident et que des pêcheurs ont trouvé le corps de ce pauvre M. Paul, noyé, à trois kilomètres de la côte. »

Miss Clay avait pâli en faisant son récit. Elle était visiblement très émue. La marquise reprit courage devant son bouleversement.

« Comme c'est épouvantable! dit-elle. Sait-on comment cela est arrivé?

— Je n'ai pas pu demander des détails à la pharmacie à cause des enfants, dit Miss Clay, mais je crois qu'ils ont trouvé le corps hier. Dans un état terrible, paraît-il. Il a dû heurter les rochers avant de tomber à la mer. J'ose à peine y penser, tant c'est horrible. Et sa pauvre sœur, que va-t-elle devenir sans lui? »

La marquise leva le doigt pour demander le silence, et fit une grimace significative. Les enfants venaient d'entrer dans la pièce.

Ils descendirent déjeuner sur la terrasse, et la marquise mangea de meilleur appétit qu'elle ne l'avait fait depuis trois jours. Elle se demanda pour quelle raison son appétit était revenu. Etait-ce parce qu'elle était allégée d'une partie de son secret? Il était mort, on avait trouvé son corps. Tout le monde savait cela à présent. Après le déjeuner, elle pria Miss Clay de demander au directeur s'il savait quelque chose sur ce déplorable accident. Elle recommanda à la gouvernante de dire au directeur que Mme la marquise était très touchée et chagrinée par ce malheur. Tandis que Miss Clay se rendait à la direction, la marquise prit les enfants par la main et monta dans son appartement.

Le téléphone ne tarda pas à sonner. La sonnerie qu'elle avait tant craint depuis trois jours. Son cœur se mit à battre violemment. Elle décrocha le récepteur.

C'était le directeur. Il dit qu'il venait de voir Miss Clay et que Mme la marquise était trop bonne de s'affliger du regrettable accident qui venait d'endeuiller la famille Paul. Il lui en aurait parlé hier, quand le corps avait été découvert, mais il n'avait pas voulu attrister la clientèle. Il n'est jamais agréable d'entendre parler de noyade sur une plage; cela fait peur aux gens. Oui, naturellement, on avait appelé la police dès qu'on avait trouvé le corps. Apparemment, il était tombé d'une falaise, quelque part le long de la côte. On disait qu'il aimait beaucoup photographier les paysages de mer. Et évidemment, avec son infirmité, quoi de plus facile que de glisser? Sa sœur l'avait souvent supplié d'être prudent. C'était très triste, un jeune homme si gentil, aimé de tout le monde. Il n'avait pas un ennemi. Et, à sa façon, un véritable artiste. Madame la marquise était-elle satisfaite des photos que M. Paul avait prises d'elle et des petites filles? Le directeur en était ravi. Il se ferait un devoir de répéter la chose à Mlle Paul, et de lui faire part de l'intérêt exprimé par Mme la marquise. Oui, certainement, elle serait très reconnaissante de recevoir des fleurs et un mot de condoléances. La pauvre femme avait le cœur brisé. Non, le jour de l'enterrement n'était pas encore fixé...

. . . .

Après cette conversation, la marquise appela Miss Clay et lui ordonna de faire venir un taxi qui la conduirait à la ville qui se trouvait sept kilomètres plus loin, et qui était plus grande. Il lui semblait avoir remarqué là-bas un excellent fleuriste. Miss Clay avait l'instruction de commander des fleurs, des lis de préférence, sans s'arrêter à la dépense. La marquise écrirait un mot de condoléances qu'on joindrait aux fleurs et que le directeur se chargeait de faire parvenir à Mlle Paul.

La marquise écrivit sur une carte de visite : « Avec mes plus sincères condoléances pour votre grande perte », et la remit avec de l'argent à Miss Clay, afin qu'elle l'épinglât aux fleurs, qu'elle devait déposer chez le directeur en revenant.

Un peu plus tard, la marquise emmena les enfants à la plage.

« Votre rhume va mieux, maman? demanda Céleste.

— Oui, chérie. Maintenant, maman peut se baigner. »

Elle entra dans l'eau tiède et douce et joua avec les fillettes.

Demain Edouard arriverait, demain Edouard viendrait dans sa voiture et l'emmènerait, et les routes blanches de poussière augmenteraient la distance entre l'hôtel et elle. Elle ne le verrait plus, elle ne verrait plus le promontoire, ni la ville, et les vacances s'effaceraient comme quelque chose n'ayant jamais existé.

« Quand je serai morte, pensa la marquise, les yeux fixés sur la mer, je serai punie. Inutile de me faire des illusions, je suis coupable : j'ai tué. Quand je serai morte, Dieu me passera en jugement. Jusqu'à ce moment-là, je promets d'être une bonne épouse pour Edouard et une bonne mère pour Céleste et Hélène. A partir de maintenant, j'essaierai d'être bonne. J'essaierai de réparer ce que j'ai fait en étant meilleure envers tout le monde, ma famille, mes amis, mes domestiques. »

Pour la première fois depuis quatre jours, elle dormit profondément.

Le lendemain matin, elle était encore en train de prendre son petit déjeuner quand son mari arriva. Elle fut si heureuse de le voir qu'elle bondit hors de son lit et lui jeta les bras autour du cou. Le marquis fut fort touché de cet accueil.

« J'ai l'impression que j'ai manqué à ma petite femme, dit-il.

— Si vous m'avez manqué? Mais bien sûr! C'est pour cela que je vous ai téléphoné. Je voulais tellement que vous veniez.

— Et vous êtes bien décidée à partir aujourd'hui, après le déjeuner?

— Oh! oui, oui... Je ne peux plus supporter cet endroit. Nos bagages sont prêts, il n'y a plus que les affaires de toilette à emballer. »

Tandis qu'elle s'habillait et dépouillait la chambre de ses derniers objets personnels, il resta sur le balcon à jouer et rire avec les petites filles. La pièce, qui avait été sienne durant tout un mois, reprit bientôt son apparence impersonnelle. En proie à une hâte fiévreuse, elle débarrassa la coiffeuse, la cheminée, la table de chevet. Ce fut vite terminé. Dans peu de temps, la femme de chambre viendrait mettre des draps propres au lit et préparer la chambre pour de nouveaux arrivants. Et elle, la marquise, serait partie.

« Ecoutez, Edouard, fit-elle, pourquoi devons-nous rester ici pour déjeuner? Vous ne trouvez pas que ce serait plus drôle de s'arrêter quelque part sur la route? Il n'est jamais très agréable de rester manger dans un hôtel quand on a déjà payé la note. Les pourboires ont été donnés, tout est fini déjà.

— Comme vous voudrez, ma chère », dit-il.

Elle l'avait reçu avec un tel enthousiasme qu'il était prêt à satisfaire toutes ses fantaisies. Pauvre petite fille, elle s'était vraiment ennuyée sans lui. Il lui devait une réparation.

La marquise se maquillait la bouche, devant le miroir de la salle de bain, quand le téléphone sonna.

« Répondez, voulez-vous, demanda-t-elle à son

mari. C'est sans doute le concierge qui veut nous parler des bagages. »

Le marquis s'approcha de l'appareil, et cria à sa femme quelques instants après :

« C'est pour vous, chère amie. C'est une certaine Mlle Paul qui demande à vous voir pour vous remercier des fleurs que vous lui avez envoyées. »

La marquise ne répondit pas tout de suite, et quand elle pénétra dans la pièce, il sembla au marquis que le rouge à lèvres n'avait guère embelli sa femme. Ce rouge lui donnait une apparence plus âgée, hagarde. C'était fort curieux. Elle avait dû changer de couleur. Ce n'était pas seyant; il le lui dirait.

« Eh bien, demanda-t-il, que dois-je dire? Vous n'avez sans doute pas envie de recevoir cette femme maintenant. Voulez-vous que je descende la voir et me débarrasse d'elle? »

La marquise semblait hésitante, troublée.

« Non, dit-elle, non, il vaut mieux que je la voie moi-même. C'est une histoire très tragique. Son frère et elle avaient un petit magasin en ville — j'y ai fait faire quelques photos des enfants et de moi-même —, puis une chose affreuse est arrivée : le frère s'est noyé. J'ai pensé qu'il serait bien d'envoyer des fleurs.

— C'est fort gentil à vous, dit son époux. Vous avez eu un geste très amical. Mais faut-il que vous perdiez votre temps à la voir maintenant? Voyons, nous sommes prêts à partir.

— Dite-le-lui, demanda la marquise. Dites-lui que nous partons à l'instant. »

Le marquis se tourna à nouveau vers le téléphone, et après quelques mots, mit sa main sur le récepteur et chuchota à sa femme :

« Elle insiste beaucoup, dit-il. Elle dit qu'elle a des photos de vous, qu'elle désire vous remettre personnellement. »

Un sentiment de panique envahit la marquise. Des photos? Quelles photos?

« Mais tout est payé, chuchota-t-elle en retour. J'ignore ce qu'elle veut dire. »

Le marquis haussa les épaules.

« Alors, que dois-je lui répondre? On dirait qu'elle pleure. »

La marquise retourna à la salle de bain, et se poudra à nouveau le nez.

« Dites-lui de monter, fit-elle, mais je vous en prie, répétez-lui que nous partons dans cinq minutes. Pendant ce temps, descendez et mettez les enfants dans la voiture. Prenez Miss Clay avec vous; je verrai cette femme toute seule. »

Quand il eut quitté la pièce, elle regarda autour d'elle. Il ne restait que ses gants, son sac. Un dernier effort, puis la porte fermée, l'ascenseur, le sourire d'adieu au directeur, et la liberté.

On frappa à la porte. La marquise attendait, près du balcon, les mains jointes et serrées.

« Entrez », dit-elle.

Mlle Paul ouvrit la porte. Son visage était ravagé, boursouflé par les larmes. Sa robe de deuil, à l'ancienne mode, tombait presque jusqu'à terre. Elle hésita un instant, puis s'avança en boitant avec un déhanchement grotesque, comme si chaque mouvement était une torture.

« Madame la marquise... », commença-t-elle, puis ses lèvres tremblèrent et elle se mit à pleurer.

« Je vous en prie, fit la marquise doucement. Je suis si navrée de ce qui est arrivé. »

Mlle Paul sortit son mouchoir et se moucha le nez.

« Il était tout ce que je possédais au monde, dit-elle. Il était si bon pour moi. Que vais-je devenir à présent? Comment vais-je vivre?

— Vous avez de la famille?

— Ce sont de pauvres gens, madame la marquise. Je ne peux leur demander de m'entretenir. Seule, sans mon frère, je ne peux non plus m'occuper du magasin, je n'en ai pas la force. J'ai toujours été de santé délicate. »

La marquise fouilla dans son sac et en sortit deux billets de dix mille francs.

« Je sais que ce n'est pas beaucoup, fit-elle, mais cela vous aidera peut-être pendant un moment. Je crains que mon mari n'ait pas beaucoup de relations dans cette région, mais je vais le lui demander, et peut-être pourra-t-il vous venir en aide. »

Mlle Paul prit les billets. Chose étrange, elle ne remercia pas la marquise.

« Ça me suffira jusqu'à la fin du mois, dit-elle. Ça aidera à payer l'enterrement. »

Elle ouvrit son sac et en tira trois photos.

« J'en ai d'autres, comme celles-ci, au magasin, poursuivit-elle. J'ai pensé que dans la hâte de votre départ, vous les aviez oubliées. Je les ai trouvées parmi les clichés de mon pauvre frère, dans la cave où il les développait. »

Elle tendit les photos à la marquise. La marquise frissonna. Oui, elle les avait oubliées, ou plutôt elle ne savait même pas qu'elles existaient. Il y avait trois épreuves, prises dans les fougères. Alanguie, à demi assoupie, la tête abandonnée contre sa veste, elle avait vaguement entendu le déclic de la camera; cela avait ajouté un petit piment au charme de l'heure. Il lui avait montré certaines photos qu'il avait prises. Mais pas celles-ci.

Elle prit les photos et les enfouit dans son sac.

« Vous dites que vous en avez d'autres? demanda-t-elle d'une voix sans inflexions.

— Oui, madame la marquise. »

Elle se força à regarder la femme dans les yeux. Ils étaient encore gonflés par les larmes, mais on ne pouvait se tromper sur la lueur qui y brillait.

« Que voulez-vous de moi? » demanda la marquise.

Mlle Paul jeta un regard circulaire dans la chambre d'hôtel. Des serviettes à démaquiller froissées par terre, du bric-à-brac dans la corbeille à papiers, le lit défait aux draps rejetés.

« J'ai perdu mon frère, dit-elle, mon soutien, ma seule raison d'être. Madame la marquise a passé des vacances agréables, et maintenant elle retourne chez elle. Je suis sûre que madame la marquise ne voudrait pas que son mari ou sa famille voient ces photos?

— En effet, fit la marquise, je ne veux même pas les voir moi-même.

— En ce cas, reprit Mlle Paul, vingt mille francs représentent vraiment peu de chose pour les vacances que madame la marquise a si agréablement passées. »

La marquise regarda à nouveau dans son sac. Elle avait encore deux billets de mille francs et quelques billets de cent francs.

« Voici tout ce que j'ai, vous pouvez les prendre également. »

Mlle Paul se moucha une fois de plus.

« Je crois qu'il serait préférable pour nous deux de convenir d'un arrangement plus durable, fit-elle. Maintenant que mon pauvre frère n'est plus, l'avenir est bien précaire. Pourquoi rester dans cette région où tant de tristes souvenirs se rappellent à moi? Je ne peux m'empêcher de me demander comment est mort mon frère. La veille du jour où il a disparu, il est parti, l'après-midi, en direction du promontoire, et en est revenu très déprimé. Je savais que quelque chose l'avait chagriné, mais je ne lui ai rien demandé. Peut-être espérait-il voir une amie qui n'est pas venue au rendez-vous. Le lendemain, il y est retourné, et c'est ce soir-là qu'il n'est pas rentré. J'ai prévenu la police, et puis, trois jours après, on a trouvé son corps. Je n'ai pas parlé de suicide à la police et j'ai fait semblant de croire à un accident. Mais je connaissais mon frère, madame la marquise, il avait un cœur très sensible. Malheureux, il aurait été capable de tout. Si je continue à me tourmenter en pensant à ces choses, il ne me restera plus qu'à aller trouver les gendarmes et à leur suggérer qu'il s'est suicidé à cause d'un amour malheureux. Je pourrais peut-être même les laisser chercher dans ses affaires pour en trouver la preuve. »

Terrifiée, la marquise entendit les pas de son mari s'arrêter devant la porte.

« Venez-vous, ma chère? cria-t-il, ouvrant la porte et pénétrant dans la pièce. La voiture est chargée et les enfants s'impatientent. »

Il dit bonjour à Mlle Paul, qui répondit par une petite révérence.

« Je vous écrirai pour vous donner mon adresse, dit la marquise, à Paris et à la campagne. »

Elle fouilla fiévreusement dans son sac, à la recherche d'une carte.

« J'espère avoir de vos nouvelles dans quelques semaines.

— Peut-être même avant, madame la marquise,

dit Mlle Paul. Si je quitte le pays et passe par chez vous, je me permettrai de venir voir comment va madame, les petites filles et miss. J'ai des amis tout près de chez vous. J'ai aussi des amis à Paris; j'ai toujours rêvé de voir Paris. »

La marquise se tourna vers son mari, un sourire terrible figé sur ses lèvres.

« J'ai dit à Mlle Paul, fit-elle, que si je peux faire quelque chose pour elle, elle n'a qu'à me le demander.

— Naturellement, répondit le marquis. J'ai été navré de votre malheur. Le directeur m'a raconté ce qui s'était passé. »

Mlle Paul esquissa une nouvelle petite révérence, et son regard se posa sur la marquise.

« Il était tout ce que je possédais au monde, monsieur le marquis, dit-elle. Mme la marquise sait ce qu'il représentait pour moi. C'est bien réconfortant de savoir que, quoi qu'il arrive, je pourrai lui écrire et qu'elle me répondra; ainsi, je me sentirai moins seule et isolée. La vie est bien dure pour ceux qui sont seuls au monde. Madame la marquise me permet-elle de lui souhaiter bon voyage? J'espère que vous garderez un bon souvenir de vos vacances, et surtout aucun regret. »

Elle s'inclina, puis boitilla hors de la chambre.

« Pauvre femme, dit le marquis, quelle triste infirmité. D'après ce que m'a dit le directeur, le frère boitait aussi.

— Oui... »

Elle ferma son sac, alla prendre ses gants et ses lunettes noires sur la cheminée.

« Curieuse chose, c'est souvent héréditaire », reprit le marquis dans le couloir.

Il s'arrêta pour appeler l'ascenseur.

« Vous n'avez jamais connu Richard du Boulay, n'est-ce pas? Un ami à moi. Il avait la même infirmité que ce pauvre petit photographe, mais malgré cela, une charmante jeune fille, parfaitement normale, tomba amoureuse de lui, et ils se marièrent. Ils eurent un fils, et on s'aperçut bientôt qu'il avait un pied bot comme son père. Rien à faire contre ce genre de choses, c'est une tare qui se transmet dans le sang. »

Ils entrèrent dans l'ascenseur, et les portes se refermèrent sur eux.

« Vous êtes sûre que vous ne voulez pas changer d'avis et rester pour le déjeuner? Vous me paraissez pâle. Nous avons une longue route devant nous, vous savez.

— Je préfère partir. »

Ils attendaient tous dans le hall pour lui dire au revoir. Le directeur, le réceptionniste, le concierge, le maître d'hôtel.

« Nous espérons que vous reviendrez, madame la marquise. Vous serez toujours bien accueillie. Cela a été un tel plaisir de vous servir, l'hôtel ne sera plus le même sans vous.

« Au revoir... Au revoir... »

La marquise monta dans la voiture à côté de

son mari. Ils roulèrent hors de l'allée et s'engagèrent sur la grand-route. Derrière elle, disparaissaient les étendues de sable brûlant, la mer, le promontoire. Devant elle, s'étendait la longue route bien droite qui menait à sa maison, à la sécurité.

A la sécurité?...

UNE SECONDE D'ÉTERNITÉ

Traduction de Florence Glass

MADAME ELLIS était d'un naturel ordonné et soigneux. Elle détestait tout ce qui était désordre. Dans cette catégorie, elle comprenait les lettres restées sans réponse, les factures impayées, le fouillis d'un secrétaire mal rangé.

Ce jour-là, plus que d'habitude encore, elle était dans ce que feu son époux appelait « son humeur de rangement ».

Déjà, en se réveillant, elle s'était sentie dans cette disposition, qui subsista durant le petit déjeuner et ne fit que s'accentuer tout au long de la matinée.

D'ailleurs, c'était le premier jour du mois, et quand elle arracha le premier feuillet de son agenda-bloc et vit ce grand I tout propre, tout neuf, qui la regardait, il lui parut qu'il symbolisait le vrai commencement de sa journée.

Les heures qui s'annonçaient à elle devraient être des heures parfaites, impeccables comme la date; il ne faudrait rien en laisser s'échapper.

Elle commença par recompter le linge, les piles

de draps neigeux aux reflets soyeux sagement rangés sur les étagères, à côté des taies d'oreillers et de la parure immaculée, encore empreinte de la raideur du neuf, et qui attendait dans ses faveurs bleu ciel l'invité qui ne venait jamais.

Elle s'attaqua ensuite aux placards, se plaisant à examiner les réserves de confitures faites à la maison, les étiquettes portant les dates inscrites de sa main.

Puis, elle parcourut du regard les fruits mis en bouteilles, les tomates et les marrons conservés d'après une recette très spéciale. Elle les ménageait, les réservant pour les vacances, quand Susan serait là; et même alors, elle ressentait, quand elle les sortait du placard et les posait fièrement sur la table, une petite pointe de déception, car elle pensait en même temps au vide qu'elle venait de creuser parmi les pots de l'étagère.

Après avoir refermé le placard et dissimulé la clef (elle n'était pas absolument sûre de Grace, sa bonne). Mme Ellis entra dans son salon et s'assit devant son secrétaire.

Elle était bien décidée à se montrer impitoyable. Elle fouilla les moindres recoins et décida même de jeter les vieilles enveloppes qu'elle conservait parce qu'elles n'étaient pas déchirées et pouvaient encore servir (pour les fournisseurs, pas les amis). Elle allait acheter de nouvelles enveloppes jaunes bon marché pour les remplacer.

Des reçus vieux de deux ans; il était inutile de

les garder encore. Ceux de l'année passée furent classés et attachés ensemble.

Elle ouvrit à grand-peine un petit tiroir bourré de vieilles souches provenant de son chéquier. C'était gâcher là de l'espace.

Elle inscrivit de son écriture bien nette : « Lettres à conserver. » Désormais, le tiroir serait employé à cet usage.

Elle se permit le luxe de garnir son tampon d'une nouvelle feuille de buvard. Puis elle chassa la poussière du plumier et tailla un nouveau crayon. Elle alla même jusqu'à jeter le petit bout qui subsistait de l'ancien crayon muni d'un reste de gomme dans la corbeille à papiers.

Elle rangea les magazines sur le petit guéridon, redressa les livres et les ramena sur le devant du rayon, à côté de la cheminée — Grace avait l'agaçante manie de les repousser tout au fond — et renouvela l'eau des fleurs. Enfin, dix minutes peut-être avant que Grace passe la tête à la porte et dise : « Le déjeuner est prêt », Mme Ellis s'assit devant le feu, un peu hors d'haleine, mais souriant avec satifaction. Décidément, sa matinée avait été bien remplie. De belles et bonnes heures, bien occupées.

Elle regarda autour d'elle dans le salon et pensa combien il était confortable et clair, et comme elle avait bien fait de retarder le déménagement suggéré par ce pauvre Wilfred quelques mois avant sa mort. Pour un peu, à cause de sa santé, ils auraient pris cette maison à la campagne. Pauvre Wilfred, c'était sa marotte de croire que les légumes devaient être cueillis le matin dans le jardin et servis à table le jour même! Enfin, heureusement — non, pas heureusement! — tout le monde savait que ce triste événement avait été un grand choc pour elle; bref, toujours est-il que juste avant qu'ils ne signent le bail, Wilfred avait eu une crise cardiaque et était mort. Mme Ellis put ainsi rester dans la demeure qu'elle aimait et où elle était entrée comme jeune mariée dix ans auparavant.

Les gens du pays prétendaient que la petite localité avait déplacé son centre et que son quartier à elle n'était plus qu'une banlieue. Quelle stupidité! Elle ne pouvait même pas apercevoir de ses fenêtres les immeubles qu'on érigeait à l'autre bout de la route et les maisons de construction solide comme la sienne, qui formaient une espèce de cercle aux jardinets verdoyants, restaient des plus agréables.

D'ailleurs, elle aimait la vie qu'elle menait. Ses courses matinales dans la ville, son panier au bras. Les commerçants la connaissaient bien et la traitaient avec égard.

Quand il faisait froid, elle se permettait un petit plaisir : une tasse de café au Cosy Café, juste en face de la librairie — Grace ne saurait jamais faire du bon café —, et, l'été, le Cosy Café vendait d'excellentes glaces.

Comme une enfant, elle en rapportait en hâte

à la maison dans un sac de papier, et les mangeait au déjeuner; en somme, cela lui épargnait la peine de préparer un entremets.

L'après-midi, elle faisait toujours une rapide promenade — c'était bon pour la santé. Le parc était tout près, on se serait cru à la campagne. Et le soir, elle lisait ou raccommodait, ou écrivait à Susan.

Si elle y avait réfléchi sérieusement — ce qu'elle ne faisait pas, car cela lui donnait une sensation désagréable —, elle se serait aperçue que toute sa vie était érigée autour de Susan. Susan avait neuf ans et était son unique enfant.

A cause de la mauvaise santé de Wilfred, et aussi, il faut bien le dire, à cause de son mauvais caractère, Susan avait été envoyée en pension à l'âge précoce de sept ans. Mme Ellis avait passé maintes nuits sans sommeil avant d'arriver à cette décision, mais à la fin elle comprit que ce serait pour le bien de Susan. L'enfant était en bonne santé, de naturel turbulent, et il était impossible de la faire tenir tranquille dans une pièce tandis que Wilfred se réfugiait en grognant dans l'autre. Il fallait l'envoyer en bas, dans la cuisine, en compagnie de Grace, et cela, Mme Ellis ne le voulait pas.

A son corps défendant, elle choisit une école éloignée d'une trentaine de kilomètres. Il était aisé de s'y rendre en une heure et demie par l'autocar; les enfants y semblaient heureux et bien surveillés.

L'économe en était un homme sympathique, aux cheveux gris, et comme le disait le prospectus, c'était « un foyer loin du foyer ».

Le jour de la rentrée, Mme Ellis laissa Susan à l'école, l'esprit torturé, mais des conversations téléphoniques répétées avec les professeurs durant la première semaine la rassurèrent : Susan s'était paisiblement installée dans sa nouvelle existence.

Après la mort de son mari, Mme Ellis crut que Susan voudrait revenir à la maison et aller à l'école comme externe, mais à sa grande surprise et à sa consternation, Susan reçut sa proposition avec effroi, et même désespoir.

« Mais je ne veux pas quitter mon école, s'écria l'enfant en larmes, je m'y amuse bien et toutes mes amies y sont.

— Tu pourrais te faire d'autres amies, fit sa mère, et puis, nous serions ensemble le soir.

— Oui, répondit Susan d'un ton mal assuré, bien sûr, mais que ferons-nous? »

Mme Ellis fut peinée, mais n'en laissa rien voir à sa fille.

« Tu as peut-être raison, puisque tu te plais dans ton école, dit-elle. De toute façon, nous aurons toujours les vacances. »

Les vacances émergeaient comme de petites moulures lumineuses sur un cadre et surgissaient avec importance dans les projets d'avenir de Mme Ellis, plongeant dans l'obscurité les semaines d'école.

Comme février était long, malgré ses vingt-huit

jours! Comme mars s'étendait mélancolique et interminable, en dépit du café matinal pris au Cosy Café, des livres choisis avec soin à la bibliothèque, des séances au cinéma avec des amies, ou même parfois — une folie! — d'un spectacle « en ville ».

Puis avril arrivait, traversant le calendrier de sa danse fleurie. Pâques et ses narcisses amenaient Susan, les joues rougies par le vent du printemps, se précipitant dans ses bras. Et alors, c'étaient le miel et les scones faits par Grace pour le thé, les promenades de l'après-midi dans le parc, ensoleillées par la petite silhouette bondissant devant elle. Mai s'écoulait tranquillement et tout d'un coup c'était juin, égayé par les fenêtres grandes ouvertes et les libellules dans le jardin; juin passait lentement.

Pourtant, en juin, il y avait la fête annuelle des parents, avec le spectacle donné en leur honneur par les enfants. Parmi eux, Susan; les yeux brillants comme des étoiles, figurant l'une des fées, la plus charmante entre toutes sans nul doute.

Juillet se traînait péniblement jusqu'à son vingt-quatrième jour. Et puis les semaines s'enfuyaient dans un halo glorieux jusqu'à la dernière semaine de septembre. Susan au bord de la mer... Susan à Dartmoor... Susan à la maison, en train de lécher un cornet de glace, penchée à la fenêtre.

« Elle nage bien pour son âge, disait négligemment Mme Ellis à une voisine de plage, elle tient absolument à se baigner, même quand l'eau est froide. »

Ou à Grace :

« Je n'ai pas honte de dire que je n'étais pas très rassurée à traverser ce champ plein de vaches, mais Susan ne s'en faisait pas une miette. Elle sait s'y prendre avec les bêtes. »

Des jambes nues et égratignées dans des sandales, des robes d'été devenues trop courtes, un chapeau de paille passé, tombé à terre. C'était presque trop douloureux de penser à octobre... Mais après tout, il y avait toujours beaucoup à faire à la maison. Il fallait à tout prix oublier novembre, les pluies et le brouillard qui étendait ses traînées blanches dans le parc. Il n'y avait plus qu'à tirer les rideaux, activer le feu et s'installer à une tâche quelconque. « Votre Maison et Vous », tournons la page jusqu'à la chronique « Modes Enfantines ». Non, la robe n'était pas jolie, mais cette verte-là, avec quelques fronces et une large ceinture, serait parfaite pour Susan. Elle pourrait la mettre pour les fêtes de Noël. Décembre... Noël...

C'était alors l'apogée, le point culminant!

Dès que Mme Ellis apercevait les premiers sapins verts aux devantures des fleuristes et les boîtes de dattes dans la vitrine de l'épicier, son cœur faisait un petit bond dans sa poitrine.

Dans trois semaines, Susan serait à la maison. A elles, les rires, les bavardages. Les petits clins d'œil échangés entre Grace et elle. Les sourires mystérieux, la délicieuse furtivité des emballages.

Puis, en un seul jour, tout serait terminé aussi rapidement qu'un ballon de baudruche qui éclate; les rubans de papier, les biscuits, et même les cadeaux choisis avec tant de soin, seraient vite abandonnés. Mais qu'importe! Cela en valait largement la peine!

Mme Ellis, après un dernier coup d'œil à une Susan endormie, sa poupée serrée contre elle, éteindrait la veilleuse et se glisserait dans son propre lit, épuisée.

Le couvre-coquetier brodé, œuvre et cadeau de sa fille, se dresserait fièrement sur sa table de nuit. Mme Ellis ne mangeait d'ailleurs jamais d'œufs à la coque, mais comme elle le fit remarquer à Grace, il y avait un tel éclat dans les yeux de la poule dessinée au point de croix; c'était vraiment habilement fait!

La fièvre, la vitesse vertigineuse des fêtes du Nouvel An. Le cirque, les marionnettes. Et toujours Mme Ellis gardait les yeux fixés sur Susan, jamais sur les acteurs.

« Dommage que vous ne l'ayez pas regardée quand le phoque s'est mis à souffler dans sa trompette; je n'ai jamais vu une enfant douée d'une telle vitalité. »

Et comme elle se distinguait des autres enfants,

dans sa robe verte, avec ses cheveux blonds et ses yeux bleus. Les autres étaient si gauches. Des petits corps mal bâtis et de grandes bouches.

« Au moment de partir, elle a fait une petite révérence en disant : « Merci pour cette charmante « invitation », ce qu'aucun autre enfant n'a pensé à dire, et elle a gagné au jeu des chaises musicales. »

Evidemment, il y avait aussi des moments pénibles. La nuit agitée, les taches rouges sur les joues, la gorge douloureuse, le 39° de fièvre. Les mains tremblantes au téléphone, la voix rassurante du docteur et ses pas fermes sur les marches. Heureusement, c'était un homme sérieux, sur lequel on pouvait compter!

« Il vaut toujours mieux faire une analyse. »

Une analyse? C'était donc la scarlatine, la diphtérie peut-être? Elle voyait déjà un petit corps enveloppé dans des couvertures sur un brancard, l'ambulance, la clinique...

Dieu merci, ce n'était finalement qu'une simple angine. Il paraît qu'il y a des épidémies.

L'enfant s'est fatiguée, elle est trop sortie. Il faut la garder au repos quelques jours. Oui, docteur, bien sûr, docteur.

Quel soulagement après ces folles angoisses. La lecture à haute voix maintenant, la lecture sans interruption. L'une après l'autre, le défilé des histoires cent fois rabâchées du livre de contes. « Et alors Nicky Nod perdit son trésor. C'était bien fait pour lui, n'est-ce pas, mes enfants? »

« Tout passe, se dit Mme Ellis, le plaisir et la peine, la douleur et les souffrances. J'imagine que mes amis doivent penser que je mène une vie bien monotone, qu'il ne s'y passe rien, mais moi je ne m'en plains pas et je m'en contente. Quelquefois, il me vient à l'idée que je n'ai pas fait tout ce que j'aurais pu pour ce pauvre Wilfred — il avait un caractère bien difficile, heureusement que Susan n'en a pas hérité —, mais en tout cas, j'ai toujours tenté de toutes mes forces de rendre Susan heureuse. »

Ce premier jour du mois, elle regarda autour d'elle, englobant d'un coup d'œil affectueux les meubles un peu disparates, les gravures sur les murs, les bibelots sur la cheminée, tous ces objets qu'elle avait rassemblés avec amour durant dix années de mariage, et qui pour elle représentaient sa personnalité, sa maison.

Le canapé et les deux fauteuils, qui avaient jadis fait partie d'un ensemble, étaient usagés, mais confortables. Ce pouf, près du feu, c'était elle qui l'avait recouvert. Les tisonniers, pas aussi bien astiqués qu'ils devraient l'être, d'ailleurs; il faudrait qu'elle en parle à Grace. Le portrait plutôt mélancolique de Wilfred, dans ce coin sombre, au-dessus des rayonnages de livres. Du moins avait-il l'air assez distingué. « Il l'était du reste », ajouta promptement en pensée Mme Ellis. Le tableau représentant des fleurs était bien plus à son avantage au-dessus de la cheminée, son feuillage s'harmonisait si bien avec le vert de la petite statuette de Staffordshire, à côté de la pendule.

« Il me faudrait de nouvelles housses et des rideaux neufs, se dit Mme Ellis, mais cela attendra. Susan a tellement poussé ces derniers mois, c'est beaucoup plus important de lui acheter de nouveaux vêtements. Cette enfant est grande pour son âge. »

Grace passa la tête à la porte.

« Le déjeuner est prêt », fit-elle.

« Si seulement elle ouvrait entièrement la porte et entrait dans la pièce, pensa Mme Ellis, je le lui ai recommandé des centaines de fois. Cette tête qui apparaît tout d'un coup... Si jamais j'avais quelqu'un à déjeuner! »

Elle se mit à table devant son aile de pintade et sa tarte aux pommes et se demanda si, à l'école, ils se souvenaient qu'il fallait à Susan des suppléments de lait et du fortifiant; la surveillante avait tendance à oublier, quelquefois.

Tout d'un coup, sans aucune raison apparente, elle reposa sa fourchette devant son assiette, envahie d'une tristesse si intense qu'elle en était presque insupportable. Son cœur était lourd dans sa poitrine, sa gorge se serrait. Elle était incapable d'avaler une autre bouchée.

« Il est arrivé quelque chose à Susan, se dit-elle. C'est un pressentiment, elle a besoin de moi, elle me réclame. »

Elle sonna pour demander son café et retourna au salon. Elle s'approcha de la fenêtre et resta à regarder la petite cour derrière la maison en face de la sienne. D'une fenêtre ouverte, s'échappait un pan de rideau d'un vilain rouge, et elle pouvait apercevoir une balayette pendue à un clou.

« C'est vrai que le voisinage perd de sa classe, pensa Mme Ellis. Bientôt, j'aurai des maisons meublées autour de moi. »

Elle but son café, mais la sensation désagréable, angoissante, ne la quitta pas. Finalement, elle s'approcha du téléphone et appela l'école.

Ce fut la secrétaire qui lui répondit, surprise et un peu impatientée. Susan allait parfaitement bien. Elle venait juste de terminer son déjeuner de très bon appétit. Non, elle ne présentait aucun symptôme de rhume. Personne n'était malade à l'école. Mme Ellis voulait-elle parler à Susan? L'enfant était dehors, à jouer avec les autres, mais si Mme Ellis le désirait, on pouvait l'appeler.

« Non, ce n'est pas la peine, fit Mme Ellis, j'ai eu sottement peur qu'elle soit tombée malade. Je m'excuse de vous avoir dérangée. »

Elle raccrocha et se rendit dans sa chambre, afin de s'habiller pour sortir. Une bonne promenade lui ferait du bien.

Elle contempla avec satisfaction la photo de Susan sur sa coiffeuse. Le photographe avait réussi avec une perfection rare à attraper l'expression de ses yeux. Quels jolis reflets aussi dans ses cheveux!

Mme Ellis hésita un moment. Avait-elle vraiment besoin d'une promenade, ou cette vague sensation de tristesse n'était-elle qu'un symptôme de fatigue? Elle ferait peut-être mieux de se reposer.

Elle jeta un coup d'œil d'envie à l'édredon rebondi sur son lit. Il ne faudrait que quelques minutes pour remplir sa bouillotte.

Elle pourrait desserrer sa gaine, enlever ses chaussures et s'allonger bien au chaud sous l'édredon. Non. Elle décida d'être ferme envers elle-même. Elle alla au placard et sortit son manteau de poil de chameau, noua une écharpe autour de sa tête, enfila des gants, et descendit.

De retour dans le salon, elle tisonna le feu et en approcha l'écran. Grace était si étourdie. Elle ouvrit aussi la fenêtre, afin que la pièce ne sente pas le renfermé quand elle reviendrait.

Elle replia les journaux et les mit bien en ordre, tout prêts à être lus. Elle glissa aussi une marque dans son livre.

« Je sors un petit moment. Je ne resterai pas longtemps dehors, cria-t-elle à Grace, au sous-sol.

— Bien, m'dame », répondit la voix de Grace.

Mme Ellis renifla la fumée d'une cigarette et fronça les sourcils. Evidemment, Grace était libre de faire ce qu'elle voulait tant qu'elle était au sous-sol, mais tout de même, une domestique qui fumait...

Elle referma la grande porte derrière elle, descendit les quelques marches du perron et, arrivée dans la rue. se dirigea vers le parc, à gauche.

La journée était triste et grise. L'air était doux pour l'époque, lourd, presque oppressant. Il allait sans doute y avoir du brouillard, ce brouillard épais qui se glissait de Londres en nappes suffocantes.

Mme Ellis fit « sa petite tournée », comme elle l'appelait. D'abord jusqu'au lac, puis le retour.

Ce n'était guère un après-midi engageant et la promenade lui pesait. Elle souhaitait se retrouver bien vite à la maison, couchée dans son lit moelleux, la bouillotte aux pieds, ou blottie près du feu dans le salon, les rideaux tirés sur le ciel bas et sombre.

Elle marchait à pas rapides, laissant derrière elle les groupes de femmes qui poussaient des voitures d'enfant en bavardant, tandis que leur progéniture courait devant elles. Près du lac, les chiens aboyaient, une vieille femme sur un pliant jetait des miettes de pain à des moineaux pépiant. Le ciel se voila, devint plus foncé encore, presque la couleur d'une olive. Mme Ellis pressa le pas. La pelouse était devenue d'un vert sombre. Deux chats efflanqués se poursuivaient autour du manège enveloppé de sa housse hivernale.

Un garçon laitier souleva ses porte-bouteilles dans un cliquetis métallique, les posa dans sa charrette et en sifflotant enjoignit à son poney de se mettre au trot.

Une pensée, sans aucun rapport avec ce spectacle, vint à l'esprit de Mme Ellis :

« Il faut que j'achète une bicyclette à Susan pour son anniversaire. Neuf ans, c'est le bon âge pour une première bicyclette. »

Elle se vit déjà en train de choisir la bicyclette, demandant des conseils, essayant le guidon. Une rouge peut-être, ou alors une jolie bleue. On y fixerait un petit panier d'osier par-devant et une sacoche de cuir pour les outils derrière la selle. Il faudrait vérifier les freins, qu'ils fonctionnent bien, mais qu'ils ne soient pas trop brusques, car Susan pourrait être projetée par-dessus le guidon et tomber en se blessant la figure.

Ce n'était plus la mode de jouer au cerceau, quel dommage! Quand elle était petite, c'était si amusant de pousser son cerceau devant soi en le frappant d'une petite baguette. Ce n'était pas facile de le faire rouler bien droit devant soi, tout un art. Susan saurait bien s'y prendre.

Mme Ellis arriva au croisement de deux rues et traversa sur l'autre trottoir. La seconde rue était la sienne, sa maison était la dernière au coin.

Tandis qu'elle traversait, elle vit le camion de la blanchisserie arriver à toute allure vers elle, beaucoup trop vite en fait. Elle le vit faire un écart, entendit le crissement des freins. Elle eut aussi le temps d'apercevoir l'expression de surprise figée sur les traits du garçon au volant.

« Quand il viendra chez moi, je lui en parlerai,

se dit-elle. Un de ces jours, il causera un accident. »

Elle pensa à Susan à bicyclette et frissonna.

Peut-être serait-il préférable d'envoyer un petit mot au directeur de la blanchisserie?

« Je vous serais obligée de demander à votre employé de conduire plus prudemment. Il prend ses virages beaucoup trop vite. »

Et elle recommanderait de ne pas dire son nom au chauffeur, sans quoi il pourrait ne plus vouloir porter le lourd panier de linge jusqu'au bas des marches.

Elle était arrivée à la grille de son jardinet. Elle la poussa et remarqua avec ennui qu'elle était presque sortie de ses gonds. Les hommes du blanchisseur avaient dû la tirer trop violemment et être responsables du dégât. Décidément, elle en écrirait un peu plus long à ce blanchisseur! Et tout de suite après le thé, pendant qu'elle avait la chose sur le cœur.

Elle sortit sa clef et l'introduisit dans la serrure. Impossible de la tourner, la clef était bloquée. Quel ennui!

Elle appuya sur la sonnette. Il faudrait que Grace remonte du sous-sol; Mme Ellis n'aimait pas la déranger inutilement.

Il valait mieux peut-être l'appeler et lui expliquer ce qui était arrivé.

Elle se pencha et cria vers la cuisine :

« Grace, ce n'est que moi, dit-elle, ma clef s'est

bloquée dans la serrure; voulez-vous venir m'ouvrir? »

Elle se tut. Aucun son ne parvenait du sous-sol. Grace était sans doute sortie. Quel toupet! Il était bien entendu que Grace devait garder la maison quand Mme Ellis sortait. Mme Ellis avait parfois soupçonné Grace de ne pas respecter l'arrangement; la preuve en était faite à présent.

Elle appela à nouveau, d'une voix plus sèche à présent :

« Grace! »

Elle entendit la fenêtre de la cuisine s'ouvrir et un homme y passa la tête. Il était en manches de chemise, son visage n'était pas rasé.

« Qu'est-ce que vous avez à glapir comme ça? » dit-il.

Mme Ellis resta muette de stupéfaction. Ainsi, voilà ce qui arrivait dès qu'elle avait le dos tourné? Grace, si respectable, une femme de près de quarante ans, elle recevait un homme à la maison. Mme Ellis avala sa salive, mais se força à garder son sang-froid.

« Voudriez-vous avoir l'obligeance de demander à Grace de monter m'ouvrir », demanda-t-elle.

L'ironique politesse fut naturellement perdue pour son interlocuteur. L'homme la regarda d'un air étonné.

« Qui est Grace? » interrogea-t-il.

C'en était trop. Ainsi, Grace avait encore l'audace de s'affubler d'un autre prénom. Quelque chose de plus à la page, sans doute : Shirley ou Marlène peut-être.

Maintenant, elle savait ce qui était arrivé. Grace était allée au café au bas de la rue, pour chercher de la bière pour cet homme, et l'avait laissé se prélasser dans la cuisine. Peut-être avait-il même déjà exploré le garde-manger. Cela expliquait qu'il fût resté si peu de rôti il y a deux jours.

« Si Grace est sortie, fit Mme Ellis d'une voix glaciale, venez m'ouvrir vous-même, je vous prie. J'aime mieux ne pas entrer par-derrière. »

Voilà qui le remettrait à sa place. Mme Ellis trembla de rage. Elle ne se mettait que rarement en colère. Elle était d'une nature égale et sans violence mais il y avait de quoi s'énerver devant ce butor en manches de chemise à la fenêtre de sa propre cuisine. C'était plus qu'elle n'en pouvait supporter.

La petite conversation avec Grace ne serait pas très agréable. Grace donnerait sûrement ses huit jours. Mais tant pis, il y a des choses sur lesquelles on ne peut glisser.

Elle entendit des pas traînant dans le vestibule. L'homme était monté du sous-sol. Il ouvrit la porte et resta là à la regarder.

« Qui demandez-vous? » fit-il.

Mme Ellis entendit les jappements furieux d'un petit chien venir du salon. Des visiteurs... C'était le bouquet! Quelle situation embarrassante! Quelqu'un était venu la voir et Grace avait introduit le ou les visiteurs dans le salon, peut-être même était-ce cet homme qui l'avait fait en l'absence de Grace. Qu'allaient dire les gens?

« Savez-vous qui est dans le salon? demanda-t-elle rapidement.

— Je crois que M. et Mme Bolton sont là, mais je n'en suis pas sûr, dit-il, j'entends le chien aboyer. C'est eux que vous vouliez voir? »

Mme Ellis ne connaissait aucun M. ou Mme Bolton. Elle se tourna impatiemment vers le salon, tout en enlevant son manteau et en fourrant ses gants dans sa poche.

« Vous feriez mieux de redescendre au sous-sol, dit-elle à l'homme, qui était toujours planté là, les yeux écarquillés. Dites à Grace de ne pas apporter le thé avant que je ne sonne. Ces gens ne resteront peut-être pas. »

L'homme parut stupéfait.

« Très bien, dit-il, je descends. Mais si vous voulez voir M. et Mme Bolton, je vous conseille de sonner deux fois. »

Il descendit les marches du sous-sol en traînant les pieds. Sans aucun doute possible, il était ivre. Il avait tenté de l'insulter. Si jamais il faisait des difficultés pour partir plus tard, la nuit tombée, il faudrait appeler la police.

Mme Ellis se dirigea vers le portemanteau pour suspendre ses vêtements. Puisqu'il y avait des visiteurs dans le salon, elle n'avait pas le temps de monter d'abord dans sa chambre. Elle chercha à tâtons l'interrupteur et le tourna, mais apparemment l'ampoule était brûlée, car rien ne s'alluma. Une contrariété de plus! Elle ne pourrait même pas se regarder dans le miroir.

Elle trébucha sur quelque chose et se pencha pour voir ce que c'était. Une botte d'homme, une deuxième, là, à côté d'une paire de chaussures, d'une valise et d'une vieille couverture. Si c'était Grace qui avait permis à cet homme de laisser ses affaires dans le vestibule, elle pouvait se préparer à faire ses paquets ce soir même. Cela n'allait pas se passer comme ça, ah! mais non!

Mme Ellis ouvrit la porte du salon, s'efforçant de sourire — un sourire un peu pincé. Un petit chien se précipita vers elle, aboyant avec fureur.

« Du calme, Judy », cria un homme aux cheveux gris et aux lunettes cerclées d'écaille, assis devant le feu. Il était en train de taper à la machine.

Qu'est-il arrivé à la pièce? Elle était emplie de livres et de papiers; des feuilles de toutes sortes jonchaient le sol. Dans une cage, un perroquet agrippé sur son perchoir lui souhaita la bienvenue d'une voix grinçante.

Mme Ellis essaya de parler, mais elle ne put proférer une parole. Grace était devenue complètement folle. Elle avait laissé ces deux hommes envahir la maison et y apporter le désordre le plus épouvantable; la pièce était bouleversée. Ces hommes avaient délibérément cherché à détruire son intérieur.

Non. Pis encore! Tout cela faisait partie d'un complot contre elle. D'un cambriolage. Elle avait entendu parler de bandes de voleurs s'introduisant dans les maisons en plein jour. Grace n'était peut-être pas fautive. Sans doute gisait-elle dans le sous-sol, bâillonnée et ligotée. Mme Ellis sentit son cœur battre à toute vitesse, ses jambes faiblir sous elle.

« Il faut que je garde mon calme, se dit-elle. quoi qu'il arrive, je dois rester calme. Mon seul espoir, c'est d'arriver jusqu'au téléphone, d'appeler la police. Mais il ne faut pas que cet homme comprenne ce que je projette de faire. »

« Excusez-moi, fit le cambrioleur, repoussant ses lunettes sur son front, vous désirez quelque chose? Ma femme est en haut. »

Quelle ruse diabolique. L'audace tranquille avec laquelle cet homme restait là, la machine à écrire sur ses genoux. Ils avaient dû apporter tout cela par la porte de derrière et s'être introduits par la porte-fenêtre, sans doute entrouverte. Mme Ellis jeta un rapide coup d'œil à la cheminée. C'est bien ce qu'elle craignait. Les statuettes de Staffordshire avaient disparu, ainsi que le tableau des fleurs. Ils devaient avoir une voiture ou un camion arrêté un peu plus bas... Son esprit travaillait rapidement. Cet homme n'avait peut-être pas deviné qui elle était. C'était sans doute la raison de ce bluff. Mais elle aussi savait jouer la comédie. Des souvenirs de spectacles donnés par des troupes d'amateurs lui revinrent en mémoire. D'une façon ou d'une autre, il fallait qu'elle retienne ces gens jusqu'à l'arrivée de la police. Avec quelle rapidité ils avaient travaillé. Déjà son bureau, ses rayonnages de livres, son fauteuil même, avaient disparu.

Elle s'efforça de regarder l'étranger bien en face. Il ne fallait surtout pas qu'il remarque ses coups d'œil à travers la pièce.

« Votre femme est là-haut? fit Mme Ellis, la voix tendue, mais calme.

— Oui, dit l'homme. Vous aviez rendez-vous sans doute. Vous la trouverez dans le studio. Première porte en face. »

Mme Ellis quitta le salon d'un pas ferme, mais le petit chien l'avait suivie, le nez sur ses talons.

Une chose était certaine. L'homme n'avait pas réalisé qui elle était. Ils croyaient que la propriétaire était sortie pour tout l'après-midi et qu'elle, qui se tenait maintenant dans le vestibule, l'oreille aux aguets et le cœur battant, n'était qu'une visiteuse qu'on pouvait facilement abuser.

Elle resta silencieuse derrière la porte du salon. L'homme s'était remis à taper à la machine. Elle s'étonna du calme, du sang-froid avec lequel il continuait sa comédie.

Elle n'avait rien lu dans le journal concernant des cambriolages sur une grande échelle ces derniers temps. Ce qui arrivait là était nouveau, une technique entièrement différente. Quel hasard étonnant qu'ils aient jeté leur dévolu sur sa maison. Certainement pas un hasard d'ailleurs. Ils devaient savoir qu'elle était veuve et vivait seule avec une servante. Ils avaient déjà enlevé le téléphone du petit guéridon dans le vestibule. A sa place, elle vit une miche de pain et quelque chose qui ressemblait à de la viande enveloppée dans du papier. Ils avaient donc apporté des provisions... Il restait encore une chance que l'appareil de sa chambre n'ait pas été enlevé, et qu'ils n'en aient pas arraché les fils. L'homme avait dit que sa femme était là-haut. Peut-être était-ce partie de sa comédie, ou peut-être travaillait-il réellement avec une femme, une complice. A ce moment même, cette femme était sans doute occupée à fouiller sa garde-robe, s'emparant de son manteau de fourrure et fourrant son rang de perles de culture dans sa poche.

Mme Ellis crut entendre des pas dans sa chambre.

La fureur domina ses craintes. Elle n'était pas de force à combattre l'homme, mais elle pouvait se mesurer avec la femme. Et si la situation devenait plus dangereuse encore, elle courrait à la fenêtre et se mettrait à crier. Les gens d'à côté l'entendraient, ou quelqu'un dans la rue.

A pas de loup. Mme Ellis monta l'escalier. Le petit chien la précédait. Elle s'arrêta un moment devant la porte de sa chambre. Quelqu'un s'y agitait, cela ne faisait pas le moindre doute. Le petit chien attendait, ses yeux intelligents fixés sur elle.

A ce moment, la porte de la petite chambre de Susan s'ouvrit et une forte femme d'une soixantaine d'années, au visage rouge, apparut sur le seuil. Elle portait un chat tigré sous le bras. Dès que le chien vit le chat, il reprit ses aboiements forcenés.

« Bon, voilà que ça recommence, dit la femme, qu'est-ce qui vous prend d'amener le chien ici? Vous savez bien qu'ils ne s'entendent pas. Savez-vous si le courrier est arrivé? Oh! excusez-moi, je croyais que c'était Mme Bolton. »

Elle posa sur le palier une bouteille de lait vide qu'elle tenait sous son autre bras.

« Je ne pourrai jamais descendre et remonter l'escalier encore une fois aujourd'hui, fit-elle, il faudra que quelqu'un descende cette bouteille pour moi. Y a-t-il du brouillard dehors?

— Non », répondit Mme Ellis.

Oubliant un instant sa situation, puis sentant les yeux de la femme fixés sur elle, elle hésita un moment. Valait-il mieux entrer dans sa chambre ou redescendre l'escalier? Cette horrible femme faisait partie de la bande et n'hésiterait pas à appeler l'homme en bas.

« Vous avez un rendez-vous? reprit celle-ci, elle ne vous recevra pas si vous n'en avez pas. »

Une ombre de sourire apparut sur les lèvres de Mme Ellis.

« Oui, fit-elle, oui, j'ai un rendez-vous. »

Elle était surprise de son sang-froid, de la fermeté avec laquelle elle se conduisait. Une actrice d'une grande scène de Londres n'eût pas mieux joué son rôle.

La vieille cligna de l'œil et, s'approchant, tira Mme Ellis par la manche.

« Vous faites faire ça en normal ou en fantaisie? chuchota-t-elle, c'est les fantaisies qui attirent les hommes, vous voyez ce que je veux dire! »

Elle poussa Mme Ellis du coude et cligna de l'œil encore une fois.

« D'après votre alliance, je vois que vous êtes mariée, dit-elle. Ça n'a l'air de rien, mais vous pouvez pas vous imaginer ce qu'il y a comme maris bien tranquilles qui les préfèrent fantaisies. Croyez-en l'avis d'une vieille professionnelle. Dites-lui de vous faire en fantaisie. »

Elle retourna en traînant les pieds à la chambre de Susan, le chat sous son bras, et referma la porte.

La sensation de faiblesse envahit à nouveau Mme Ellis.

« Une bande de fous s'est échappée d'un asile et, dans leur démence, ils se sont introduits dans ma maison, non pour me voler, mais parce que, dans leur esprit égaré, ils se croient chez eux », se dit-elle.

Une fois l'affaire au grand jour, la publicité qui en rejaillirait serait épouvantable. Des manchettes dans les journaux, sa photo traînant partout. Ce serait désastreux pour Susan. Susan... Cette horrible et répugnante vieille dans la chambre de Susan.

Enhardie par cette pensée, Mme Ellis ouvrit la porte de sa propre chambre. En un clin d'œil, elle vit que ses pires craintes étaient réalisées. La chambre était nue, dépouillée de tout. A chaque coin se trouvaient des projecteurs et un appareil photographique sur un trépied, au milieu de la pièce. Contre le mur, un divan. Une jeune femme à la chevelure épaisse et frisée était agenouillée sur le sol, occupée à classer des papiers.

« Qui êtes-vous? demanda-t-elle. Je ne reçois personne sans rendez-vous. Vous n'avez pas le droit d'entrer ici. »

Mme Ellis, calme et résolue, ne répondit pas. Elle s'était assurée que le téléphone, bien que déplacé, comme ses autres affaires, était toujours dans la pièce.

Elle s'approcha de l'appareil et souleva le récepteur.

« Voulez-vous laisser mon téléphone », s'écria la femme aux cheveux frisés.

Et elle essaya de se relever.

« Je demande la police, fit Mme Ellis d'une voix ferme dans l'appareil, il faut qu'elle vienne immédiatement au 17, Elmhurst Road. Je suis en grand danger. Je vous en supplie, transmettez sans tarder ce message à la police. »

La jeune femme était près d'elle à présent et tentait de lui arracher le récepteur.

« Qui vous a envoyée? demanda-t-elle, son mince visage pâle ressortant sous le halo de cheveux frisés. Si vous croyez que vous pouvez venir fureter ici, vous vous trompez. Vous ne trouverez rien, la police non plus, d'ailleurs. J'ai une licence pour exercer mon métier. »

Elle avait élevé la voix, et le chien, effrayé, se joignit à elle en un concert de jappements aigus. La femme ouvrit la porte et appela.

« Harry! s'écria-t-elle, monte ici, et jette-moi cette femme à la porte. »

Mme Ellis conserva tout son calme. Elle restait bien droite, appuyée contre le mur, les mains jointes. On avait entendu son message, la police ne tarderait pas.

Elle entendit la porte du salon s'ouvrir et la voix de l'homme monta jusqu'à elles, irritée.

« Qu'est-ce qui se passe? cria-t-il, tu sais bien que je suis occupé. Tu n'as qu'à t'arranger avec cette femme. Elle veut sans doute une pose spéciale. »

Les yeux de la jeune femme se rétrécirent. Elle jeta un regard rusé à Mme Ellis.

« Qu'est-ce que mon mari vous a dit? » demanda-t-elle

« Ah! triompha Mme Ellis. Ils commencent à

avoir peur. Cela ne marche pas aussi bien qu'ils le pensaient. »

« Je n'ai eu aucune conversation avec votre mari, dit-elle tranquillement, il m'a simplement dit que je vous trouverais ici, dans cette pièce. N'essayez pas de me jouer la comédie, c'est trop tard. Je vois très bien ce que vous avez fait. »

Elle désigna la pièce du doigt. La femme continuait à l'examiner.

« Vous ne pouvez m'accuser de rien, dit-elle, ce studio est parfaitement respectable, tout le monde vous le dira. Je photographie les enfants, je peux le prouver. Vous n'avez la preuve de rien d'autre. Montrez-moi un seul négatif et je vous croirai peut-être. »

Mme Ellis se demanda combien de temps il faudrait à la police pour arriver. Il lui fallait continuer à gagner du temps. Plus tard, elle pourrait même ressentir de la pitié pour cette malheureuse fille qui, dans son illusion, s'était créé un décor dans sa chambre. Pauvre enfant, qui se croyait photographe! Mais pour le moment, maintenant, elle devait rester calme, calme.

« Eh bien, reprit la femme, qu'allez-vous dire à la police? Quelle est votre histoire? »

Cela ne servait à rien de contrarier les fous. Mme Ellis ne l'ignorait pas. Il fallait, au contraire, jouer le jeu jusqu'à l'arrivée de la police.

« Je leur dirai que j'habite ici, dit-elle d'une voix douce, cela leur suffira. Rien de plus. »

La fille la regarda, stupéfaite, et alluma une cigarette.

« Alors, c'est une photo que vous voulez? demanda-t-elle, vous avez bluffé quand vous avez prétendu appeler la police? Pourquoi ne dites-vous pas franchement ce que vous voulez? »

Le son de leurs voix avait attiré l'attention de la vieille, dans la chambre de Susan. Elle frappa à la porte qui était déjà ouverte, et resta sur le seuil.

« Quelque chose qui ne va pas, mon petit? demanda-t-elle d'un air sournois à la jeune femme.

— Fichez le camp, dit la fille avec impatience, ce n'est pas vos oignons. Je ne me mêle pas de vos affaires, ne vous mêlez pas des miennes.

— Je ne me mêle pas de vos affaires, répondit la vieille. Je voulais simplement savoir si je pouvais vous aider, ma petite. Une cliente difficile, pas? Elle veut quelque chose de particulier?

— Oh! fermez-la », fit la fille.

Le mari, Bolton — en admettant que ce fût son vrai nom —, l'homme aux lunettes du salon, apparut à ce moment au haut des marches.

« Qu'y a-t-il? » demanda-t-il.

La jeune femme haussa les épaules et jeta un coup d'œil à Mme Ellis.

« Je n'en sais rien, fit-elle, mais on dirait du chantage.

— A-t-elle des négatifs? demanda l'homme rapidement.

— Pas que je sache. Je ne l'ai jamais vue de ma vie.

— Elle peut en avoir d'un autre client », dit la vieille, attentive.

Tous trois fixèrent Mme Ellis. Elle ne se sentait nullement effrayée. Elle avait la situation bien en main.

« Je crois que nous ne nous comprenons pas très bien, dit-elle. Le mieux serait de retourner en bas et de nous asseoir tranquillement près du feu pour une petite conversation. Vous pourrez me parler de votre travail. Dites-moi, êtes-vous tous trois photographes? »

Tout en parlant, une partie de son esprit se demandait où ils avaient bien pu dissimuler son mobilier, ses bibelots. Sans doute avaient-ils poussé son lit dans la chambre de Susan; l'armoire pouvait être démontée assez rapidement, il serait aussi facile de la remonter; mais ses vêtements... ses bijoux... Ils avaient dû les emporter déjà. Dans un camion, peut-être rangé dans une autre rue. De toute manière, elle savait que la police était habile à retrouver les objets volés, et tout était assuré; mais quel désordre dans sa maison! Cela l'assurance ne pourrait l'en dédommager, à moins qu'elle ne comprenne une clause contre les dégâts occasionnés par des fous. Les pensées couraient dans sa tête, enregistrant les dommages causés, supputant le nombre de jours ou de semaines que demanderaient, à Grace et à elle, les rangements et réparations.

Pauvre Grace. Elle avait oublié Grace. La malheureuse devait être enfermée quelque part au sous-sol, gardée par cet horrible rustre en manches de chemise, un quatrième membre de la bande.

« Eh bien, fit Mme Ellis avec l'autre moitié de son esprit — celle qui lui permettait de si bien jouer son rôle — descendons-nous, comme je vous le proposais? »

Elle se détourna et s'engagea dans l'escalier. A sa grande surprise, le mari et la femme la suivirent. L'affreuse vieille demeura penchée au-dessus de la rampe.

« Appelez-moi si vous avez besoin de moi », dit-elle.

Mme Ellis ne put supporter la pensée de ses vieux doigts touchant les objets de Susan, dans la petite chambre.

« Ne voulez-vous pas venir avec nous? dit-elle, se forçant à demeurer polie, c'est beaucoup plus gai en bas. »

La vieille se mit à ricaner :

« C'est à M. et Mme Bolton de m'inviter, dit-elle, je n'ai pas l'habitude de m'imposer. »

« Si je pouvais les amener tous trois dans le salon et m'arranger pour fermer la grande porte à clef, pensait Mme Ellis, en leur parlant tout le temps, je réussirais peut-être à distraire leur attention jusqu'à l'arrivée de la police. »

« Et maintenant, fit Mme Ellis, le cœur soulevé par le désordre qui régnait dans le salon, asseyons-nous bien gentiment, et parlez-moi un peu de vos photos. »

Mais elle avait à peine terminé sa phrase que la sonnette, poussée par une main autoritaire, retentit fortement.

Le soulagement la fit presque s'évanouir et elle dut s'appuyer contre la porte. C'était la police. L'homme regarda sa femme d'un air interrogateur.

« Mieux vaut de les faire entrer, dit-il, elle n'a pas de preuves. »

Il traversa le vestibule et ouvrit la porte.

« Entrez, monsieur l'agent, dit-il. Je vois que vous êtes deux. »

Mme Ellis entendit la voix du constable :

« Nous avons reçu un coup de téléphone de chez vous, que se passe-t-il?

— Je crois que c'est une erreur, dit Bolton. Voilà, cette femme est venue nous voir et elle a eu une crise de nerfs. »

Mme Ellis s'approcha. Elle ne reconnaissait pas les deux policiers. C'était dommage, mais au fond, cela n'avait pas grande importance. Ils étaient tous deux grands et solides.

« Je n'ai pas eu de crise de nerfs, dit-elle d'une voix ferme, je vais très bien. C'est moi qui vous ai appelés. »

Le plus âgé sortit un calepin et un crayon.

« Que s'est-il passé? dit-il. Mais d'abord, donnez-moi vos nom et adresse. »

Mme Ellis eut un sourire patient. Elle espérait qu'il ne serait pas trop borné.

« Je n'en vois pas très bien la nécessité, fit-elle, mais quoi qu'il en soit, je suis Mme Wilfred Ellis, et j'habite ici.

— Vous êtes locataire de cette maison? » demanda le policier.

Mme Ellis fronça les sourcils.

« Non, dit-elle, cette maison m'appartient et je l'habite. »

Elle aperçut au vol le coup d'œil échangé par les Bolton et comprit que le moment de s'expliquer était venu.

« Il faut que je vous parle seul, monsieur l'agent, dit-elle, la chose est très urgente; je vois que vous ne comprenez pas très bien la situation.

— Si vous voulez porter plainte, madame, dit le policier, vous pouvez le faire au commissariat. Nous avons été informés qu'une personne logeant au numéro 17, ici, était en danger. Etes-vous, oui ou non, la personne qui a fait cet appel? »

Mme Ellis commençait à perdre son calme.

« Evidemment, c'est moi, fit-elle, je rentre chez moi pour découvrir que des cambrioleurs se sont introduits dans ma maison. Ces gens-là sont des cambrioleurs dangereux, des fous, je ne sais pas exactement. Toujours est-il que mes affaires ont été déménagées et toute ma maison sens dessus dessous. Partout, un désordre épouvantable. »

Elle parlait si vite que les mots butaient les uns sur les autres.

L'homme du sous-sol était remonté et s'était joint aux autres dans le vestibule. Il contemplait les deux policiers, les yeux écarquillés.

« Je l'ai vue arriver, dit-il, j'ai pensé qu'elle était piquée. Si j'avais su, je ne lui aurais pas ouvert la porte. »

Le brigadier, un peu irrité par l'interruption, se tourna vers lui.

« Qui êtes-vous? demanda-t-il.

— Mon nom est Upshaw, dit l'homme, William Upshaw. Ma bourgeoise et moi, on habite l'appartement du sous-sol.

— Cet homme ment, fit Mme Ellis, il n'habite pas ici; il fait partie de cette bande de cambrioleurs. Personne n'habite au sous-sol, à part ma cuisinière, ou plutôt ma bonne à tout faire, Grace Jackson, et si vous fouillez les lieux, vous la trouverez probalement ligotée et bâillonnée par ce bandit. »

Elle avait perdu toute retenue. Sa voix, habituellement douce et tranquille, résonnait étrangement à ses oreilles; une voix inconnue, aiguë, presque hystérique.

« Complètement piquée, fit l'homme du sous-sol, vous voyez bien qu'elle a un grain.

— Silence, je vous prie », ordonna le policier.

Et il se tourna vers son jeune collègue, qui murmurait quelque chose à son oreille

« Oui, oui, dit-il, j'ai mon petit répertoire avec moi. »

Il se plongea dans un petit livre. Mme Ellis le regardait fiévreusement. De sa vie, elle n'avait jamais vu un homme aussi stupide. Pourquoi le commissaire avait-il donc envoyé un policier aussi stupide?

Le constable se tourna vers l'homme aux lunettes d'écaille.

« Etes-vous Henry Bolton? demanda-t-il.

— Oui, monsieur l'agent, répondit l'homme avec empressement. Nous habitons cet étage. Ma femme a aussi une chambre au premier qui lui sert de studio. Elle est photographe. »

On entendit des pas traînants, et la vieille descendit l'escalier.

« Je m'appelle Baxter, dit-elle, Billie Baxter qu'on m'appelait dans mon jeune temps au music-hall. J'étais une artiste, vous comprenez. J'habite le premier. Je peux témoigner que cette femme est venue ici pour espionner. Je l'ai vue qui regardait par le trou de la serrure du studio de Mme Bolton.

— Elle n'habite donc pas ici? demanda le constable. C'est bien ce que je pensais; son nom ne figure pas dans mon répertoire.

— Nous ne l'avons jamais vue, monsieur l'agent, fit Bolton. M. Upshaw l'a fait entrer par erreur; elle s'est introduite toute seule dans notre living-room, puis a forcé son chemin jusque dans le studio de ma femme. Et tout d'un coup, comme une folle, elle a appelé la police. »

Le constable se tourna vers Mme Ellis.

« Vous avez quelque chose à répondre? » demanda-t-il.

Mme Ellis avala sa salive. Si seulement elle pouvait rester calme, si seulement son cœur ne s'était pas mis à battre la chamade, si seulement elle ne sentait pas les larmes lui venir irrésistiblement aux yeux!

« Monsieur l'agent, dit-elle, il se produit une erreur terrible. Vous êtes peut-être nouveau dans le quartier, et ce jeune homme qui vous accompagne aussi je ne le reconnais pas, mais si vous voulez bien demander des renseignements au commissariat, ils vous diront qui je suis. J'habite ici depuis des années. Ma bonne, Grace, est à mon service depuis très longtemps. Je suis veuve; mon mari, Wilfred Ellis, est mort depuis deux ans; j'ai une petite fille de neuf ans qui est en pension. Je suis sortie me promener dans le parc cet après-midi, et durant mon absence ces gens se sont introduits dans ma maison et ont volé ou détruit tout ce qui m'appartenait. Je ne peux vous donner une liste des objets manquants, la maison est trop sens dessus dessous. Alors, vous voulez bien demander au commissariat...

— D'accord, d'accord, l'interrompit le constable, rangeant son calepin dans sa poche, ça me va très bien. Nous nous occuperons de ça bien tranquillement au commissariat. L'un de vous désire-t-il porter plainte contre Mme Ellis pour violation de propriété? »

Il y eut un long silence.

« Nous ne voulons pas nous montrer méchants, fit Bolton avec réserve, ma femme et moi sommes d'accord pour enterrer l'affaire. »

La jeune femme aux cheveux frisés s'interposa à son tour.

« Veuillez bien noter que tout ce que pourra dire cette femme sur notre compte au commissariat est complètement faux.

— Entendu, fit l'agent, on vous convoquera si c'est nécessaire, mais je ne crois pas que ça le sera. Et maintenant, madame Ellis, dit-il en se tournant vers elle sans sévérité, mais avec fermeté, il y a une voiture dehors qui va nous conduire au commissariat. Vous pourrez y raconter votre histoire. Avez-vous un manteau? »

Mme Ellis se dirigea vers le portemanteau comme un automate. Elle connaissait bien le commissariat; il était à peine à cinq minutes de sa maison. Le mieux était de s'y rendre tout de suite, de parler à quelqu'un d'intelligent. Pas à cet imbécile, ce crétin. Mais entre-temps, les cambrioleurs pourraient s'enfuir. Elle saisit son manteau dans l'obscurité, trébuchant à nouveau sur les bottes, la valise.

« Monsieur l'agent, une minute, s'il vous plaît.

— Oui, fit-il.

— Ils ont enlevé l'ampoule électrique, chuchota-t-elle rapidement, elle marchait cet après-midi. Et tout ceci, ces chaussures, ces valises, ces bottes, ce sont eux qui les ont apportés; les valises sont certainement pleines de mes affaires. Je suis obligée de vous prier instamment de laisser votre jeune collègue ici jusqu'à notre retour afin que ces gens ne puissent s'enfuir.

— C'est entendu, madame Ellis, dit l'agent. Maintenant, êtes-vous prête? »

Elle surprit le regard échangé par les deux policiers. Le plus jeune essayait de dissimuler un sourire.

Mme Ellis fut certaine tout d'un coup que le jeune homme ne resterait pas dans la maison. Un soupçon nouveau envahit son esprit. Ces deux agents étaient-ils vraiment membres de la police? Ou bien faisaient-ils eux aussi partie de la bande? Cela expliquerait le fait qu'elle ne les connût pas et la façon étrange dont ils se comportaient. Si cela était vrai, ils se disposaient à l'emmener dans quelque repaire, pour la droguer, la tuer peut-être.

« Je ne vais pas avec vous, dit-elle vivement.

— Allons, madame, ne faites pas d'histoires. Vous prendrez une bonne petite tasse de thé au commissariat. Personne ne vous fera de mal. »

Il la saisit par le bras. Elle essaya de se dégager. Le plus jeune policier s'approcha.

« Au secours, hurla-t-elle, au secours... Au secours... »

Quelqu'un finirait bien par l'entendre. Ces gens qui habitaient à côté, elle les connaissait à peine, mais peu importait, si seulement elle criait assez fort...

« Pauvre femme, fit l'homme en manches de chemise, c'est pas drôle. Je me demande ce qui a bien pu lui faire ça! »

Mme Ellis vit ses yeux protubérants la regarder avec pitié, et elle faillit s'étouffer.

« Espèce de rustre, s'écria-t-elle, comment osez-vous, comment osez-vous... »

Mais déjà on la poussait en bas des marches, à travers le jardinet, jusqu'à la voiture au volant de laquelle était assis un troisième agent. Le constable, la main fermement serrée sur son bras, la tira à l'intérieur.

La voiture descendit la rue, dépassa le parc; elle essaya de voir la direction prise, mais la tête du constable l'en empêcha.

Après quelques virages, la voiture s'arrêta enfin, à sa grande surprise, devant le commissariat de police. Ces hommes étaient donc de vrais policiers. Ils ne faisaient pas partie de la bande. Mme Ellis resta un moment stupéfaite; mais bientôt soulagée, reconnaissante, elle descendit en chancelant de la voiture. Le constable, la tenant toujours par le bras, la fit entrer.

L'endroit lui était familier, elle y était venue une fois, quelques années auparavant, quand son chat beige avait disparu. Derrière le guichet était assis un employé. Tout semblait très officiel, plein d'activité. Elle allait s'adresser à l'employé, mais le constable la fit continuer jusqu'à une autre pièce où, derrière un large bureau, elle vit un homme à l'air intelligent, Dieu merci! Un supérieur sans nul doute.

Elle était bien décidée à prendre la parole avant le constable.

« Je suis Mme Ellis, du 17, Elmhurst Road, commença-t-elle. Des cambrioleurs se sont introduits dans ma maison et y sont encore. Ce sont des bandits décidés à tout et très malins. Le constable, ici présent, ainsi que l'autre policier, se sont laissé prendre à leur comédie et... »

A sa grande indignation, elle s'aperçut que le chef ne la regardait pas. Il haussa les sourcils et fit un signe au constable. Ce dernier, après avoir enlevé sa casquette, toussota et s'approcha du bureau. Tout d'un coup, sans qu'elle l'eût entendue venir, Mme Ellis vit à ses côtés une femme-agent qui lui saisit le bras.

Le constable et le chef conversaient à voix basse. Mme Ellis ne pouvait entendre ce qu'ils disaient. Ses jambes tremblaient d'émotion. Elle sentit sa tête lui tourner, et c'est avec reconnaissance qu'elle se laissa tomber sur la chaise que venait de lui avancer la femme-agent. Sans qu'elle sût comment, elle sentit entre ses mains une tasse de thé. Elle aurait voulu la refuser. Que de temps précieux perdu!

« Il faut que vous m'écoutiez », supplia-t-elle.

Et la femme serra davantage sa main sur son bras.

Le chef lui fit signe de s'approcher et on lui apporta une autre chaise. La femme la suivit et resta à ses côtés.

« Eh bien, fit-il, que voulez-vous me dire? »

Mme Ellis se tordit les mains. Elle avait le pressentiment que malgré son air intelligent, cet homme allait se conduire de la même façon stupide que l'agent.

« Je m'appelle Ellis, fit-elle, Mme Wilfred Ellis. J'habite 17, Elmhurst Road, je suis dans l'annuaire. Tout le monde me connaît dans le quartier, cela fait dix ans que j'habite Elmhurst Road. Je suis veuve et j'ai une petite fille de neuf ans, qui est en pension. J'ai à mon service Mlle Grace Jackson, qui me sert de bonne à tout faire. Cet après-midi, je suis allée faire une promenade dans le parc, aller-retour jusqu'au lac, et en rentrant, j'ai trouvé ma maison envahie par des cambrioleurs; ma bonne avait disparu; toutes mes affaires étaient enlevées, et les cambrioleurs qui se sont installés chez moi ont joué une telle comédie que même votre agent s'y est laissé prendre. J'ai réussi à vous appeler au secours, ce qui a effrayé ces bandits. J'ai essayé de les garder au salon jusqu'à ce que la police arrive. »

Mme Ellis s'arrêta pour reprendre son souffle. Elle vit que le chef l'écoutait attentivement et gardait les yeux fixés sur elle.

« Merci, madame, dit-il, ce que vous dites va beaucoup nous aider. Avez-vous une pièce d'identité? »

Elle le regarda avec étonnement. Des pièces d'identité? Bien sûr, elle en avait. Mais pas ici, pas sur elle. Elle était sortie sans son sac et ses cartes de visite, son passeport — Wilfred et elle étaient allés à Dieppe une fois — se trouvaient, si ses souvenirs étaient exacts, dans le tiroir gauche de son petit secrétaire.

Mais elle pensa soudain au désordre qui régnait dans sa maison. Comment y retrouver quelque chose...

« Je regrette beaucoup, répondit-elle, mais je n'ai pas emporté mon sac quand je suis partie me promener cet après-midi. Je l'ai laissé dans la commode de ma chambre. Mes cartes de visite et mon passeport — périmé, je le crains, mon mari et moi ne voyagions pas beaucoup — sont dans un tiroir de mon secrétaire. Mais tout a été bouleversé ou emporté par les voleurs. Ma maison est dans un chaos épouvantable.

— Vous ne pouvez donc me montrer votre carte d'identité ou votre carte d'alimentation?

— Je viens de vous expliquer, fit Mme Ellis, essayant de dominer sa colère, que mes cartes de visite étaient dans mon secrétaire. Je ne sais pas ce que vous voulez dire par carte d'alimentation. »

Le chef inscrivit quelque chose sur un bloc devant lui. Il fit signe à la femme-agent, et celle-ci se mit à fouiller les poches de Mme Ellis sans ménagement. Mme Ellis essayait de rassembler ses idées; auquel de ses amis pourrait-elle téléphoner afin qu'il puisse répondre d'elle, accourir à son secours et tâcher de faire comprendre la situation à ces idiots?

« Il faut que je reste calme, se répétait-elle, il faut que je reste calme. »

Les Collins étaient à l'étranger — ils auraient très bien fait l'affaire; mais Netta Draycott était sans doute chez elle — elle y était toujours à cette heure-ci, à cause des enfants.

« Je vous ai demandé de vérifier mon nom et mon adresse dans l'annuaire téléphonique ou dans celui des habitants du quartier, fit-elle. Si vous vous y refusez, demandez au receveur des Postes ou au directeur de ma banque, qui se trouve dans la Grand-Rue — j'y ai touché un chèque samedi. Et voulez-vous téléphoner à Mme Draycott — c'est une de mes amies —, 21, Charlton Court, le bloc d'immeubles dans Charlton Avenue. Elle vous répondra de moi. »

Elle s'effondra dans sa chaise, épuisée. Aucun cauchemar, se dit-elle, ne pourrait jamais être aussi horrible, aussi désespéré que sa situation présente. C'était malheur sur malheur. Si seulement elle avait pensé à prendre son sac. Il s'y trouvait un tas de cartes de visite. Et pendant tout ce temps, les bandits, les monstres, empilaient ses biens, ses robes, ses bijoux, avant de s'enfuir en toute impunité...

« Voyons, madame, fit le chef, vous savez bien que nous avons vérifié vos affirmations. Vous n'êtes pas dans l'annuaire.

— Je vous assure que si, protesta Mme Ellis avec indignation, passez-le-moi, et je vous montrerai. »

Le constable, toujours debout, lui tendit les deux livres, et elle fit glisser son doigt sur la page de gauche, où elle savait trouver son nom. Elle vit à plusieurs reprises le nom d'Ellis, mais il ne s'agissait pas d'elle, aucun n'était suivi de son adresse ou de son numéro de téléphone. Elle chercha dans le répertoire des rues et vit que le 17, Elmhurst Road indiquait comme locataires les noms de Bolton, Upshaw et Baxter... Elle repoussa les deux volumes et leva les yeux vers le chef.

« Ces annuaires ne sont pas à jour, dit-elle, ils sont inexacts, ce ne sont pas les annuaires que j'ai à la maison. »

Le chef ne répondit pas. Il referma les livres.

« Allons, madame, dit-il, je vois que vous êtes très fatiguée, un peu de repos vous ferait du bien. Nous allons essayer de toucher vos amis. Nous allons nous mettre en rapport avec eux dès que possible. Entre-temps, je vais vous envoyer le docteur. Il fera un peu la causette avec vous et vous donnera un calmant. Quand vous serez reposée, demain matin, vous vous sentirez beaucoup mieux et nous aurons peut-être du nouveau pour vous. »

La femme-agent aida Mme Ellis à se lever.

« Venez, fit-elle.

— Mais ma maison, demanda Mme Ellis, les voleurs, et Grace, ma bonne, elle est peut-être ligotée au sous-sol; vous allez bien faire quelque chose? Vous n'allez tout de même pas leur permettre de me cambrioler sans être inquiétés. Vous avez déjà perdu une précieuse demi-heure...

— Ne vous faites pas de soucis, madame, dit le chef, vous pouvez vous en remettre à nous. »

La femme-agent l'entraîna, malgré ses protestations, et elle se sentit pousser dans un couloir tandis que la femme ne cessait de répéter :

« Allons, ne faites pas d'histoires. Du calme. Personne ne va vous faire du mal. »

Elle se retrouva dans une petite pièce contenant pour seul mobilier un lit. Grands dieux... mais c'était une cellule. Là où ils enferment les prisonniers! La femme-agent l'aida à retirer son manteau, dénoua l'écharpe qu'elle avait toujours autour de la tête. Elle se sentait si faible qu'elle ne s'opposa pas à ce que la femme la fît étendre sur le lit et la couvrît d'une grossière couverture grise.

Mme Ellis prit la main de la femme; après tout, elle avait un visage assez humain.

« Je vous supplie d'appeler Hampstead 40-72, demanda-t-elle; c'est le numéro de mon amie Mme Draycott, à Charlton Court. Demandez-lui de venir ici. Votre chef ne veut pas m'écouter, il se refuse à me croire.

— Oui, oui, tout ira bien », répondit la femme.

Quelqu'un entrait dans la pièce, la cellule plutôt. C'était un petit homme alerte, rasé de près. Il portait une trousse à la main. Après avoir salué la femme-agent, il sortit de sa trousse un stéthoscope et un thermomètre.

« Alors, on est un peu nerveuse! dit-il à Mme Ellis avec un sourire. Je vais vous arranger cela en un clin d'œil. Voulez-vous me tendre votre poignet? »

Mme Ellis se redressa dans le lit, remontant la couverture autour d'elle.

« Docteur, commença-t-elle, je n'ai absolument rien. Evidemment, je viens de passer par des épreuves qui énerveraient n'importe qui; on vient de cambrioler ma maison; tout le monde refuse de m'écouter, mais je suis Mme Ellis, Mme Wilfred Ellis. J'habite 17, Elmhurst Road, et si vous pouviez seulement persuader les autorités, ici... »

Il ne l'écoutait pas. Avec l'aide de la femme-agent, il était en train de prendre sa température sous l'aisselle, comme à un enfant. Et maintenant, il comptait son pouls, appuyait les doigts sur ses yeux, écoutait sa respiration avec son stéthoscope. Mme Ellis continua à parler.

« Je comprends très bien que c'est une affaire de routine. Vous êtes obligé de faire ce que vous faites, mais je tiens à vous prévenir que je trouve la façon dont on m'a traitée, depuis l'arrivée de la police chez moi, scandaleuse, inadmissible. Je ne connais pas personnellement notre député, mais je suis sûre que quand il sera au courant de mon histoire, il s'occupera de la chose, et la police regrettera sa conduite. Je suis malheureusement veuve et je n'ai pas de parents très proches; ma petite fille est loin de moi, en pension; mes plus chers amis, M. et Mme Collins, sont à l'étranger, mais le directeur de ma banque... »

Il était maintenant en train de tamponner son bras avec un tampon imbibé d'alcool; il piqua une aiguille et, avec un gémissement de douleur, Mme Ellis retomba sur son dur petit oreiller. Le docteur tenait toujours son bras, puis son poignet, et tandis que le liquide injecté pénétrait dans ses veines, Mme Ellis, la tête emplie de vertiges, sentit une étrange sensation d'engourdissement l'envahir. Des larmes roulèrent le long de ses joues. Elle ne pouvait plus lutter; elle était trop faible.

« Comment vous sentez-vous? demanda le docteur. Mieux, n'est-ce pas? »

Sa gorge était desséchée, sa bouche sans salive. C'était une de ces drogues qui paralysent, vous rendent faible et impuissant.

Mais les émotions qui l'étouffaient semblaient s'être apaisées, assagies. La fureur, la peur, le désespoir qui avaient noué ses nerfs jusqu'à les faire presque éclater, s'évanouissaient peu à peu.

Elle s'était mal expliquée. La sottise qu'elle

avait commise en sortant sans son sac était cause de la moitié de ses malheurs. Et aussi l'habileté diabolique des cambrioleurs.

« Reste calme, commandait-elle à son esprit, reste calme. Repose-toi maintenant. »

« Et à présent, fit le docteur, que diriez-vous de me raconter votre histoire encore une fois. Vous dites vous appeler Mme Ellis? »

Mme Ellis soupira et ferma les yeux. Il fallait donc tout recommencer à nouveau? N'avaient-ils donc pas inscrit tous les renseignements qu'elle leur avait donnés? A quoi bon? L'incurie de ces fonctionnaires était tellement évidente. Ils ne possédaient même pas des annuaires à jour. Pas surprenant qu'il y eût des cambriolages, des crimes de toutes sortes, avec une police aussi visiblement incompétente ou corrompue. Quel était donc le nom du député de la ville? Elle l'avait sur le bout de la langue. Un bien bel homme, aux cheveux roux, il avait un air si franc sur les affiches électorales. Il s'occuperait certainement de son affaire.

« Madame Ellis, dit le docteur, pensez-vous vous souvenir à présent de votre adresse véritable? »

Mme Ellis ouvrit les yeux. Avec une lassitude patiente, elle les fixa sur le docteur.

« J'habite 17, Elmhurst Road, reprit-elle mécaniquement. Je suis veuve, mon mari est mort depuis deux ans. J'ai une petite fille de neuf ans qui est en pension. Cet après-midi, après le déjeuner, je suis sortie faire une petite promenade dans le parc, et à mon retour... »

Il l'interrompit.

« Oui, fit-il, nous savons tout cela. Nous savons ce qui est arrivé après votre promenade. Ce que nous désirons savoir, c'est ce qui est arrivé avant.

— J'ai déjeuné, je me souviens très bien de ce que j'ai mangé : de la pintade, et de la tarte aux pommes avec du café. Puis, je décidai presque de faire la sieste dans ma chambre, parce que je ne me sentais pas très bien, mais je suis quand même sortie, car je pensais que l'air me ferait du bien. »

Dès qu'elle eut proféré cette phrase, elle la regretta. Le docteur la regardait avec attention.

« Ah! fit-il, vous ne vous sentiez pas bien. Pouvez-vous me dire de quoi vous souffriez? »

Mme Ellis savait ce qu'il recherchait. Lui et la police ne demandaient qu'à la déclarer folle. Ils n'auraient plus qu'à annoncer qu'elle avait subi un choc quelconque et que son histoire relevait de la plus haute fantaisie.

« Oh! je ne me sentais pas tellement mal, répondit-elle très vite, j'étais simplement fatiguée; j'avais fait des rangements durant la matinée. J'ai compté le linge et nettoyé les tiroirs de mon secrétaire.

— Pourriez-vous décrire votre maison, madame? dit-il, par exemple, le mobilier de votre chambre ou de votre salon?

— Très facilement. Mais n'oubliez pas que les

cambrioleurs qui se sont introduits cet après-midi dans ma maison y ont causé des dommages, je le crains, irréparables. Tout a été enlevé, caché. Les pièces étaient encombrées d'un tas d'objets sans valeur, et dans ma chambre, au premier, j'ai même trouvé une jeune femme qui prétendait être photographe.

— Oui, fit-il, ne vous faites pas de soucis pour cela. Parlez-moi seulement de vos meubles, de leur disposition, etc. »

Il était plus compréhensif qu'elle ne l'espérait. Mme Ellis se lança dans la description de chaque pièce de sa maison. Elle désigna par leur nom les bibelots, les tableaux, la position des chaises et des tables.

« Et vous dites que votre cuisinière se nomme Grace Jackson?

— Oui, docteur. Elle est à mon service depuis plusieurs années. Elle se trouvait dans la cuisine quand je suis partie, au début de l'après-midi. Je me rappelle très bien l'avoir appelée au sous-sol et lui avoir dit que je partais faire une courte promenade. Je m'inquiète beaucoup pour Grace, docteur. Ces cambrioleurs se sont emparés d'elle.

— Nous nous occuperons de cela, dit le docteur. Vous nous avez beaucoup aidés, madame. Votre description de votre maison a été si claire, si détaillée, que je crois que nous la retrouverons très facilement, ainsi que vos amis et parents. Ce soir, il faut que vous restiez ici, et j'espère que demain matin, nous aurons du nouveau pour vous. Vous m'avez bien dit que votre petite fille était en pension? Vous souvenez-vous de l'adresse de l'école?

— Naturellement, je peux même vous donner le numéro de téléphone. L'école est située à High Close, Bishop's Lane, Hatchworth, et le numéro de téléphone est le 202 à Hatchworth. Mais je ne comprends pas ce que vous voulez dire à propos de retrouver ma maison. Je vous ai dit que j'habitais 17, Elmhurst Road.

— Il n'y a rien d'inquiétant dans tout cela, répondit le docteur, vous n'êtes pas malade et vous ne mentez pas, je m'en rends très bien compte. Vous souffrez d'une perte momentanée de mémoire. Cela arrive très fréquemment, et cela passe généralement très vite. Nous avons souvent eu des cas semblables. »

Il sourit, et se leva, sa trousse à la main.

« Mais ce n'est pas vrai, s'écria Mme Ellis, essayant de se redresser, ma mémoire est très bonne. Je vous ai décrit chaque détail de ma maison. Je vous ai donné mon nom, mon adresse, celle de l'école de ma fille...

— Mais oui, mais oui. Ne vous inquiétez pas. Essayez seulement de vous détendre et de dormir. Nous allons rechercher vos amis. »

Il murmura quelque chose à la femme-agent et quitta la cellule. La femme s'approcha du lit et arrangea la couverture.

« Et maintenant, du courage, fit-elle. Obéissez

au docteur, tâchez de dormir. Tout ira très bien, vous verrez. »

Dormir... Mais comment? Se détendre... Mais dans quel but? A l'heure présente, sa maison était dévalisée, mise à sac, chaque chambre bouleversée. Les voleurs avaient toute liberté pour emporter leur butin sans laisser de traces derrière eux. Ils allaient emmener Grace. Pauvre Grace, elle ne pourrait venir au commissariat témoigner de son identité. Mais les gens de la maison voisine, les Furber... Sûrement, ils voudraient bien venir, se déranger... Mme Ellis se dit qu'elle aurait dû être plus aimable à leur égard, leur rendre visite et les inviter à prendre le thé, mais après tout, ce n'était guère l'usage des villes; ces règles de bon voisinage étaient plutôt en faveur à la campagne. Mais si la police ne pouvait toucher Netta Draycott, alors il faudrait faire appel à eux immédiatement...

Mme Ellis attrapa la gardienne par la manche.

« Les Furber, fit-elle, mes voisins, au numéro 19, ils pourront répondre de moi. Ce ne sont pas des amis, mais ils me connaissent bien de vue. Nous vivons côte à côte depuis presque six ans. Les Furber...

— Oui, répondit la femme. Essayez de dormir. »

« Oh! Susan, ma Susan, si ce malheur était arrivé pendant les vacances cela serait encore plus atroce! Qu'aurions-nous fait? Nous serions rentrées bien tranquillement de notre promenade et nous serions tombées sur ces démons dans la maison.

Et puis, qui sait si cette horrible photographe et son mari ne se seraient pas entichés de Susan, si blonde, si jolie, et n'auraient pas essayé de la kidnapper... Quel cauchemar... Du moins, l'enfant se trouvait-elle en sécurité, sans rien savoir de ce qui était arrivé. Si seulement on pouvait empêcher les journalistes de s'en emparer, elle n'en saurait jamais rien. Quelle honte, quel avilissement : une nuit passée en prison, et par la faute de ces imbéciles, de ces gaffeurs stupides... »

« Vous avez fait un bon petit somme, dit la gardienne, lui tendant une tasse de thé.

— Je ne sais pas ce que vous voulez dire, je n'ai pas du tout dormi.

— Oh! mais si, mais si — la femme sourit —, on dit toujours ça. »

Mme Ellis cligna des yeux et se redressa sur son lit étroit. Il y a une minute seulement, elle parlait encore à la gardienne. Elle sentait ses tempes serrées par un atroce mal de tête et s'efforça d'avaler le thé insipide. Combien elle aurait souhaité se retrouver dans son propre lit, avec Grace qui viendrait tirer les rideaux sans bruit.

« Vous allez faire un petit peu de toilette et je vous donnerai un coup de peigne. Puis vous reverrez le docteur. »

Mme Ellis supporta la honte de se laver devant témoin, d'être peignée. On lui rendit son manteau, son écharpe et ses gants, et on la ramena à la pièce où elle avait été interrogée la veille au soir. Cette fois, ce n'était plus le même homme assis derrière le bureau, mais elle reconnut le constable et le docteur.

Ce dernier s'approcha d'elle, le même sourire affable aux lèvres.

« Comment vous sentez-vous aujourd'hui? demanda-t-il, un peu plus vous-même?

— Au contraire, répondit Mme Ellis. Je ne me sens pas bien du tout et continuerai à être dans cet état jusqu'à ce que je sache ce qui s'est passé chez moi. Quelqu'un va-t-il enfin me dire la vérité sur ce qui est arrivé au 17, Elmhurst Road depuis hier soir? Avez-vous fait quelque chose pour sauvegarder mes biens? »

Le docteur ne répondit pas, mais la guida vers une chaise devant le bureau.

« M. le commissaire, ici présent, désire vous montrer une photo dans le journal », dit-il.

Mme Ellis s'assit. Le commissaire lui tendit *Les Nouvelles du Monde* — c'était le journal que Grace achetait tous les dimanches —, Mme Ellis n'y touchait jamais. Et soudain, elle vit la photo d'une femme aux joues rebondies, une écharpe autour de la tête, enveloppée d'un manteau clair. La photographie était entourée d'un cercle rouge et était suivie de la légende suivante :

« Ada Lewis, âgée de trente-six ans, veuve, disparue de son domicile, 105, Albert Buildings, Kentish Town. »

Mme Ellis tendit le journal au commissaire.

« Je crains de ne pouvoir vous aider, dit-elle, je ne connais pas cette femme.

— Le nom de Ada Lewis ne signifie-t-il rien pour vous? Ni Albert Court Buildings?

— Non, fit Mme Ellis, certainement pas. »

Tout d'un coup, elle comprit la raison de cette question. La police la prenait pour cette femme disparue, cette Ada Lewis, domiciliée à Albert Buildings. Tout cela parce qu'elle portait un manteau clair et avait une écharpe sur les cheveux. Elle se leva.

« C'en est trop, fit-elle, je vous ai dit que mon nom est Ellis. Je suis Mme Wilfred Ellis, du 17, Elmhurst Road. Vous persistez à ne pas vouloir me croire. Ma détention ici est un affront; je demande à voir un avocat, *mon* avocat... »

Mais voyons un peu. Elle n'avait pas eu besoin des services d'un avocat depuis la mort de Wilfred, et l'avocat avait déménagé ou cédé son cabinet; il valait mieux ne pas donner son nom, on croirait qu'elle mentait encore; il était plus prudent de donner le nom de son directeur de banque...

« Un instant », fit le commissaire.

Et une fois de plus elle fut interrompue, car quelqu'un pénétrait dans la pièce, un homme à l'aspect miteux et assez vulgaire, vêtu d'un complet à carreaux râpé, son chapeau à la main.

« Pouvez-vous identifier cette femme comme étant votre sœur, Ada Lewis? » demanda le commissaire.

Mme Ellis rougit de colère tandis que l'homme s'approchait d'elle et la dévisageait.

« Non, monsieur, fit-il, ce n'est pas Ada. Ada n'est pas si forte et cette dame a l'air d'avoir ses dents à elle. Ada avait un dentier. J'ai jamais vu cette dame.

— Merci, dit le commissaire, ce sera tout, vous pouvez disposer. Nous vous préviendrons si nous trouvons votre sœur. »

Le petit homme miteux quitta la pièce. Mme Ellis se tourna triomphante vers le commissaire.

« Eh bien, fit-elle avec éclat, peut-être consentirez-vous à me croire à présent? »

Le commissaire la regarda un instant, puis, après avoir jeté un coup d'œil au docteur, baissa les yeux sur des papiers éparpillés sur son bureau.

« J'aimerais beaucoup vous croire, dit-il, cela nous épargnerait bien des tracas. Malheureusement, cela ne m'est pas possible. Toutes vos affirmations se sont révélées fausses. Toutes, jusqu'à présent.

— Que voulez-vous dire? demanda Mme Ellis.

— Tout d'abord, votre adresse. Vous n'habitez pas au 17, Elmhurst Road pour la bonne raison que c'est une maison meublée occupée depuis longtemps par des locataires que nous connaissons tous. Chaque étage est loué séparément et vous n'êtes locataire d'aucun d'eux. »

Mme Ellis serra les doigts sur les bras de son fauteuil. La face prétentieuse, entêtée et impassible du commissaire la regardait fixement.

« Vous vous trompez, fit-elle tranquillement, le 17 n'est pas une maison meublée. C'est une propriété particulière, la mienne. »

La commissaire baissa à nouveau les yeux sur ses notes.

« Il n'y a pas de gens appelés Furber au numéro 19, poursuivit-il, le 19 est également une maison meublée. Vous n'êtes mentionnée sous le nom d'Ellis dans aucun annuaire. Pas d'Ellis non plus à la banque que vous nous avez indiquée hier soir. Et il n'y a personne du nom de Grace Jackson dans ce quartier. »

Mme Ellis leva tour à tour les yeux sur le docteur, sur le constable, la femme-agent qui était demeurée à ses côtés.

« C'est donc une conspiration? demanda-t-elle. Pourquoi êtes-vous tous contre moi? Je ne comprends pas ce que j'ai fait pour que... »

Sa voix faiblit. Pourtant, elle ne devait pas se laisser aller, il fallait rester ferme, être courageuse pour l'amour de Susan.

« Avez-vous téléphoné à mon amie à Charlton Court? demanda-t-elle. Mme Draycott, qui habite ce grand immeuble?

— Mme Draycott n'habite pas à Charlton Court, madame Ellis, dit le commissaire, pour la simple raison que Charlton Court n'existe plus.

L'immeuble a été détruit par une bombe incendiaire. »

Mme Ellis le regarda horrifiée. Une bombe incendiaire? Mais quelle affreuse nouvelle! Quand cela s'est-il produit? Comment? La nuit sans doute. Désastre après désastre... Qui avait bien pu faire une chose pareille? Probablement des anarchistes, des grévistes, des chômeurs; peut-être ces cambrioleurs mêmes qui l'avaient dévalisée. Pauvre Netta, son mari, ses enfants. Mme Ellis se sentit atrocement épuisée tout d'un coup.

« Excusez-moi, dit-elle, rassemblant ses forces, sa dignité. Je n'avais pas la moindre idée de l'atroce malheur qui vient d'arriver. Cet attentat fait sans aucun doute partie de la conspiration. Ces gens qui se sont introduits chez... »

Elle s'arrêta, car elle comprit qu'on lui mentait; tout était mensonges; ces gens devant elle ne faisaient pas partie de la police; ils s'étaient emparés du commissariat; c'étaient des espions — le gouvernement avait été renversé. Mais pourquoi s'en prendre à elle, qui n'était qu'une petite bourgeoise sans importance? Pourquoi ne poursuivaient-ils pas leur guerre civile, où étaient les mitrailleuses et les combats de rues? Pourquoi n'attaquaient-ils pas Buckingham au lieu de rester tranquillement autour d'elle à lui jouer la comédie?

Un agent de police entra dans la pièce et s'arrêta devant le bureau après avoir claqué des talons.

« J'ai contacté toutes les maisons de santé et les asiles à cinq kilomètres à la ronde, monsieur le commissaire, dit-il. Aucune disparition à signaler.

— Merci », répondit le commissaire.

Ignorant Mme Ellis, il s'adressa au docteur :

« Nous ne pouvons la garder ici, fit-il, vous devez vous arranger pour qu'on l'accepte à Moreton Hill. Il faut absolument que le directeur se débrouille pour avoir une place. Dites que c'est une mesure temporaire, une amnésie.

— Je ferai tout mon possible », fit le docteur.

Moreton Hill. Mme Ellis comprit immédiatement. C'était un asile bien connu, quelque part près de Haghgate. Elle avait toujours entendu dire que c'était un asile très mal tenu, un véritable lieu de cauchemar.

« Moreton Hill? s'écria-t-elle, mais vous ne pouvez m'envoyer là-bas. Cet endroit a une très mauvaise réputation, les infirmières même ne peuvent y demeurer. Je refuse d'aller à Moreton Hill. J'exige de voir un avocat, ou plutôt mon docteur, le docteur Hodber; il habite Parkwell Gardens. »

Le commissaire la regarda pensivement.

« Elle doit être du pays, fit-il, elle connaît tous les noms. Hodber est parti s'installer à Porstmouth, n'est-ce pas? Je me souviens très bien de lui.

— S'il est à Portsmouth, s'interposa Mme Ellis, ce ne peut être que pour quelques jours. C'est un homme extrêmement consciencieux. Mais sa secrétaire me connaît. J'ai emmené Susan à son cabinet aux dernières vacances. »

Mais personne ne l'écoutait. Le commissaire consultait à nouveau ses papiers.

« A propos, fit-il, vous m'avez correctement indiqué le nom de l'école. Faux numéro de téléphone, mais nom exact de l'école. Un collège mixte. Nous avons réussi à joindre le directeur hier soir.

— Dans ce cas, c'est une erreur, dit Mme Ellis. High Close n'est certainement pas un collège mixte. Si cela avait été, je n'y aurais jamais envoyé Susan.

— High Close est un collège mixte, répéta le commissaire, lisant un petit papier posé devant lui, il est dirigé par un certain M. Forster et sa femme.

— Il est dirigé par une certaine Mlle Slater, interrompit Mme Ellis, Mlle Hilda Slater.

— Vous voulez dire qu'il *était* dirigé par Mlle Slater. Quand Mlle Slater a pris sa retraite, l'école a été reprise par M. et Mme Foster. Ils n'ont aucune élève du nom de Susan Ellis. »

Mme Ellis resta figée dans son fauteuil. L'un après l'autre, elle scruta tous les visages. Aucun n'était dur ou même inamical. La femme-agent lui souriait même pour l'encourager. Ils se contentaient de la regarder attentivement. Elle dit enfin :

« Vous n'essayez pas délibérément de me tromper, n'est-ce pas? Vous voyez que je ne souhaite de toutes mes forces qu'une seule chose : savoir ce qui est arrivé? Si tout ce que vous me dites fait partie d'un jeu cruel, d'une sorte de torture, je vous en supplie, dites-le-moi, afin que je puisse comprendre! »

Le docteur prit sa main et le commissaire se pencha par-dessus le bureau.

« Nous faisons tout ce que nous pouvons pour vous aider, dit-il, nous voulons trouver vos amis. »

Mme Ellis s'accrocha à la main du docteur. Elle était soudain devenue un refuge.

« Je ne comprends pas ce qui m'arrive, fit-elle. Si je souffre de perte de mémoire, comment puis-je me souvenir aussi nettement de tout? Mon adresse, mon nom, mes amis, le collège... Où est Susan, où est ma petite fille? »

Ses yeux tournèrent autour de la pièce, affolés. Elle tenta de se lever.

« Si Susan n'est pas à High Close, où est-elle? » s'écria-t-elle.

Elle sentit qu'on la frappait doucement sur l'épaule et vit qu'on lui tendait un verre d'eau.

« Si Mlle Slater a été remplacée par M. et Mme Forster, je devrais le savoir, on aurait dû m'en informer, répéta-t-elle à plusieurs reprises. Hier encore, j'ai téléphoné à l'école. Susan allait très bien, elle jouait avec les autres.

— Voulez-vous dire que Mlle Slater vous a elle-même répondu? demanda le commissaire.

— Non, c'est la secrétaire qui m'a parlé. J'ai téléphoné parce que j'avais... enfin ce qui me semblait être le pressentiment que quelque chose était arrivé à Susan. La secrétaire m'a assuré que Susan avait bien déjeuné et qu'elle était en train de jouer. Je vous jure que je ne l'invente pas. C'est arrivé hier. Je vous le répète : la secrétaire m'aurait avertie si la directrice quittait l'école. »

Mme Ellis implora des yeux les visages sceptiques tournés vers elle. Un instant, son attention fut distraite par le grand 2 sur le calendrier mural.

« Je *sais* que c'était hier, dit-elle, car nous sommes aujourd'hui le second jour du mois, n'est-ce pas? Je me souviens très bien avoir arraché la page hier, et comme c'était le 1er, j'avais décidé de faire mes rangements durant la matinée. »

Le commissaire sourit.

« Vous êtes très convaincante, dit-il. D'après votre apparence, le fait que vous n'avez pas d'argent sur vous, que vos chaussures sont cirées, et d'autres petits signes, il est évident que vous habitez notre ville; vous n'êtes pas venue de très loin. Cependant, madame, il est certain également que vous ne venez pas du 17, Elmhurst Road. Pour une raison, que nous espérons découvrir, cette adresse s'est fixée dans votre esprit ainsi que plusieurs autres. Je vous promets que l'impossible sera fait pour dégager votre esprit des brumes qui l'entourent et vous rendre la santé. Il ne faut pas que vous ayez peur de Moreton Hill; je connais très bien l'endroit et vous y serez parfaitement soignée. »

Mme Ellis se vit enfermée derrière ces sinistres murs gris. Elle les avait souvent contemplés au cours de ses promenades, prenant en pitié les malheureux qui y étaient emprisonnés.

La femme de l'épicier était devenue folle. Mme Ellis se rappelait Grace venant un jour lui raconter l'histoire, « et il paraît qu'on l'a emmenée à Moreton Hill ».

Une fois derrière ces murs, elle n'en sortirait plus jamais. La police ne s'occuperait plus d'elle.

Et Susan? Quel était encore cet horrible malentendu? L'école avait-elle réellement changé de direction?

Mme Ellis se pencha en avant, les mains jointes.

« Je vous supplie de croire que je n'ai pas l'intention de faire du scandale, dit-elle. J'ai toujours été une femme paisible et calme. Je ne me mets jamais en colère et je déteste me disputer. Si j'ai vraiment perdu la mémoire, je ferai tout ce que le docteur me recommandera, je prendrai tous les médicaments qui pourront m'aider. Mais je suis inquiète, si terriblement inquiète pour ma petite fille. Voudriez-vous me rendre un grand service? Je vous en prie, téléphonez au collège et demandez comment on peut joindre Mlle Slater. Peut-être s'est-elle installée dans une autre maison en emmenant quelques élèves, dont ma fille. Peut-être la personne qui vous a répondu au téléphone était-elle débutante et n'a pas su vous répondre correctement. »

Elle parlait d'une voix nette, sans aucune émotion; il fallait qu'ils voient qu'elle était sincère et que sa requête n'avait rien d'insensé.

Le commissaire jeta un coup d'œil au docteur, puis il sembla prendre une décison.

« Très bien, dit-il, nous allons faire ce que vous demandez. Je vais essayer de joindre Mlle Slater, mais cela peut prendre un certain temps. Il vaut mieux que vous attendiez le résultat dans une autre pièce. »

Mme Ellis se leva, cette fois sans l'aide de la gardienne. Elle était décidée à prouver qu'elle était parfaitement saine de corps et d'esprit; que si cela lui était permis, elle pouvait très bien s'occuper de ses affaires sans l'aide de personne.

Elle souhaita avoir un chapeau plutôt que l'écharpe, qu'elle sentait instinctivement être à son désavantage, et ses mains semblaient gauches sans son sac. Au moins, elle avait ses gants, mais ce n'était pas suffisant.

Elle fit un bref signe de tête au commissaire et au docteur — il fallait à tout prix rester polie — et suivit la gardienne jusqu'à une salle d'attente. Cette fois, on lui épargna la honte d'une cellule.

La gardienne lui apporta une tasse de thé.

« Ils ne pensent qu'à cela, se dit-elle. Le thé! Au lieu de faire leur devoir! »

Soudain, elle se souvint de la pauvre Netta Draycott et de l'affreuse tragédie. Une bombe incendiaire. Il était possible que sa famille et elle eussent été sauvées, mais pour le moment il n'y avait aucun moyen de le savoir.

« L'attentat est-il dans les journaux de ce matin? demanda-t-elle à la femme-agent.

— Quel attentat? interrogea la femme.

— L'incendie de Charlton Court dont m'a parlé le commissaire. »

La gardienne la regarda d'un air surpris.

« Je ne me souviens pas qu'il ait parlé d'un incendie, dit-elle.

— Mais si. Il m'a dit que Charlton Court avait été détruit par une bombe incendiaire. J'ai été abasourdie, car j'ai des amis qui habitent l'immeuble. On en parle sûrement dans les journaux du matin. »

Le visage de la femme s'éclaira.

« Oh! ça, fit-elle, je crois que M. le commissaire voulait parler d'une maison incendiée par une bombe pendant la guerre.

— Non, non, s'impatienta Mme Ellis, Charlton Court a été bâti bien après la guerre. Je me souviens que tout ce pâté de maisons a été construit quand mon mari et moi nous nous sommes installés à Hampstead. Non, l'accident en question s'est apparemment produit la nuit dernière. Quel horrible événement! »

La gardienne haussa les épaules.

« Je crois que vous vous trompez, dit-elle, on n'a pas parlé d'accidents ou d'attentats. »

« Quelle créature ignorante et stupide », pensa Mme Ellis. On se demandait comment elle avait pu passer son examen d'entrée dans la police. Elle avait toujours cru qu'on n'y employait que des femmes très intelligentes.

Elle but son thé en silence. Inutile de poursuivre cette conversation.

Un long moment se passa avant que la porte ne s'ouvrît. Elle fut enfin poussée et le docteur parut sur le seuil, un sourire aux lèvres.

« Eh bien, fit-il, on dirait qu'on approche du but. Nous avons pu joindre Mlle Slater. »

Mme Ellis se redressa d'un bond, les yeux brillants.

« Oh! docteur, Dieu merci... Avez-vous des nouvelles de ma fille?

— Allons, allons, du calme. Il ne faut pas vous énerver, ou tout va recommencer comme hier soir. Quand vous parlez de votre fille, vous voulez bien dire une personne du nom, ou de l'ancien nom, de Susan Ellis?

— Oui, oui, bien sûr, fit Mme Ellis vivement, comment va-t-elle? Est-elle avec Mlle Slater?

— Non, elle n'est pas avec Mlle Slater, mais elle va parfaitement bien. Je lui ai parlé moi-même au téléphone. J'ai son adresse ici dans mon calepin. »

Le docteur frappa du poing la poche de son veston et sourit à nouveau.

« Elle n'est pas avec Mlle Slater? »

Mme Ellis resta stupéfaite.

« Le collège a donc bien changé de direction. Qu'est-il arrivé exactement? »

Le docteur prit sa main et la fit asseoir à nouveau.

« Voyons, fit-il, je désire que vous réfléchissiez bien tranquillement et que vous ne vous agitiez pas. Votre tête va devenir tout à fait claire. Vous vous rappelez qu'hier soir vous nous avez indiqué le nom de votre bonne comme étant Grace Jackson.

— Oui, docteur.

— Maintenant, prenez votre temps et parlez-moi un peu de cette Grace Jackson.

— Vous l'avez trouvée? Est-elle à la maison? Elle n'est pas blessée?

— Ne pensez pas à cela pour l'instant. Décrivez la-moi. »

Mme Ellis eut la crainte atroce que Grace ait été découverte, assassinée. On voulait maintenant qu'elle identifie le corps.

« C'est une grande fille, dit-elle, pas vraiment une jeune fille, plutôt une femme de mon âge, mais vous savez, on a toujours tendance à parler d'une domestique en disant une fille. Elle est assez forte, avec des chevilles épaisses, des cheveux bruns, des yeux gris. Elle portait... voyons, elle n'avait sûrement pas encore mis son petit tablier et elle portait donc une blouse; elle se change assez tard dans l'après-midi. Je le lui ai souvent reproché, cela fait si mauvais effet quand elle ouvre la porte vêtue comme une souillon. Elle a d'assez belles dents et un visage souriant, quoique, évidemment, s'il lui est arrivé quelque chose, il est peu probable que... »

Mme Ellis s'interrompit. Grace ne sourirait sûrement pas torturée, assassinée.

Le docteur ne parut pas remarquer son hésitation. Ses yeux étaient fixés sur Mme Ellis.

« Savez-vous, fit-il, que vous venez de me faire une très fidèle description de vous-même?

— De moi-même? s'écria Mme Ellis.

— Oui, la silhouette, la couleur des cheveux, etc. Il est possible que votre amnésie ait pris la forme d'une identité empruntée et que vous soyez réellement Grace Jackson, tout en vous prenant pour Mme Ellis. Nous essayons à présent de découvrir la famille de Grace Jackson. »

C'en était trop Mme Ellis avala de travers. Sa fierté blessée donna naissance à la colère.

« Docteur, dit-elle avec violence, vous allez un peu trop loin. Je n'ai aucune espèce de ressemblance avec ma bonne, Grace Jackson, et si vous arrivez un jour à découvrir et sauver cette pauvre fille, elle vous le dira elle-même. Grace est à mon service depuis sept ans, elle est d'origine écossaise; ses parents vivent en Ecosse, je crois, j'en suis même certaine, car elle va toujours passer ses vacances à Aberdeen. C'est une fille qui travaille dur, et — j'aime à le croire — est honnête. Nous avons eu nos petites querelles, mais jamais rien de sérieux. Elle a tendance à être un peu entêtée, et comme je le suis aussi... Qui ne l'est pas? Mais dans l'ensemble... »

Si seulement le docteur ne la regardait pas de cette façon affable et protectrice.

« Vous voyez, fit-il, vous savez une quantité de choses sur Grace Jackson. »

Mme Ellis aurait aimé le frapper. Il avait l'air si sûr de soi, si plein de prétention.

« Je dois me contrôler, se dit-elle, il le faut, il le faut... »

A haute voix, elle dit :

« Docteur, je connais bien Grace Jackson parce que, comme je vous l'ai dit, elle a été à mon service durant sept ans. Si on la retrouve malade, ou blessée, j'en tiendrai la police pour responsable, car, en dépit de mes supplications, je ne crois pas que ma maison ait été surveillée depuis hier soir. Maintenant, voulez-vous avoir la bonté de me dire où je puis rejoindre ma petite fille? Elle, au moins, me reconnaîtra. »

Mme Ellis pensa qu'elle s'était très bien dominée. Malgré les pires provocations, elle avait conservé son calme.

« Vous persistez à dire que vous avez trente-cinq ans? demanda le docteur, comme s'il n'avait pas entendu, et que Grace Jackson avait à peu près le même âge?

— J'ai eu trente-cinq ans en août dernier, dit Mme Ellis. Je crois que Grace a un an de moins, je n'en suis pas tout à fait certaine.

— Vous ne paraissez sûrement pas plus de trente-cinq ans », dit le docteur en souriant.

A un moment pareil, il n'allait tout de même pas lui prodiguer ses galanteries?

« Mais, reprit-il, d'après la conversation téléphonique que je viens d'avoir, Grace Jackson aurait, aujourd'hui, au moins cinquante-cinq ou cinquante-six ans.

— Il y a probablement plusieurs personnes du nom de Grace Jackson employées comme domestiques, dit Mme Ellis froidement. Si vous avez l'intention d'interroger chacune d'elles, cela vous prendra sûrement un temps considérable. Je m'excuse d'insister, mais avant tout il faut que je sache où est ma petite fille Susan. »

Il s'adoucissait; elle pouvait le voir dans ses yeux.

« A vrai dire, fit-il, Mlle Slater a pu nous donner des renseignements à son sujet; nous lui avons parlé au téléphone — elle n'est pas très loin d'ici : à Saint John's Wood. Elle croit pouvoir reconnaître Grace Jackson en la voyant. »

Mme Ellis resta sans voix pendant quelques

minutes. Que diable faisait Susan à Saint John's Wood? C'était monstrueux d'attirer cette enfant au téléphone et de la questionner au sujet de Grace. Naturellement, elle avait été tellement surprise qu'elle avait répondu qu'elle « croyait » pouvoir reconnaître Grace. Grands dieux, cela faisait à peine deux mois que Grace lui avait fait un signe d'adieu avec son mouchoir sur le pas de la porte, à la rentrée du collège!

Puis, elle se souvint brusquement du zoo. Avec tous ces changements à l'école, on avait dû envoyer une surveillante à Londres faire visiter le zoo ou un musée aux enfants, afin qu'ils ne souffrissent pas de la désorganisation.

« Savez-vous d'où elle parlait? demanda Mme Ellis vivement. Je veux dire, il y avait quelqu'un pour la surveiller, prendre soin d'elle?

— Elle m'a parlé du 2 *bis*, avenue Halifax, répondit le docteur, et je ne crois pas qu'elle vous semblera avoir besoin de surveillance. Elle semble très capable. Je l'ai entendue dire à un petit garçon nommé Keith de se tenir tranquille et de ne pas faire tant de bruit, car elle ne pouvait rien entendre. »

Une ombre de sourire se dessina sur les lèvres de Mme Ellis. C'était bien de Susan de se montrer si vive, si animée. Elle reconnaissait là sa Susan. Elle était si avancée pour son âge, une véritable compagne pour elle. Mais qui était ce Keith?

Apparemment, le collège était bel et bien devenu mixte tout d'un coup. On avait envoyé les garçons et les filles en groupe à Londres, au zoo ou ailleurs, et maintenant ils déjeunaient tous dans l'avenue Halifax, chez des parents de Mlle Slater peut-être, ou de ces Forster. Mais tout de même, il était parfaitement inadmissible qu'on changeât subitement toute l'organisation de l'école, qu'on envoyât les enfants à Londres, sans même en aviser les parents. Mme Ellis allait écrire à Mlle Slater sans tarder pour lui dire ce qu'elle en pensait, et si l'école avait un nouveau directeur et était devenue mixte, elle reprendrait Susan à la fin du trimestre.

« Docteur, fit-elle, je suis prête à me rendre à Londres, à cette adresse de Halifax Avenue, sur-le-champ, si la police le permet, bien entendu.

— Très bien, répondit le médecin; je crains de ne pouvoir vous accompagner, mais nous avons arrangé cela et Mme Henderson, qui est au courant, va aller avec vous. »

Il fit signe à la gardienne, qui ouvrit la porte et introduisit une femme d'une cinquantaine d'années, au visage sévère. Elle était vêtue d'un uniforme d'infirmière. Mme Ellis ne dit rien, mais ses lèvres se pincèrent. Elle était certaine que Mme Henderson venait de Moreton Hill.

« Madame Henderson, fit le docteur gaiement, voici la dame en question. Vous savez où l'emmener et que faire. J'espère que vous n'aurez que quelques instants à rester au 2 *bis*, avenue Halifax pour que cette affaire s'éclaircisse.

— Oui, docteur », fit l'infirmière.

Elle parcourut Mme Ellis d'un rapide coup d'œil professionnel.

« Si seulement j'avais un chapeau, pensa Mme Ellis. Si seulement je n'étais pas sortie avec cette petite écharpe minable. Je sens que mes cheveux sont affreusement dépeignés et que j'ai des mèches dans le cou. Je n'ai même pas un poudrier ou un peigne sur moi, rien. Je dois leur paraître négligée, vulgaire, c'est compréhensible. »

Elle redressa les épaules, résistant à l'envie de mettre ses mains dans ses poches. Elle se dirigea d'un pas rapide vers la porte ouverte. Le docteur, l'infirmière et la gardienne lui firent descendre les marches du commissariat et s'arrêtèrent devant une voiture en attente.

Mme Ellis se rassura un peu en voyant que c'était un agent en uniforme qui allait les conduire. Elle monta dans la voiture, suivie par l'infirmière.

Une pensée désagréable traversa soudain son esprit. Devait-elle de l'argent pour la nuit passée en cellule et les tasses de thé? Et la gardienne, aurait-elle dû lui laisser un pourboire? De toute manière, elle n'avait pas d'argent. Elle sourit aimablement à la gardienne pour lui montrer qu'elle ne lui en voulait pas. Quant au docteur, ses sentiments à son égard étaient différents. Elle se contenta de s'incliner froidement devant lui. La voiture démarra.

Mme Ellis se demanda si elle devait bavarder avec l'infirmière, qui se tenait à côté d'elle, froide et sèche. Il valait mieux ne rien lui dire. Tout ce qu'elle dirait pourrait être déformé et destiné à témoigner du dérangement de son esprit. Elle regarda droit devant elle, ses mains gantées jointes sur ses genoux.

La circulation sur la route était terriblement dense, plus qu'elle ne l'avait jamais vue. Il y avait sans doute un Salon de l'Auto à Londres en ce moment. La route était sillonnée de voitures américaines. Elle n'en avait jamais tant vu. Peut-être était-ce un rallye...

L'avenue Halifax lui déplut au premier abord. Les maisons y avaient un aspect délabré, certaines avaient même des vitres brisées.

La voiture s'arrêta devant une petite maison portant un grand 2 *bis,* sur son fronton. Un curieux endroit, vraiment, pour emmener déjeuner des enfants! Une grande brasserie dans le centre aurait mieux fait l'affaire.

L'infirmière sortit de la voiture et s'apprêta à aider Mme Ellis.

« Nous ne resterons pas longtemps », dit-elle au chauffeur.

« C'est ce que vous croyez, pensa Mme Ellis, mais je resterai avec Susan aussi longtemps qu'il me plaira. »

Elles traversèrent le petit jardin jusqu'à la grande porte, où l'infirmière sonna. Mme Ellis vit un visage apparaître à une fenêtre, puis brusquement disparaître derrière un rideau. Grands dieux... Mais c'était Dorothy, la jeune sœur de Wilfred, qui était maîtresse d'école à Birmingham. Mais oui, c'était elle... Tout s'expliquait. Les Forster connaissaient sans doute Dorothy — les gens qui sont dans l'enseignement se connaissent tous les uns les autres. Mais comme c'était ennuyeux! Elle n'avait jamais beaucoup aimé Dorothy, en fait elle avait même cessé de lui écrire. Elle s'était montrée si désagréable à la mort du pauvre Wilfred, réclamant aigrement un secrétaire et un assez joli bijou qu'elle disait lui appartenir — Mme Ellis était pourtant certaine que ce bijou lui avait été offert à elle par sa belle-mère, mais après tout un après-midi passé en discussions sordides (le jour même de l'enterrement!), elle n'avait été que trop heureuse de la voir partir avec le secrétaire, le bijou et même un très joli tapis auquel elle n'avait aucun droit.

Dorothy était bien la dernière personne que Mme Ellis eût voulu rencontrer, surtout dans ces circonstances malheureuses, avec l'infirmière à ses côtés, et pas même un chapeau, un sac.

Elle n'eut pas le temps de se composer une attitude, car la porte s'ouvrit. Non... non, ce n'était pas Dorothy, après tout; mais... c'était étrange, elle lui ressemblait tellement. Le même nez mince, la même expression maussade. Un peu plus grande peut-être, et ses cheveux étaient plus clairs. La ressemblance était tout de même extraordinaire.

« Vous êtes Mme Drew? demanda l'infirmière.

— Oui », répondit la jeune femme.

Un enfant l'appela de l'intérieur de la maison, et elle jeta par-dessus son épaule, avec impatience : « Oh! pour l'amour du Ciel, Keith, reste un peu tranquille! »

Un petit garçon de cinq ans apparut dans le vestibule, traînant derrière lui un petit cheval monté sur roues.

« Pauvre enfant, pensa Mme Ellis, affligé d'une mère aussi désagréable. Mais où étaient les enfants, où était Susan? »

« Voici la personne que j'ai amenée pour que vous l'identifiez, dit l'infirmière.

— Vous feriez mieux d'entrer, fit Mme Drew, à contrecœur sembla-t-il. J'ai peur que tout soit dans un désordre épouvantable. Je n'ai personne pour m'aider, vous savez ce que c'est. »

Mme Ellis, dont la colère montait, s'arrêta juste à temps devant un jouet brisé sur le seuil de la porte, et, suivie de l'infirmière, pénétra dans une pièce qui servait apparemment de living-room. Quel désordre, en effet. Sur la table subsistaient les restes du déjeuner, du petit déjeuner même. Partout des jouets disséminés, et sur un guéridon près de la fenêtre, un patron et des ciseaux.

Mme Drew eut un petit rire d'excuse.

« Je ne m'en sors plus avec les jouets de Keith et mon propre matériel — je suis couturière à mes heures perdues —, et il faut aussi préparer un repas convenable pour mon mari quand il rentre le soir. La vie n'est pas une partie de plaisir », dit-elle.

Sa voix était *tellement* semblable à celle de Dorothy. Mme Ellis ne pouvait détacher ses yeux de la jeune femme. Les mêmes accents plaintifs.

« Nous ne voulons pas vous déranger, fit l'infirmière, s'efforçant d'être polie, pouvez-vous simplement me dire si cette personne est Grace Jackson ou non. »

La jeune femme, Mme Drew, regarda attentivement Mme Ellis.

« Non, dit-elle enfin, je suis certaine que ce n'est pas elle. Je n'ai pas vu Grace depuis des années, depuis mon mariage en fait. Avant, j'allais la voir de temps en temps à Hampstead. Elle ne ressemblait pas du tout à cette personne. Elle était plus forte, plus brune, plus âgée aussi.

— Merci, dit l'infirmière, vous êtes donc sûre de n'avoir jamais vu cette personne?

— Absolument, dit Mme Drew.

— Très bien. Nous ne vous retiendrons pas davantage. »

Elle fit mine de s'en aller, mais Mme Ellis était résolue à ne pas se laisser berner par la petite comédie qui venait de se dérouler devant ses yeux.

« Excusez-moi, dit-elle à Mme Drew, j'ai été

victime d'un fort désagréable malentendu, mais je crois comprendre que vous avez parlé au docteur du commissariat de Hampstead ce matin, ou du moins quelqu'un l'a fait de cette maison, et que vous avez ici un groupe d'enfants de l'école de High Close, dont fait partie ma fille. Pouvez-vous me dire si elle est toujours ici et quel est le professeur chargé de la surveillance des élèves? »

L'infirmière était sur le point d'intervenir, mais Mme Drew n'avait même pas prêté attention à la phrase de Mme Ellis, car le petit garçon était à nouveau entré dans la pièce, traînant toujours son jouet.

« Keith, je t'ai déjà dit de ne pas venir ici », gronda-t-elle.

Mme Ellis sourit au petit garçon; elle aimait les enfants.

« Quel beau petit garçon », fit-elle.

Et elle tendit sa main à l'enfant, qui la serra bien fort.

« D'habitude, il ne s'approche jamais des gens qu'il ne connaît pas, fit Mme Drew, il est très sauvage. Parfois, je suis folle de rage quand il refuse de dire bonjour et qu'il baisse la tête sans dire un mot.

— Quand j'étais petite, j'étais aussi très timide, c'est pourquoi je comprends les enfants », assura Mme Ellis.

Keith leva les yeux sur elle, une expression confiante dans les yeux. Le regard de l'enfant lui réchauffa un peu le cœur, mais elle oubliait Susan...

« Nous parlions du groupe d'élèves de High Close, reprit-elle.

— Oui, répondit Mme Drew, mais ce commissaire de police était plutôt idiot, j'en ai peur, et il a tout confondu. Mon nom de jeune fille était Susan Ellis et j'ai été élevée au collège de High Close, mais c'est tout. Il n'y a pas d'élèves de l'école dans ma maison.

— Quelle étonnante coïncidence, s'écria Mme Ellis en souriant. Mon propre nom est Ellis et ma fille s'appelle Susan. Et ce qui est encore plus curieux, c'est que vous ressemblez comme une sœur à la sœur de feu mon époux.

— Vraiment? fit Mme Drew, c'est un nom assez répandu. Le boucher, au bas de la rue, s'appelle aussi Ellis. »

Mme Ellis rougit. Cette jeune femme n'avait pas beaucoup de tact. Elle se sentit nerveuse aussi, subitement, car l'infirmière s'avançait vers elle, comme si elle avait l'intention de la prendre par le bras et la conduire à la porte. Mme Ellis était bien décidée à ne pas quitter la maison, ou du moins à ne pas la quitter en compagnie de l'infirmière.

« J'ai toujours trouvé High Close un collège très agréable, fit-elle rapidement, mais je suis fort mécontente des changements qu'on y a introduits, et je crains que le niveau de l'école n'en souffre.

— Oh! l'école n'a pas beaucoup changé, dit

Mme Drew. Tous les enfants, quand ils sont petits, sont de petits monstres insupportables, et cela leur fait du bien de ne pas trop voir leurs parents et de vivre en commun avec des natures différentes des leurs.

— Je ne suis pas tout à fait de votre avis », dit Mme Ellis.

De plus en plus étrange. Le ton, l'expression auraient pu appartenir à Dorothy.

« Naturellement, reprit Mme Drew, je ne peux m'empêcher d'être reconnaissante envers la vieille Slater. Elle n'était pas très commode, mais elle a un cœur d'or et elle a été très chic avec moi. Quand ma mère est morte, écrasée par une voiture, elle m'a gardée et s'est occupée de moi personnellement pendant toutes les vacances.

— Comme c'était gentil à elle, fit Mme Ellis, mais quel horrible malheur pour vous. »

Mme Drew se mit à rire.

« Oh! j'étais assez dure à l'époque, fit-elle, cela ne m'a pas tellement impressionnée, et je ne m'en souviens pas beaucoup. Mais je me rappelle que ma mère était très bonne, très jolie. Je crois que Keith lui ressemble. »

Le petit garçon n'avait pas lâché la main de Mme Ellis.

« Il est temps que nous partions, fit l'infirmière. Allons, venez. Mme Drew nous a dit tout ce que nous voulions savoir.

— Je ne veux pas m'en aller, dit Mme Ellis calmement, et vous n'avez pas le droit de m'y forcer. »

L'infirmière échangea un regard avec Mme Drew.

« Je suis désolée, fit-elle à voix basse, mais je vais être obligée d'appeler le chauffeur. Je voulais qu'on envoie une autre infirmière avec moi, mais ils ont dit que ce ne serait pas nécessaire.

— Ne vous en faites pas, dit Mme Drew, il y a tant de gens plus ou moins piqués en ce moment, une de plus ou de moins, cela ne fait pas de différence. Mais je ferais peut-être mieux d'emmener Keith à la cuisine, elle pourrait avoir des velléités de l'enlever. »

Malgré ses protestations, elle emmena Keith hors de la pièce.

Une fois de plus, l'infirmière se tourna vers Mme Ellis.

« Allons, venez, dit-elle, soyez raisonnable.

— Non », répondit Mme Ellis.

Et avec une rapidité qui la surprit elle-même, elle se précipita vers le guéridon qui servait de table de coupe à Mme Drew et s'empara de la paire de ciseaux.

« Si vous vous approchez de moi, je vous poignarde », dit-elle.

L'infirmière se détourna et sortit rapidement de la pièce en appelant l'agent. Les quelques instants qui suivirent se passèrent très vite, mais Mme Ellis eut le temps de penser que sa tactique avait été habile, digne des héros de ses romans policiers favoris.

Elle traversa la pièce, ouvrit la grande porte-fenêtre qui donnait sur une petite cour arrière. Elle entendit la voix de l'agent :

« L'entrée de service est ouverte, criait-il, elle a dû se sauver par là. »

Mme Ellis vit la fenêtre de la chambre à coucher entrouverte et elle pénétra dans la pièce.

« Qu'ils s'embrouillent, se dit Mme Ellis, appuyée contre le lit. Qu'ils courent à sa recherche, et grand bien leur fasse! Cela ferait toujours maigrir un peu l'infirmière, elle en avait besoin. A Moreton Hill, elle ne devait pas beaucoup se fatiguer. Du thé et des biscuits pour elle, à toutes les heures du jour, et du pain sec et de l'eau pour les malades. »

L'agitation se poursuivit encore pendant un certain temps. Quelqu'un parlait au téléphone. Il y eut de nouvelles discussions, puis, au moment où Mme Ellis s'endormait presque contre le lit, elle entendit la voiture s'éloigner.

Tout était silencieux. Mme Ellis prêta l'oreille, le seul bruit qui lui parvînt était celui fait par le petit garçon qui jouait dans le vestibule. Elle s'avança à pas de loup jusqu'à la porte et écouta de nouveau. Elle entendit le raclement des petites roues du cheval de bois. En avant, en arrière.

Puis elle perçut un autre bruit, en provenance du living-room : celui d'une machine à coudre. Mme Drew s'était remise au travail.

L'infirmière et le chauffeur étaient partis.

Une heure, deux heures devaient s'être écoulées depuis leur départ. Mme Ellis jeta un coup d'œil à la pendule sur la cheminée. Il était deux heures. Quelle pièce en désordre, mal tenue. Tout était sens dessus dessous. Des chaussures au milieu de la chambre sur le plancher, un manteau jeté sur un fauteuil, et le petit lit de Keith n'était pas fait, les couvertures en étaient toutes froissées.

« Elle a été bien mal élevée, pensa Mme Ellis, et quelles mauvaises manières. Pauvre enfant, si elle n'a pas eu de mère, cela s'explique... »

Elle regarda une dernière fois autour d'elle, et remarqua avec un haussement d'épaules que même le calendrier de Mme Drew comportait une erreur d'imprimerie. Il disait 1952 au lieu de 1932. Quelle négligence...

Elle s'avança sur la pointe des pieds dans le couloir. La porte du living-room était fermée. La machine à coudre marchait à toute vitesse.

« Ils doivent manquer d'argent, pensa Mme Ellis. Elle est obligée de faire de la couture. Je me demande quel est le métier de son mari. »

Silencieusement, elle continua son chemin. Elle ne faisait aucun bruit en marchant, et si elle en avait fait, le bruit de la machine à coudre l'aurait couvert.

Quand elle atteignit le living-room, la porte s'ouvrit et le petit garçon s'arrêta sur le seuil, les yeux fixés sur elle. Il ne dit rien, il se contenta de sourire, et Mme Ellis lui sourit à son tour. Elle ne pouvait s'empêcher de penser qu'il ne la trahirait pas.

« Keith, veux-tu fermer la porte immédiatement », cria la voix hargneuse de sa mère.

La porte claqua. Le bruit de la machine à coudre parvint assourdi, plus distant. Mme Ellis se glissa hors de la maison... Elle se dirigea vers le nord, comme un animal flairant sa route, car c'est vers le nord qu'était sa maison.

Très vite, le trafic intense de la ville la submergea. Dans Finchley Road, les autobus et les voitures filaient tout autour d'elle. Ses pieds la faisaient souffrir et elle se sentait lasse, mais elle ne pouvait ni prendre un autobus, ni arrêter un taxi, car elle n'avait pas d'argent.

Personne ne la regardait, personne ne prêtait attention à elle. Chacun était plongé dans ses propres affaires, ses propres soucis. Les gens allaient à leur travail ou rentraient chez eux, et tandis qu'elle montait péniblement la côte qui menait à Hampstead, il parut à Mme Ellis que, pour la première fois de sa vie, elle était entièrement seule, sans amis. Elle désirait sa maison, son foyer, la consolation que lui apporterait la vue de ses objets familiers; elle voulait retrouver sa vie normale, sa vie de tous les jours qui avait été si brutalement interrompue.

Elle avait tant à faire, tant de choses à ranger, à arranger aussi. Mais elle ne savait pas par où commencer, à qui s'adresser pour obtenir de l'aide.

« Je voudrais tant que tout soit comme avant ma promenade, hier, pensa Mme Ellis, le dos douloureux. Je veux ma maison, je veux ma petite fille. »

Elle était arrivée devant le parc une fois de plus. C'est là qu'elle s'était arrêtée avant de traverser la rue. Elle se souvenait même de ses pensées à ce moment-là. Elle avait décidé d'acheter une bicyclette rouge pour Susan. Une bicyclette légère, mais solide — une bonne marque.

La pensée de la bicyclette lui fit oublier ses ennuis, sa fatigue. Dès que tous ces malentendus, cette confusion, seraient dissipés, elle achèterait une bicyclette rouge pour Susan.

Mais tandis qu'elle traversait la rue, pourquoi, soudain, pour la deuxième fois, ce crissement brutal de freins, et pourquoi cette expression hébétée dans le regard du garçon blanchisseur fixé sur elle?

TABLE

Les oiseaux.	5
Le pommier.	71
Encore un baiser.	147
Le vieux	191
Mobile inconnu.	211
Le petit photographe.	283
Une seconde d'éternité.	359

IMPRIMÉ EN FRANCE PAR BRODARD ET TAUPIN
6, place d'Alleray - Paris.
Usine de La Flèche, le 25-04-1969.
6144-5 - Dépôt légal n° 8382, 2e trimestre 1969.
1er Dépôt : 1er trimestre 1964.
LE LIVRE DE POCHE - 6, avenue Pierre Ier de Serbie - Paris.
30 - 21 - 1127 - 06

30/1127/7